시대와 소통하는 대중문화예술인 19명을 만나다

숨겨진 테마

장윤선 지음

마음의숲

그들이 있어 우리도 행복하다

"소셜테이너가 뭐야?"

주변에선 전형적인 콩글리시라는 비판이 쏟아졌다. 이렇게 말도 안 되는 조어를 갖다 붙이니 한글이 몸살을 앓는 게라고 걱정했다. 욕먹어 싸다. 그러나 적당히 붙일 우리말이 없었다. '사회참여 연예인', 이 정도면 괜찮을까.

처음 이 인터뷰를 기획한 건 2010년 6·2 지방선거가 막 끝나던 무렵이었다. 전쟁 같은 선거보도를 마친 뒤 정치 이외의 무대에서 우리 사회의 지속 가능한 발전을 이야기하는 사람들이 가슴 저미도록 그리웠다. 한국도 다른 나라들처럼 좋은 뜻을 품고 적극적인 발언이나 행동으로 사회적 실천에 나서는 대중문화예술인들이 꽤 많은데 왜 전면에 나서서 말하는 사람은 드물까? 혹 제대로 말을 하고 싶은데 '불러주는 자리'가 없어서 그런 건 아닐까? 나 홀로 상상했고 그들의 이야기를 듣겠다고 작심했다. 그들의 이야기는 세상 그 어떤 정치인들의 사회적 발언보다 감동을 줄 것이라 생각했다. 그것이 실천의 연대로 이어진다면 우리도 꽤 살맛 나는 나라가 되지 않을까 하는 기대가 섞였다.

자신의 예술 활동에만 집중하는 게 아니라 우리네 사는 문제에도 관심을 갖고 함께 해결하려고 애쓰는 대중스타들, 정말 만나고 싶었다. 어쩌면 나도 다른 사람들과 마찬가지로 TV와 라디오를 통해 우리와 함께 울고 웃는 대중문화예술인들과 문제를 공감하고 할퀴어진 감성을 따뜻하게 위로받고 싶었는지도 모른다. '소셜테이너(Social + entertainer)를 만나다'라는 타이틀을 걸고 지난 1년여 동안 대중문화예술인들을 만난 계기는 이랬다.

그러나 그 과정은 늘 험난했다. 무엇보다 인터뷰이 섭외가 어려웠다. 평균 1개월, 경우에 따라 반년 넘게 기다려 인터뷰에 성공한 사람들도 있다. 심지어 약속은 했지만 아직도 만나지 못한 소셜테이너도 꽤 된다. 섭외할 때마다 매니저들에게 소셜테이너의 의미를 구체적으로 설명하는 데 상당한 시간이 걸렸다. 설사 여기서 통과돼도 정치적으로 특정 정당의 편을 드는 폴리테이너와의 차별성을 또 설명해야 했다. 그럼에도 다 듣고 난 뒤 조심스럽게 사양하는 연예인들도 퍽 많았다. 이해는 충분히 됐다. 평소 소셜테이너로 알려진 대중문화예술인들이 방송에서 알 수 없는 이유로 퇴출됐고 아직도 TV 프로그램에서 좀체 만나기 어려운 게 현실이기 때문이다.

세계 어느 선진 국가에서 민주주의의 소중한 가치, 인권, 평화, 여성, 반전, 동물보호, 환경, 참된 교육을 위한 운동을 적극 펼친다고 특정 방송의 출연을 금지할까. 참으로 시대착오적인 발상이다. 이런 구닥다리 행태를 비웃듯 〈나는 꼼수다〉 팟 캐스트 방송이 공전의 히트를 치고 있다.

내가 만난 소셜테이너들은 트위터 등 SNS 무대에서 대단한 인기를 얻으며 활약하고 있다. 배우 김여진 씨는 인터뷰 뒤에 더 적극적으로 활동하는 소셜테이너가 됐다. 〈조선일보〉 여론조사에서는 박근혜 전 한나라당 대표보다 더 영향력 있고 신뢰받는 인물로 평가되기도 했다. 꼭 정치적이지 않아도, 딛고 선 인생의 무대에서 소신껏 발언하고 잘못된 문제들을 고치고 해결하려는 것이 무에 그리 나쁜 일이길래 의견을 감춰야 하는 걸까.

잘못된 현실을 고발하고 대중과 함께 개탄하며 문제를 고쳐나갈 수 있다면, 함께 노력해서 보다 살 만한 사회로 만들어가는 것은 이 시대를 살아가는 모두의 몫이다. 그런 점에서 우리보다 큰 영향력을 가지고 사회적 실천을 하는 소셜테이너들에게 박수를 보낸다. 그들이 있으므로 우리도 행복하다고.

끝으로 이 책이 출판될 수 있도록 인터뷰 게재를 허락해준 열아홉 명의 소셜테이너, 함께 작업한 〈오마이뉴스〉 사진팀 유성호, 남소연 기자, 권우성 팀장, 많은 격려를 해준 김병기 편집국장, 졸고를 다듬고 예쁘게 편집해준 오마이북 차경희 님, 서정은 팀장, 이한기 국장에게 감사의 인사를 드린다.

인생의 고비마다 큰 도움을 준 큰형부 정진철 님, 이 글을 쓰고 있는 지금도 사랑하는 두 딸 명현과 명서를 누구보다 살뜰하게 보살펴주고 있는 작은언니 장성애 님, 팔순이 넘어서도 철부지 막내딸 뒤치다꺼리에 여념 없는 부모님, 때로는 동업자로 때로는 반려자로 조언과 질책을 아끼지 않는 남편 정인환 님에게도 특별한 감사의 인사를 드린다.

부족한 글이지만 끝까지 이 책을 읽어주실 독자 여러분에게도 더없이 큰 감사의 마음을 전한다.

2012년 1월

겨울바람 찬 여의도에서 봄비를 기다리며

장윤선

차례

004 들어가는 글 | 그들이 있어 우리도 행복하다

010 소셜테이너 · 1 | 광대에게 좌우란 없다 | **코미디언 김미화**

032 소셜테이너 · 2 | 친환경 삶으로의 유혹을 시작하다 | **배우 공효진**

048 소셜테이너 · 3 | '몽당연필' 되어 세상을 고쳐 쓰다 | **배우 권해효**

068 소셜테이너 · 4 | 딴따라처럼 날라리처럼 진심을 모으다 | **배우 김여진**

084 소셜테이너 · 5 | 악당 레슬러, 정의를 응원하다 | **레슬러 · 방송인 김남훈**

102 소셜테이너 · 6 | 예의 없는 세상에 발차기를 날리다 | **가수 김장훈**

124 소셜테이너 · 7 | '부당사회'에 분노하다 | **영화감독 류승완**

144 소셜테이너 · 8 | 힘없는 단역배우? 할 말은 한다 | **배우 맹봉학**

162 소셜테이너 · 9 | 몸에 꼭 맞는 '에코라이프'를 찾다 | **배우 박진희**

180 소셜테이너 · 10 | 전태일 정신을 지키고 싶다 | **배우 박철민**

198 소셜테이너 · 11 | '레몬트리 공작단'과 유쾌한 재능 기부에 나서다 | **가수 박혜경**

214 소셜테이너 · 12 | 재미있게, 섹시하게, 화끈하게. 안 돼? | **영화감독 여균동**

234 소셜테이너 · 13 | 노래하며 저항하는 나비로 살아가다 | **가수 윤도현**

248 소셜테이너 · 14 | 2040세대의 문화를 살찌우고 싶다 | **가수 이상은**

268 소셜테이너 · 15 | 슬픔 속에 얻은 새 삶의 씨앗을 나누다 | **배우 이광기**

288 소셜테이너 · 16 | '걸그룹' 바람에 애정 어린 독설을 던지다 | **가수 이은미**

308 소셜테이너 · 17 | '동물보호'의 프레임을 바꾸다 | **영화감독 임순례**

328 소셜테이너 · 18 | 차별 없는 '해피투게더'를 꿈꾸다 | **배우 홍석천**

354 소셜테이너 · 19 | 진보에게 발칙한 상상력을 선물하다 | **문화콘텐츠 기획자 탁현민**

372 Thanks to 소셜테이너 | 닥치고 광대? 그 손가락을 거두시오

광대에게
좌우란 없다

제가 기자회견할 때 "여러분 저를 잊지 마십시오"라고 했잖아요. 어떤 분은 그 말이 되게 건방지게
들렸다고 하시더군요. 그러나 그건 제 마음속에 있는, 코미디언으로서 살고 싶다는 절절한 호소였습
니다. 제 진심은 정말 웃기는 코미디언으로 살다가 죽고 싶다는 것이었거든요.

소셜테이너 인터뷰 · 1

코미디언 김미화

전화만 하면 늘 흔쾌히 승낙했다. 별스럽게 가리지 않았고 얄밉게 재지도 않았다. 자신이 필요한 자리라면 선뜻 "좋아요!" 했다. 비록 인터넷 방송일지라도 양머리 패션을 마다하지 않고 〈찜질방 토크〉에 참여해주었고, 인터뷰 역시 거절한 적 없었다. 김미화(트위터 @kimmiwha)는 유명 코미디언임에도 이웃집 언니처럼 늘 편안하게 대중과 가까이 서 있었다. 그런데 2010년 7월 19일, KBS가 이른바 '블랙리스트 파문'으로 그를 고소한 뒤 연락이 끊겼다. 전화를 잘 받지 않았고 간단한 문자메시지 정도로만 응했다. 참 오랫동안 기다렸다. 여름 지나 가을, 가을 지나 겨울, 그리고 해를 넘겨서야 그를 겨우 만날 수 있게 됐다. 그사이 KBS는 김미화에 대한 고소를 취하했고, 그의 행적을 '친노 좌파'라고 표현하여 보도한 보수 인터넷 매체 〈독립신문〉과의 명예훼손 소송에서 김미화가 승소했다.

그가 〈오마이뉴스〉 본사에 나타나자 기자들은 스마트폰부터 꺼내 들었다. 인증 사진을 위한 것이다. 그는 기꺼이 포즈를 취해주었다. 최대한 밝게 웃었고 재밌는 표정을 지어주었다. 천생 코미디언이었다.

어쩌면 그에겐 몇 십 년처럼 느껴졌을지도 모를 그 시간 동안 코미디언을 슬프게 했던 슬픈 한국 사회. 그 엄중한 경찰 조사 상황에서도 '개그 소재'가 떠올랐다는 그의 이야기를 들으면서, 왜 대한민국은 이토록 뛰어난 코미디언을 '그냥 코미디언'으로 살게 하지 못하는 걸까, 가슴이 먹먹해졌다.

8년 동안 라디오 시사 프로그램 〈세계는 그리고 우리는〉을 진행하면서 나름 '김석희(김미화+손석희)'를 꿈꿔보기도 했다지만, 아무리 봐도 그는 '우리 시대의 진정한 광대'다. 남을 웃길 때, 남과 함께 박장대소할 때, 남들이 그의 말을 듣다 배꼽을 쥘 때, 그는 가장 행복해했으므로.

■ 2010년, 여러 구설에 시달리면서 힘든 일이 많았을 것 같은데요.

큰 싸움을 하면서 제 인생을 돌이켜 보게 되었죠. 무엇보다도 인간관계 맺는 것에 신중할 필요가 있겠구나 싶었어요. 좋으면 그냥 친구가 되고 바로 말도 트면서 살았는데 그동안 너무 격식을 무시하고 거리감 없이 살았나 하는 생각이 들었어요. 사람에 따라 적당한 거리를 두며 살 필요도 있구나 하는 반성을 해보는 계기가 됐습니다.

사실 거대 권력인 KBS와 싸울 때는 '내가 살아왔던 길 자체가 잘못된 건가', '내게 왜 이런 일이 생기는 건가' 하는 자괴감도 들었어요. 하지만 남편과 주변 사람들, 트위터 팔로어들이 그냥 허허 웃어넘길 수 있도록 위안을 주셔서 그나마 상처를 덜 받았던 것 같습니다.

물론 힘겨울 때도 많았지만 보이지 않는 힘들이 제 뒤에서 든든하게 버텨주었기 때문에 실제로는 언론에 비친 모습보다 훨씬 더 당당하게 싸울 수 있었어요. '아! 나는 사랑받고 있구나' 하는 안도감과 제 자신을 믿는 힘이 있었던 것 같아요. '나는 절대 잘못 살아오지 않았다', '나는 정정당당하다' 이런 마음이 있었으니까요.

■ 연예인 입장에서 KBS라는 거대 방송사와 맞붙어 싸운다는 것이 두렵지는 않았나요?

굉장히 두려웠죠. 말 그대로 계란으로 바위를 치는 심정이었어요. 저는 KBS PD들과 20년 넘게 함께 일했고 방송 현장에서 일하는 그들을 사랑해요. 그리고 현장 PD들은 저의 진정성을 믿어줄 거라고 생각합니다. 맨 위에 계신 간부들과 생각이 달라 부딪친 거라고 생각해요. 오랜 세월 가족같이 지냈기 때문에 KBS를 '친정'이라고 표현했는데 그 사람들이 밉겠어요? 지금도 안 미워요.

■ KBS가 법무팀 소송과는 별도로 계속 사태를 풀려고 노력했다고 들었습니다. 예능국장이 몇 차례 찾아와 만나기도 했다면서요.

트위터에 '블랙리스트'를 언급하는 내용을 올린 첫날 예능국장님과 예능부장님께 사정했어요. KBS에서 20년 넘게 봉사했고 그 어느 방송사보다 KBS에 애정이 많은 사람이다, KBS에 해를 끼치려는 의도가 아니었다……. 그렇게 일고여덟 번을 고소하지 말아달라고 부탁드렸죠. 트위터에 올린 글의 취지는 두 가지였어요. 우선 저조차도 본 적 없는 '블랙리스트'라는 게 정말 있는 것인지 묻고 싶었죠. 또 제 트위터를 팔로잉하는 수많은 젊은 작가와 PD들에게 이 사안을 바른 눈으로 바라봐 달라는 것이었습니다. 도대체 저를 법적으로 조치해서 KBS가 무엇을 얻겠다는 것인가, 그야말로 일개 코미디언일 뿐인데 거대 방송사가 저한테 왜 이러나 정말 속상했죠.

■ KBS 노조가 '임원회의 결정사항'을 폭로했었는데, 이게 사건의 발단인가요?

2010년 4월 KBS 노조가 '김미화도 블랙리스트인가'라는 노보를 낸 뒤 많은 신문에 기사화됐고 여러 기자들로부터 어찌 된 일이냐는 전화도 받았습니다. 깜짝 놀랐죠. 'KBS 블랙리스트'에 오른 연예인으로 찍히면 먹고사는 데 지장이 있잖아요. (웃음)

그래서 해당 노보가 나올 당시 KBS 간부 한 분을 찾아가 부탁을 드렸어요. "논란의 대상이 된 연예인이라니요. 제가 어떻게 논란의 대상이 되는 연예인입니까. 이러면 누가 절 써주겠습니까. 오해가 없도록 해주셨으면 좋겠습니다." 간곡하게 부탁드렸죠. 그런데 그로부터 넉 달이 지난 뒤에도 또 그런 이야기를 들으니까 저로서는 이게 뭔가 싶어서 트위터에 올린 거예요. 지금 생각하면 왜 그날따라 시간이 남아돌아서 그런 걸 트위터에 올렸나 싶기도 합니다. (웃음)

■ 동료들은 주로 뭐라고 조언을 했나요?

많은 분들이 그래 봐야 혼자만 다친다고 하셨죠. 트위터에도 썼지만, 마

치 거대한 벽 앞에 홀로 선 듯한 느낌이었어요. 제가 기자회견할 때 "여러분 저를 잃지 마십시오"라고 했잖아요. 어떤 분은 그 말이 되게 건방지게 들렸다고 하시더군요. 그러나 그건 제 마음속에 있는, 코미디언으로서 살고 싶다는 절절한 호소였습니다. 그 말의 진심을 모른다면 '자기가 뭐라고 저를 잃지 말래?' 이럴 수 있지만, 제 진심은 정말 웃기는 코미디언으로 살다가 죽고 싶다는 것이었거든요.

> ■ 후배들이 이런 일을 당하지 않게 끝까지 싸울 거라고 했습니다. 김미화 씨가 당한 피해를 후배 세대에게 물려주고 싶지 않다는 뜻 같았는데요. '누가 알아주든 알아주지 않든 이 정도의 저지선은 최소한 내가 지켜야 한다'는 생각을 하는 것 같아 좀 힘들어 보이기도 했어요. 개인적으로 힘들지 않았나요? 간혹 이쪽 아니면 저쪽으로 편 가르기를 하는 것이 참 속상할 것 같습니다.

솔직히 대중연예인들은 이편이나 저편이 아니라 다 우리 편이어야 해요. 무슨 소리냐 하면, 싫어하는 사람이 없어야 가장 좋은 거라는 말이에요. 그런데 제가 그 사건 때문에 날마다 딱딱한 이미지로 TV 앞에 섰으니 사실 엄청난 손해죠.

그리고 방송사는 갑이고, 저는 을이잖아요. 감히 갑에게 도전한다는 게 쉬운 일은 아니죠. 코미디언이라서 그동안 늘 즐겁게 웃는 모습을 보여주려 애썼어요. 사회적으로 아무런 해를 끼친 일도 없고요. 그런데 자꾸만 '논란의 대상이 되는 연예인'이라는 말이 나오니 좋을 리 있겠어요? 왜 하필 제가 그런 논란의 한복판에 서게 됐는지 이해할 수 없었어요. 더 큰 문제는 이게 만약 시정되지 않고 반복된다면 피해는 고스란히 연예인 몫이 되겠더라는 거예요. 그래서 생각했죠. 아, 내가 찍소리라도 해야 하는 거다.

물론 제가 후배들을 위해서 뭔가 해줘야겠다는 거창한 마음을 먹은 건 아니에요. 다만 이런 일이 되풀이되지 않도록 조금이라도 고쳐나가면 후배들이 같은 일을 당하지는 않을 거라는 생각은 했죠.

> ■ 〈중앙일보〉는 〈승승장구〉에 김제동이 나왔고 〈유희열의 스케치북〉에 윤도현이 나왔으니 '블랙리스트'는 없는 것이나 마찬가지라고 주장한 적이 있어요. KBS에서 섭외가 오긴 했나요?

고정 코너도 아니고 그저 한 번 초대 손님으로 출연한 건데……. 글쎄요. KBS에서 저한테 섭외 요청을 한 적은 있었어요. 하지만 KBS와 날마다 싸우면서 그 방송사의 TV 프로그램에 출연하는 건 좀 이상하지 않나요?

싸움이 끝난 뒤에도 두 번 정도 섭외 요청이 있었어요. 물론 이건 윗분들이 아니라 담당 PD의 의지였던 것 같은데, 제가 아직 마음 정리가 안 돼서 정중하게 사양했습니다. 그런 일 있고 나서 KBS 프로그램에 나가면 제가 마치 KBS에 출연하기 위해 모든 일을 벌인 것 같잖아요? (웃음)

경찰 조사 받으면서도 개그 소재가 떠오르더라고요

> ■ KBS 문제로 4개월간 경찰 조사를 받고 나서 앞으로는 법과 관련된 개그

아이디어를 무수히 낼 수 있을 것 같다고 하셨죠. 어떤 내용이 개그 소재가
될 수 있을까요?

조사 받을 때 담당 경찰 분들은 잘해주셨어요. 그런데 정말 힘들었던 건
매번 똑같은 질문과 답변을 일고여덟 시간씩 반복했다는 겁니다. 제가
모두 네 번 출두했는데 매번 똑같은 얘기를 반복했어요. 계속 똑같이 묻
고 답하는 과정에서 덜컥 실수하기를 기다리는 수사기법이 있나 싶을
정도였어요. 전 거짓말한 게 없기 때문에 실수할 것도 없었지만 뭔가 논
점이 빗나간 대화였다고나 할까요? 그 오랜 시간 동안 평행선을 달려야
하니 얼마나 힘든 일이었겠어요.

■ 경찰서에서 조사 받는 동안 재미있는 해프닝도 있었나요? 이런 건 모아두
었다가 정말 나중에 개그 소재로 써도 되겠다 싶은…….

조사 첫날이 마침 경찰의 날인가 그랬어요. 그래서 공짜로 삼계탕을 얻
어먹었네요. 두 번은 된장찌개를 시켜 먹었는데, 기자들이 잔뜩 대기하
고 있으니까 밥 먹으러 나가기도 어렵더라고요. 게다가 화장실 갈 때도
복도에서 기다리던 기자들이 카메라로 막 찍어대니까 정말 창피했어
요. "저 지금 화장실 가는 거예요" 하면 카메라 들고 모였던 기자들이
다시 본래 자리로 돌아가는데, 굉장히 미안했던 건 긴장하니까 30분 간
격으로 소변이 마려운 거예요. (웃음)
경찰서 갈 때마다 기자들이 잔뜩 기다리고 있는데 뉴스에서 남들이 경
찰서 출두하는 모습이나 봤지 제가 그런 모습으로 카메라에 찍힐 줄 누

가 알았겠어요.

오늘은 뭘 입고 가나, 가방은 또 뭘 드나, 화장은 어떻게 해야 하나……. 사소한 것까지 너무 신경 쓰이는 거예요. 게다가 고개를 숙이면 사진이 꼭 죄인처럼 나올 것 같아서 일부러 턱을 들고 당당하게 서 있느라고 얼마나 힘들었다고요.

제가 매니저 없이 일하잖아요. 그러니 조사 받으러 가면서도 운전을 직접 해야 하는데 이게 영 폼이 안 나는 거 있죠. 경찰서에 도착했는데 주차된 차가 너무 많아서 제 차를 댈 데가 마땅치 않은 거예요. 정말 난감하더라고요. 그래서 차를 후진시켜 핸들을 돌리는데 기자들이 사진 찍는 소리가 들려요. 그럼 차창을 내리고 "조금 있다가 포즈 취할 테니까 이런 건 찍지 마세요" 하고 주차를 했다니까요. 또 조사 받으러 가면서 아줌마 가방을 들면 좀 이상할 것 같아서 서류 가방 느낌이 드는 노트북 컴퓨터 가방을 찾아 들고 갔어요. (웃음)

그런데 제 눈에 비친 경찰서 풍경이 참 재밌었어요. 의경들과 삼계탕 먹으면서 농담도 하고 위로도 해주고. 형사들은 권총 차고 밥을 드시데요? 코미디 할 때 이런 풍경을 써먹을 수 있겠다 생각했죠.

■ KBS와 갈등 관계일 때 트위터 팔로어가 많이 늘었다고 들었어요. 최첨단 SNS(Social Networking Service)에서 아날로그를 느낀다고도 했습니다. 소소한 일상 이야기들도 많이 올리던데요.

KBS 사태가 일어날 때까지만 해도 제 팔로어가 2만 5000명 수준이었어요. 그런데 그 사건이 일단락될 때쯤 9만 명으로 늘어났다가 지금은

17만 명이 넘었으니까(2011년 11월 현재 18만 8528명) 어마어마한 거죠. 사실 트위터가 절 키웠다고 해도 과언이 아니예요. KBS와 싸우지 않고 가만히 있었으면 시골 사는 소소한 이야기나 올렸을 텐데.

하여간 트위터의 힘은 정말 놀라워요. 예전에 트위터에서 만난 미국 사는 친구가 코스타리카 인근 커피농장에서 자원봉사를 하게 됐다면서 커피 원두를 직접 따서 볶아 보내주겠다고 하더라고요. 그래서 감사하다고 했더니 이분이 진짜로 몇 달 동안 농장에서 일하며 딴 원두를 직접 볶아서 항공 화물로 보내준 거예요. 우리가 지금 이런 세상에 살아요. 덕분에 라디오 방송 팀들이 럭셔리하게 코스타리카 원두커피를 마셨다니까요.

■ 연극 〈아큐, 어느 독재자의 고백〉부터 여성단체까지 여러 곳에서 김미화 씨를 후원해주셨죠?

미국에 계신, 알지도 못하는 변호사님이 제 트위터에 들어오셔서 커다란 권력과 싸울 때는 시간과 돈 싸움이라며 당신이 미국에 있어서 직접 도와줄 수는 없으니 변호사 비용을 보내겠다고 하시는 거예요. 너무 감사한 마음이라 뿌리칠 수가 없어서 여성단체연합에 부탁해 통장을 만들어달라고 했어요. 그분이 주신 돈은 소중한 곳에 써야 할 것 같아서요.

또 제가 보수 인터넷 매체의 왜곡보도에 맞서 승소했잖아요. 그 승소비용에 미국에서 교민 여러분들이 십시일반 보내주신 돈, 〈아큐〉 연극에서 모아주신 돈을 모두 합치면 적지 않은 금액이에요. 저처럼 왜곡보도로 힘들었던 사람들이나 바른 언론을 위해 애쓰는 언론사를 후원하는

데 쓸 생각입니다.

■ 보수 인터넷 매체들이 왜 '친노 좌파'라고 낙인찍으려 드는 걸까요?

제가 1983년부터 방송을 했습니다. 열아홉 살 때인데, 그때는 전두환 대통령 시절이죠. 〈쇼 비디오자키〉라는 프로그램에서 '쓰리랑 부부' 코너의 순악질 여사로 인기를 끌던 때예요. 그때부터 청와대 행사를 했어요. 제가 청와대를 많이 들락거린 연예인입니다. 노무현 대통령 때만 행사한 게 아니에요.

저는 제가 우리 시대의 광대라고 생각해요. 이걸 천직으로 알고 살기 때문에 나라님이 원하면 어디든 가서 돕겠다는 거죠. 스스로를 광대라고 생각하는 대중연예인에게 좌나 우가 어디 있겠습니까. 사실 만난 횟수로 따진다면 노태우, 김영삼, 노무현, 김대중 대통령 순이에요.

정치할 기회는 예전부터 많았어요

■ 1983년 전두환 군사독재 시절, 청와대 분위기는 어땠나요?

대통령 행사는 언제나 비슷해요. 경직돼 있고, 리허설도 많이 해야 하고, 대통령과 악수하는 동선까지 미리 맞춰보죠. 그런데 그때는 여자 연예인에게 옷을 야하게 입지 말라는 주문이 많았어요. 의전은 그때나 지금이나 같아요.

■ 시사 프로그램을 8년 동안이나 진행하셨죠.

생방송에서 실수하면 큰일 나니까 늘 긴장되고 힘들었어요. 끝나고 나면 홀가분하지만 하는 동안에는 굉장히 힘든 작업이 생방송이에요. 엄청난 긴장감 속에서 뇌세포를 갉아먹는 느낌이랄까요? 정치·경제·사회 각 분야의 고수들과 대화하는 것이니 쉽지 않았죠.

■ 〈손석희의 시선집중〉 10주년 기념 특집 공개녹음 방송에 출연해서 '김석희가 되고 싶다'고 했는데요. 손석희 교수의 어떤 점을 닮고 싶으세요?

손석희 교수님은 카리스마가 있잖아요. 전 그게 부족한 것 같아요. 코미디언이라 그런지 늘 '저 사람을 아프게 하면 안 된다', '꼬집으면 안 된다'는 생각이 들어서 맺고 끊는 게 분명치 않아요. 그게 제가 진행했던 프로의 장점이라고 말하는 사람도 있지만 끊지를 못해서 힘들 때가 많았거든요. 그분의 냉철함을 배우고 싶어요.

그래서 제가 우리 팀에게 이런 주문을 한 적도 있어요. 손 교수님이 가는 음식점이 어디냐, 점심을 먹어도 그분의 길을 따라가자, 그러면서 많이 웃고 그랬죠. 늘 새벽에 나오시잖아요. 그렇게 오래 하셨으면서도 딱 두 번 지각하셨다는데 정말 대단한 것 아닌가요? 성실하신데다 외모도 너무 반듯하잖아요? (웃음)

■ 약이나 달걀을 선물 받기도 했다는데, 요즘도 팬들로부터 선물 많이 받나요?

트위터에 감기 걸렸다고 올렸더니 어떤 친구가 "빨간약을 바르세요" 하더라고요. 그래서 "그럼 빨간약을 보내주든가" 했더니, 홍삼을 보내온 거예요. 농담한 건데 정말 미안해 죽는 줄 알았어요. 집에서 양배추나 양파로 즙을 낸다는 친구가 그걸 보내준 적도 있고 아무튼 가족처럼 챙겨주시는 분들이 많아요.

■ 택시기사에게 평생 정치하지 않겠다는 약속을 했다고 들었습니다. 정말 정치 안 할 생각이세요?

정치는 하고 싶은 사람들이 하는 거라고 생각해요. 저는 정치 안 한다고 하는데 왜 자꾸 다른 사람들이 저를 정치할 것 같은 사람으로 보는지 모르겠어요. 아마 말로는 안 한다고 해놓고 결국 하는 사람들이 많기 때문에 못 믿는 것 같아요. 그게 우리나라의 현주소인 거죠.

본인이 한 번 안 한다고 했으면 그 말을 지켜야 하는데 그렇지 않은 경우가 너무 많으니까 자꾸 의심을 받는 것 같아요. 그러니 죽고 나서야 판명 받으려나? 화가가 죽은 뒤에야 그림의 가치를 인정받듯이 말이에요. (웃음)

게다가 제 나이가 현재 활동하는 국회의원들에 비해 적은 나이가 아니라고 생각해요. 나이 오십에 초선의원이 된다는 건 요즘 트렌드가 아니죠. 사실 제가 정치하고 싶었다면 이미 오래전에 여러 번 기회가 있었습니다. 하지만 안 했어요. 절대 정치 안 하겠다는 겁니다. 아무리 이렇게 얘기를 해도 많은 분들이 믿지 못하시는 걸 보면 우리 사회 인사들에 대한 불신이 어느 정도인지를 알 수 있을 것 같아서 씁쓸하기만 하죠.

■ 중학교 때부터 교내 오락시간 사회를 독차지했다면서요. 명함을 만들어 친구들에게 돌리기도 해서 또래들에게는 꽤 인상적이었던 모양이던데요.

아버지가 일찍 돌아가셔서 우리 집이 참 가난했어요. 길음초등학교를 다녔는데, 아버지 없다고 놀리는 애들을 제가 때렸어요. 그런데 선생님이 친구를 때린 저도 나무라고 아버지 없다고 놀린 친구도 나무라면서 공평하게 서로 화해하라고 했다면 좋았을 텐데 제가 때렸다는 사실만 갖고 벌을 주시더라고요. 그저 때린 이유가 뭐냐고 물어보시기만 했어도 좋았을 텐데 말이죠. 그 뒤로 학교에 안 가고 만화방이나 길음시장을 돌아다녔어요.

나중에 이 사실을 알게 된 엄마가 공책을 하나 사주고는 학교 가서 날마다 선생님 사인을 받아오라고 했어요. 그런데 선생님 사인이 너무 쉬워서 제가 흉내 내서 적고 계속 시장통 돌아다니면서 구경했어요.

그런데 엄마가 저를 그렇게 놔두면 망치겠다 싶으셨는지 이사를 가서 5학년 때 우이초등학교로 전학을 하게 됐어요. 저도 학교에서 시무룩하게 있으니까 아버지 없는 아이라는 게 표 나는가 싶어 성격 개조를 했죠.

가수나 선생님 흉내도 잘 내고 엄청 까불었어요. 그때 선생님이 제 재능 같은 걸 알아보셨는지 정말 잘한다고 칭찬을 많이 해주셨어요. 심봉사 연기를 했는데 굉장히 사랑해주셨죠. 그때는 가난한 아이들에게 옥수수 빵과 우유를 나눠줬는데 제 마음에 상처가 될까 봐 아이들이 눈치 채지 못하게 슬쩍 주시곤 했어요.

한번은 이런 일도 있었어요. 제가 소풍 날 오락대회에 나가기로 했는데 형편이 안 좋아 김밥을 싸 갈 수가 없는 거예요. 오락대회에서 1등 하면 상품을 준다는데, 그걸 받아야겠는데, 김밥 때문에 소풍을 갈 수 없게 생긴 거죠. 고민하다 선생님 댁에 찾아갔어요. "내일 소풍 못 가요", "왜?", "김밥을 못 싸 가요" 그랬더니 "너는 맨몸으로 와라. 김밥은 선생님이 싸 간다" 하시는 거예요.

그 선생님께는 정말 창피한 것도 없었어요. 김혜자 선생님이 아이는 꽃으로도 때리지 말라고 하셨잖아요. 어린 시절 아이의 기를 살려주는 게 굉장히 중요하다는 겁니다. 제가 공부를 참 못했지만 그 선생님은 절 엄청 예뻐하셨어요. "소풍에서 미화가 빠지면 재미가 없어. 꼭 가야 돼" 이렇게 기정사실화해 주시니까 제 기가 살았던 거예요.

도전하고 성취하는 데 방점을 두죠

■ 어린 시절, 어머니께서 '장한 어머니 상'을 받으셨다면서요.

우이초등학교 다니던 때 엄마가 해장국집을 했어요. 그래 봐야 2평 남짓? 엄청나게 작은 가게에 쪽방 하나가 달려 있었어요. 그저 우리 식구 몸 녹일 정도의 조그만 방이었죠. 살림살이를 놓지 못할 정도로 작은 방이었는데 그마저 손님들이 차지하고 막걸리 마시는 날이면 동생과 전 있을 곳이 없어서 밖으로 나갔죠. 그러고는 동생 앉혀놓고 가수 흉내를 내며 온갖 쇼를 다 했어요.

그러니 예습 복습은 고사하고 숙제조차 해 갈 수 없고, 그저 가방 하나

들고 왔다 갔다 하는 형편이었던 셈이죠. 그런데 제가 그걸 부끄러워하지 않고, 선생님 손목을 붙들고 가서 해장국을 대접해드렸어요. 우리 엄마가 이렇게 일해서 우리를 돌봐주시고 키워주세요, 했던 거죠. 거기에 감동 받은 선생님이 우리 엄마를 추천하셔서 '장한 어머니 상'을 받으셨죠.

■ 홍대 청소노동자 사태와 관련해 "내 어머니도 청소노동자였다"고 트위터에 올려 화제가 됐잖아요. 그분들도 큰 위로를 받으셨을 것 같은데요.

엄마 생각을 많이 했어요. 그냥 우리는 모두 누군가의 엄마이고 누군가의 아내이며 딸이고 아들이고 동생이고 언니인 것 아닌가, 사회 어느 계층에 있든 무엇을 하든 따뜻한 마음 하나 가질 수 있어야 하는 것 아닌가 하는 생각이 들어요. 우리 엄마가 어느 회사 건물에서 청소하실 때 직원들에게 따뜻한 인사 한마디라도 받았다면 얼마나 더 흥이 나서 일하셨을까, 비누 하나를 놓더라도 더 반듯하게 놓으려 하지 않으셨을까 하는 마음이 들어요.

■ 정혜신 박사가 언젠가는 '공부'라는 화두로 '김미화론'을 쓰겠다고 밝힌 적이 있는데요. 꾸준한 사회적 학습을 통해 삶을 진화시켜가는 힘은 어디에서 나오는 거죠?

운명이다? (웃음) 저 스스로 뭔가 부족하다고 느끼면 그걸 적극적으로 채우려는 성격이에요. 그냥 있는 대로 살아도 본전치기는 할 수 있는데

그게 성에 차지 않는 거죠. 저는 고인 물이 싫어요. 가만히 고여 있는 게 싫더라고요. 마치 절벽으로 쏟아져 내리는 폭포처럼 내달리는 데서 오는 쾌감 같은 걸 느끼는 게 좋아요.

〈개그콘서트〉와 〈코미디 세상만사〉 같은 프로를 만들 때도, 가만히 고인 채 안주해도 될 때 뛰어들어 뭔가 새로운 걸 만들어내야겠다는 생각으로 시작했던 거예요. 나이 든 코미디언도 새 틀에 넣으면 새롭게 보일 수 있다는 생각을 합니다.

저는 안주하면서 살기보다는 나이를 잊고 도전해 성취하는 데 방점을 두는 사람이에요. 이 일이 제게 성취감을 주느냐 아니냐가 가장 중요한 잣대인 거죠. 돈이 얼마나 들어오느냐는 중요한 문제가 아니더군요.

■**인터뷰** 2011. 1. 27 ■**사진** 남소연

에필로그

그는 2011년 4월, MBC 라디오 시사 프로그램에서 자진 하차했다. 그리고 4월 25일 오후 2시경 자신의 트위터에 이런 글을 남겼다.

"저는 오늘부로 MBC 시사 진행을 접으려고 합니다. 이젠 제 스스로 결단을 내려야 할 상황이라 판단했습니다. 저 김미화를, 그리고 제가 진행하는 〈세계는 그리고 우리는〉을 사랑해주신 여러분께 진심으로 감사의 마음을 전합니다. 마지막 인사를 이렇게 서둘러 드리게 될 줄은 저도 몰랐습니다. 코미디언인 제가 지난 8년간 시사 프로그램 진행자로 분에 넘치게 사랑을 받았고, 부족했던 저를 사

랑해주신 팬 여러분들, 무엇보다 저를 믿고 큰 힘이 되어주셨던 MBC PD 여러분, 〈세계는 그리고 우리는〉의 작가·스태프 여러분께 머리 숙여 깊은 감사의 큰절을 올립니다."

호부호형(呼父呼兄)을 하지 못했던 홍길동처럼, 김미화도 코미디언인데 코미디를 못 하고 라디오 프로그램 진행도 못 하는, 아주 이상한 일이 이명박 정부 내내 이어졌다. 급기야 MBC는 '소셜테이너 출연 금지법'을 만들어 사회적 발언에 적극적인 연예인의 출연을 금지했다.

2011년 9월 말엔 가수 윤도현이 MBC 라디오 〈두 시의 데이트〉에서 물러나게 됐다. MBC가 〈두 시의 데이트〉 새 진행자로 내정된 사람이 있으니 다른 프로그램으로 자리를 옮겨달라고 요청했다는데 이때 김미화도 트위터를 통해 지원사격에 나섰다.

"어허, MBC 창의성까지 없네. 나한테도 이 프로 대신 저 프로로 가라 하더니 윤도현도 새 진행자 정해놓고 이 프로 대신 저 프로로 가라 했네. 무림 고수들께선 제 칼에 직접 피를 묻히지 않겠단 말씀?"

다행히도 그는 지금 CBS 라디오 〈김미화의 여러분〉을 맡아 우리 곁에 돌아왔다. 앞으로도 그의 촌철살인을 기대한다.

친환경 삶으로의
유혹을 시작하다

너무 심심해서 4년 뒤 한국으로 돌아오긴 했지만, 브리즈번의 깨끗한 하늘을 잊을 수 없었어요. 매연으로 뿌연 서울의 하늘을 볼 때마다 브리즈번의 하늘이 그리웠죠. 어쩌면 그때부터 뿌연 서울의 하늘을 브리즈번의 파란 하늘처럼 바꾸고 싶다는 생각을 했던 것 같아요.

후줄근한 빨간 추리닝을 입어도 멋이 나는 여자가 있다. 2001년 SBS
드라마 〈화려한 시절〉에서 조연실(공효진 분)이 그랬다. 장철진(류승범
분)을 짝사랑한 조연실은 시내버스 차장이었다. 1970년대에 충분히 있
었을 법한 버스 차장을 맛깔나게 표현해 일약 스타덤에 올랐던 배우 공
효진.

그는 MBC 드라마 〈파스타〉(2010)와 〈최고의 사랑〉(2011)에서도 연이
어 상종가를 치며 최고의 인기를 얻었다. 〈파스타〉에서는 '붕어'라는 애
칭을 얻으며 남성 중심 사회에서 실력으로 최고의 요리사가 되는 과정
을 멋지게 표현해냈고 〈최고의 사랑〉에서는 이른바 '생계형 연예인'을
연기하며 화려하게만 보이는 여성 연예인의 고단한 일상을 잘 그려냈
다. 두 드라마에서 그는 꾸밈없고 진솔한 여자, 누구보다 일을 사랑하는
여자로 팬들의 마음을 사로잡았다.

한편 그는 망가지는 연기도 두려워하지 않는 여배우다. 영화 〈미쓰 홍
당무〉(2008)에서 안면홍조증에 걸린 비호감 러시아어 교사 '양미숙' 역
을 맡아 화제를 불러일으키기도 했다. "이쁜 것들은 다 묻어버리고 싶
다!"는 대사는 여성들에게 꽤 회자가 됐다.

그는 평소 옷 잘 입기로 유명한 배우다. 똑같은 청바지를 입어도 공효진이 입으면 무언가 달라 보인다. 섹시한 화보도 잘 어울린다. 의리 있을 것 같고 배신할 것 같지 않으며 어떤 상황에서도 진솔할 것 같다.

그가 책을 냈다. 책을 보기 전까지는 패셔니스타답게 '패션 책'이겠거니 했다. 그런데 '환경 책'이란다. 깜짝 놀랐다. 당장 구해 읽었다. 꼼꼼하고 자기 고백적이다. 숨김없이 털어놓았다. 말만 번지르르한 게 아니라 실천도 담았다. 거창한 게 아니라 환경에 전혀 관심 없던 사람도 충분히 하나둘 해봄 직한 실천이다.

평소 '자전거녀'로 알려진 공효진. 이 책에서도 자전거 예찬론을 늘어놓는다. 공효진이 제안하니 나도 자전거 하나 살까 살짝 고민하게 된다. 그가 이끄는 대로 조금씩 실천하다 보면 어느새 우리가 살고 있는 지구, 한국 그리고 서울에도 브리즈번 같은 맑고 투명한 하늘이 열리게 되지 않을까.

그러나 책을 내기 전까지는 많이 망설였단다. 사람들이 '네가 무슨 환경 책을 써? 그래 너 잘 걸렸다! 어디 두고 보자' 할까 봐 겁이 나서. 그러나 그는 사람들이 각자 할 수 있는 만큼만이라도 실천을 해야 한다고 제안하지 않고는 견딜 수가 없었다. 그만큼 환경 문제의 중대성을 인식하고 있었던 게다. 가끔은 스스로 소비 욕구를 참지 못해 '질러버리고' 말지만, 그래도 꼭 하지 말아야 하는 '내 안의 저지선' 정도는 갖고 사는 배우다. 공효진을 '솔직하고 개념 찬 여배우'라 부르는 이유는 바로 여기에 있다.

■ 《공효진의 공책》을 내셨어요. 유명 패셔니스타가 왜 환경 책을 쓸 생각을 했나요?

책을 쓰기 전 자주 만나 뵙던 환경 멘토도 같은 질문을 하셨어요. 패션 모델이자 배우인 제가 왜 환경 문제에 관심을 갖게 됐느냐고요. 아주 막연하게는 중 3 때 남동생, 엄마와 함께 떠났던 호주 브리즈번 유학이 계기가 된 것 같고, 이후 부모님을 떠나 독립된 생활을 하면서 환경 문제에 대해 좀 더 직접적으로 고민하게 된 것 같아요.

브리즈번에서 생활하던 때가 기억이 나요. 거리가 쓰레기 하나 없이 너무 깨끗해서 사람들이 신발을 벗어 손에 든 채 맨발로 걸어 다니고 멀쩡한 의자를 두고 바닥에 앉아 수다를 떨기도 했어요. 아무 데나 주저앉아 뭘 먹는 건 기본이고, 심지어 어떤 이들은 땅바닥에 그냥 누워 있기도 했어요. 그들에겐 그 모습이 자연스러웠죠.

너무 심심해서 4년 뒤 한국으로 돌아오긴 했지만, 브리즈번의 깨끗한 하늘을 잊을 수 없었어요. 매연으로 뿌연 서울의 하늘을 볼 때마다 브리즈번의 하늘이 그리웠죠. 어쩌면 그때부터 뿌연 서울의 하늘을 브리즈번의 파란 하늘처럼 바꾸고 싶다는 생각을 했던 것 같아요. 브리즈번의 하늘을 우리도 갖고 싶다는 간절한 마음이 환경 문제에 관심을 갖는 작은 씨앗이 된 게 아닌가 싶습니다.

■ 국내는 물론 해외에서도 환경 문제는 아주 심각한데요. 사실 전 지구적 문제라고도 할 수 있죠. 공효진 씨가 가장 관심 갖고 있는 분야는 무엇인가요?

제가 동물을 참 좋아해요. 어릴 때 TV 프로그램인 〈동물의 왕국〉을 보면 그렇게 슬플 수가 없었어요. 희귀동물이 멸종되고 있다는 소식이나 빙하가 녹아 북극곰이 갈 데가 없다는 소식을 들으면 참 마음이 아팠어요.

요즘도 동네에서 한쪽 다리를 잃은 길고양이가 절룩이며 다니는 걸 보면 마음이 아프고 서울처럼 팍팍한 환경에서 아스팔트 사이를 뚫고 풀 한 포기 올라오는 걸 보면 참 대견하고 감사하다는 생각이 들어요. 그런데 말이에요. 이런 생각을 하다 보면 결론이 꼭 인간에게로 향하게 돼요. 그래 인간이 문제다, 인간의 탐욕 때문에 온실가스, 지구온난화, 생태파괴가 일어나는 거다 싶은 거죠.

환경에 관심 없는 사람들 자극하고 싶어요

■ 첫 책은 당연히 패션에 관한 책일 거라 생각했어요.

패션 관련 책을 내자는 요청은 줄곧 있었어요. 그러나 한 번도 그런 생각을 해보지는 않았어요. 유행은 금세 지나가잖아요. 먼 훗날 제가 낸 책을 다시 펼쳐 보면서 '뭐야 이게! 유행이라고 이런 걸 갖고 책까지 냈어?' 하는 생각이 들 것 같아서 별로 내키지 않더라고요. 그런데 《공책》은 제가 먼저 회사에 제안했을 정도로 꼭 내고 싶었던 책입니다. 대개 사람들이 '공효진' 하면 사생활과 패션에만 관심을 두는데, 그런 것들은 완전히 배제한 채 오로지 환경 이야기만 담은 책을 내고 싶었어요.

■ 임순례 감독의 영화 〈소와 함께 여행하는 법〉(2010) 찍고 바로 책을 쓴 거예요?

아뇨. MBC 드라마 〈파스타〉가 끝날 무렵 제게 책 한 권이 소포로 배달됐어요. 출판사에서 보낸 건데 《노 임팩트 맨》이라는 책이었어요. 뉴욕 한복판에 사는 맞벌이 부부와 세 살 된 딸, 이들이 키우는 개와 함께 1년간 지구환경에 전혀 나쁜 영향을 주지 않고 살아보는 프로젝트를 담은 책이었어요. 그 책을 읽고 '나도 이런 책을 내고 싶다'는 욕심이 생겼죠.

■ 이 책을 통해 공효진 씨가 꼭 하고 싶은 환경 이야기는 무엇인가요?

환경에 관심 있는 사람들은 많지만 환경 문제가 쉽게 개선되지는 않잖아요. 도대체 왜 그럴까 가만히 생각해보니까 다들 잊어버린 척 혹은 모르는 척하는 게 아닌가 싶었어요. 그래서 다들 아는 이야기라 하더라도 좀 더 감성적으로 호소해보자 한 거죠. 친구한테 말하듯이 계속 잔소리하고 싶었어요. 엄마가 쫓아다니면서 잔소리하면 어느 날 그게 습관이 돼 있는 것처럼 말이에요. 환경에 관련된 좋은 습관들이 저로 끝나는 게 아니라 제 친구들, 그리고 향후 제 자식들에게도 이어지도록 만들고 싶어서 책까지 내게 된 거죠.

■ '나무젓가락 쓰지 말자', '지퍼백 재활용하자', '젖은 걸 태우면 다이옥신이 배가 되니 무엇이든 말린 뒤 버리자', '밤에는 간판 조명을 꺼두자' 등등 일상 속 환경 문제를 조목조목 짚었더군요.

우리나라에서 한 해 동안 쓰는 일회용 나무젓가락이 25억 개래요. 이 정도 나무젓가락을 쌓아 올리면 남산 26개 높이가 된대요. 하지만 촬영장에선 어쩔 수 없이 도시락을 먹고 일회용품을 쓰게 돼요. 그럴 땐 그냥 주변에 큰 스트레스를 주거나 불편을 초래하지 않는 범위에서 환경보호를 실천하는 거예요.

커피 마시고 싶을 때마다 매니저에게 텀블러를 쥐어 주며 사다 달라고 할 수는 없는 노릇이잖아요. 게다가 이미 종이컵에 커피를 부어 제게 건넸는데, 종이컵 싫으니까 다시 텀블러에 담아 달라고 요청하는 것도 좀 그렇고요. 그럴 땐 그냥 주변이 불편해지지 않게 해요.

무엇보다 제가 이 책을 통해 하고 싶은 건 환경 문제에 관심 없는 사람들을 꾀는 거예요. (웃음) 아예 관심 없는 사람들을 조금이라도 자극하고 싶었어요. 이 책을 읽고 나면 며칠 동안만이라도 분리배출에 관심을 갖겠지, 일회용품을 쓰지 않겠지, 뭐 이런 거예요.

전문가 수준으로 깊어지면 가뜩이나 환경 문제에 관심 없던 사람들이 지루해할 것 같았어요. 그래서 환경 문제를 말하는 책이지만 사진과 삽화를 많이 넣어서 딱딱하게 보이지 않게 하려고 애썼어요.

■ 《공책》을 읽고 나서 알게 된 사실인데, 한강에 음식물 쓰레기통이 전혀 없다고요?

편의점에서 컵라면 국물 분리하도록 준비해둔 것밖에 없을 거예요. 물론 행정하는 분들 입장에서 보면 길고양이들 때문에 아수라장이 될 수도 있으니까 음식물 쓰레기통을 너무 많이 만들어두는 것도 좋지 않다고 생각하실 수 있죠. 또 쓰레기통이 너무 많으면 도시 미관을 해친다고 생각할 수도 있을 거예요. 그런데 환경 문제를 고민하는 사람들 입장에서 보자면 그게 불만이자 애로사항이 되는 거죠. 하지만 그런 것까지 일일이 다 지적하면 사람들이 지치겠죠?

■ 어떤 사람들이 《공책》을 읽으면 좋을까요?

환경에 무관심한 20~30대, 그리고 이제 막 결혼을 했거나 독립해서 스스로 살림을 꾸려가는 사람들. 환경 문제에 무관심했거나 잊어버린 분들에게 그 중요성을 환기시켜주자는 차원에서 기획했으니까요.

이제 막 아기엄마가 된 분들, 또 살림을 꾸리기 시작한 여자 분들이 읽어보고 함께 고민했으면 하는 마음이에요. 여자들이 독립하는 순간 깐깐해지면서 작은 것들까지 잘 챙기게 되잖아요. 엄마랑 살 때는 날마다 어지르며 정신없이 살다가 혼자 독립하면 가계부도 쓰고 어떻게 사는 게 멋진 삶인가도 고민하게 되죠. 이 책이 환경적으로 알찬 하루를 살게 하는 지침서가 되기를 바랍니다.

웰빙도 멋있지 않으면 안 하거든요

■ 멋진 삶이라면…… 어떤 멋을 강조하고 싶으세요?

'된장녀' 논란을 보면 알 수 있어요. 사람들에게는 과소비를 하거나 절

제 없이 허황된 삶을 좇는 걸 분명히 싫어하는 성향이 있어요. 개념 있는 사람들에 대해 환호하는 까닭이 거기에 있다고 생각합니다.

또 환경 문제에 관심 갖고 텀블러에 커피 마시며 자전거로 이동하는 것 자체가 매우 즐겁고 멋있는 일인 것 같아요. 젊은이들에게 어필할 수 있는 건 뭐니 뭐니 해도 '멋' 같아요. 아무리 '웰빙'이라도 멋이 없으면 안 하거든요.

■ 젊은이들에게 어필할 수 있는 환경적인 삶이란 어떤 걸까요?

자전거가 대유행을 하는 걸 보면서 환경 문제를 멋과 연결시키고 자극하면 붐을 일으킬 수 있겠다는 생각이 들었어요. 사실 배두나 언니가 멋스럽게 자전거 타는 걸 사람들이 보고 유행이 된 측면도 있잖아요. 멋있어 보이기도 하면서 영혼까지 자유로워 보이는 거죠. 그리고 예전엔 투박한 자전거밖에 없어서 예쁘고 깜찍한 건 외국에 나가 사서 가져와야 하나 고민할 정도였어요. (웃음) 요즘은 자전거포도 많아지고 예쁜 디자인의 자전거도 다양하게 나와서 참 좋은 것 같아요.

환경 친화적인 삶은 고리타분하다는 인상을 주면 젊은 세대에게 호응을 얻지 못한다고 생각해요. 참 멋스럽고 알차 보인다는 느낌을 줄 때 붐이 일어난다고 봅니다. 그렇게 한 3년 하면 환경 문제에 대한 관심이 더 높아지지 않을까요?

■ 자전거 예찬론자이기도 하시죠?

혹시 길을 가다 어머니용 차양모를 쓴 채 짐을 가득 싣고 가는 '자전거
녀'를 보셨다면 그는 '공효진'이었을지 모릅니다. (웃음) 너무 덥거나 추
울 때만 아니면 자전거 타는 게 참 좋아요. 저는 자전거 타고 백화점도
가요. 백화점 근처 마을버스 정류장 의자 옆에 자전거를 묶어놓고 쇼핑
을 하는 거예요. 그러면 자전거 바구니에 담을 수 없을 정도의 물건은
사지도 않아요. 충동구매를 하지 않게 되니 참 좋죠.

그리고 정말 좋은 건 차양모를 쓰면 아무도 저를 알아보지 못한다는 사
실입니다. 게다가 자전거 탈 때 얼굴에 벌레 달라붙는 것도 막아주고 햇
볕도 차단해주죠. 일석삼조예요.

예쁜 모피 앞에서 고민에 빠지기도 해요

**■ 동물보호운동에 앞장서는 임순례 감독의 영화에 출연하셨죠. 공효진 씨도
동물권 보호에 관심이 많다고 들었습니다. 최근 동물학대가 중요한 사회 문제
가 되고 있죠.**

동물을 학대하는 사람들은 대개 정신적으로 문제가 있는 사람이라고 생
각해요. 솔직히 말씀드리면, 저는 기아 난민에 대한 다큐멘터리보다 동
물에 관한 다큐멘터리를 볼 때 더 마음이 아파요. 지구에서의 삶이 워낙
인간 중심적이긴 하지만, 그걸 감안한다 하더라도 동물에게 끔찍한 범
죄를 저지르는 사람들을 보면 너무 화가 나요. 사람은 힘들면 힘들다고
말이라도 할 수 있는데 동물은 그마저도 할 수 없는 아주 약한 존재들이

잖아요. 당연히 보호해야 하는데 괴롭히고 학대하는 건 정말 나쁜 행동이라고 생각해요.

■ 동물보호단체 홍보대사는 하지만 직접 활동에 나서지는 않는 것 같아요.

제가 임순례 감독님처럼 직접 행동에 나설 정도로 강단이 있는 편은 아니에요. 동물보호운동가는 아니니까요. 그리고 기아대책기구 같은 데서 자신의 삶을 희생하며 사회운동에 헌신하는 분들을 보면 참 대단하다는 생각이 듭니다. 보통사람과 다른, 어떤 사회적 사명을 띠고 태어나신 분들 같아요.

■ 패션모델이자 배우이기 때문에 상당히 조심스러울 수도 있겠다는 생각이 듭니다. 한국 사회가 사회운동에 적극 나서는 연예인에 대해서 그 진정성을 높이 산다기보다는 허점을 잡아 비난할 때가 많기 때문이죠.

너무 구체적으로 철저하게 활동하는 건 제 몫이 아닌 것 같아요. 그건 환경운동가들의 몫이라고 생각해요. 저는 패션모델이고 배우가 직업인 사람이니까요. 이를테면 전 동물들이 죽어가는 걸 보면 눈물이 철철 나도록 슬프고 속상하지만 너무 예쁜 가죽옷이나 모피를 보면 고민에 빠지는 존재예요.

일단 사지 않고 눈에 아른거려도 참아보지만 며칠 고민해도 자꾸만 잔상이 남으면 끝내 가서 사기도 해요. '오늘은 내가 좀 우울한데 나 하고 싶은 대로 사면 안 돼?' 하는 감성이 작용하는 거예요. 이성적으로는

'모피는 절대 사면 안 된다'는 쪽이면서도 가끔은 꼭 사고 싶다는 감성과 욕구에 무릎을 꿇는 나약한 존재인 거죠.

■ 아무래도 여배우니까 '동물실험 안 한 화장품 쓰기', '모피코트 입지 않기' 같은 운동을 한다는 게 정말 어려울 것 같아요. 사실 기업 광고와도 연관돼 있기 때문에 쉽게 거절할 수 없을 것 같기도 해요.

모피코트 CF나 모피 위주로 촬영하는 화보는 안 찍는다고 두세 번 거절한 적이 있어요. 상업적으로 돈을 버는 일에서는 제 원칙과 철학을 분명하게 나타낼 수 있는 거죠. 이성으로 충분히 통제할 수 있으니까요. 하지만 제가 사고 싶고 갖고 싶은 것에 대한 욕구를 통제하는 건 너무 어렵더라고요.

사실 제가 특정 화장품 모델도 하고 의류 회사 모델도 하고 있잖아요. 고객들에게 물건을 사도록 광고하는 모델로 활동하면서 돈을 버는 직업인 거죠. 그런 제가 강력하게 소비를 줄이자고 해도 되나, 모델이 그런 말을 해도 되나 하는 내적 충돌이 생기기도 해요. 그래서 처음 《공책》을 기획할 때는 제가 책 속에 풀어놓은 생각이 그 회사들 입장에서는 이율배반적으로 들리지 않을까 고민하기도 했어요. 그런데 그냥 '우리 모델이 개념 있구나', '신뢰할 만한 사람이구나' 이렇게 생각해주기를 바라면서 용기를 냈어요.

■ 연예인은 비난의 표적이 되기 쉽습니다. 예를 들어 '연예인이 뭘 안다고 환경 관련 책을 냈냐'고 비난한다면 참 당혹스러울 것 같아요.

솔직히 말씀드리면 책 출간 당시 제일 고민했던 부분이 그거예요. '너 잘 걸렸다' 하는 식의 마녀사냥이 있을까 봐 걱정했죠. 게다가 제가 뭔가 가르치려 든다는 느낌을 주면 '너무 계몽적인 것 아니야?', '그래 내가 반환경적으로 살았다 이거지?' 하는 식의 반감을 살 수 있을 것 같더라고요. 그래서 문장 표현에 신경을 많이 썼어요.

제가 말씀드리고 싶은 건 이거예요. 전 완벽하지 않아요. 절대 환경운동가도 못 되고, 직업은 배우일 뿐이죠. 그럼에도 공효진이 환경 책을 쓴건 사실이에요. 저도 다른 사람들처럼 부족한데다 때론 귀찮아서 슬쩍눈 감고 넘어가는 일들이 많아요. 그래도 각자 스트레스 받지 않고 할수 있는 것들을 실천하자고 말하고 싶었어요.

제가 스트레스 받지 않는 범위에서 좀 더 친환경적인 삶을 살 수 있다면 그게 가장 좋은 방법이 아닌가 생각해요. 환경 문제에 대한 대대적인 관심과 참여가 시급한 건 사실입니다. 하지만 제게 적극적인 운동까지는 좀 과하고, 그저 사람들이 환경 친화적인 생활습관을 갖는 데 조금이라도 기여하고 싶다는 정도가 맞는 것 같아요. 그럼 또 '내가 당신이랑 같나? 먹고사는 일만으로도 바빠 죽겠다'라고 생각하는 사람들도 있겠지만요. 너무 폭력적이지 않게 함께 실천할 수 있는 일들을 찾아보면 좋겠어요.

■**인터뷰** 2010. 12. 30 ■**사진** 권우성

'몽당연필' 되어
세상을 고쳐 쓰다

우리나라가 힘이 없어서 자국민을 지키지 못했고, 먹고살기 위해 혹은 끌려가서 연변으로 가면 연변 조선족, 시베리아로 가면 카레이스키(고려인), 일본으로 가면 자이니치가 된 겁니다. 그런데 우리는 늘 그들에 대해 아무런 정책도 없었고 외면하고 모른 척했죠. 그들이 국내로 오면 '연변족' 운운하며 무시하고 차별하는 것, 부끄러워해야 하는 일 아닌가요?

소셜테이너 인터뷰 · 3

배우 권해효

아침 식사를 걸렀음에도 결국 늦었다. 안면이 없던 터라 먼저 도착해 노트북을 미리 켜놓고 카페로 들어서는 그에게 눈인사를 건네려 했지만 인생은 뜻대로 안 된다.

지각생 주제에 부산마저 떨었다. 배터리 부족 운운하며 이 자리, 저 자리 옮겨 다녔으니 첫 만남, 퍽 불편했을 게다. 그러나 그는 전혀 내색하지 않았다. 그냥 웃었다. 특유의 익살스러운 표정으로.

늘 무대에 서는 배우지만 단순한 직업인이자 생활인만은 아닌, 생각하는 만큼 실천하는 배우, 일본 대지진 이후 '몽당연필'이라는 단체를 만들어 재일조선학교 돕기에 적극 나서는 연기자, 2001년부터 한국여성단체연합(여성연합)과 맺은 인연으로 12개 여성인권단체들의 터전 기금 마련을 위해 '연극 기부'에도 나선 따뜻한 사람. 바로 배우 권해효다.

인터뷰 도중 순간순간 장난기를 내비친 그지만 내면의 고민은 퍽 깊어 보였다. 그는 한국 사회가 어떻게 변화해야 하는지 고민하고 그 길에 도움이 된다면 작은 실천이라도 해야 한다고 생각했다. 교육, 여성, 정치 등 발 딛고 선 우리 현실에 대해 기탄없이 자기 의견을 말했다.

사느라 바빠 늘 생각주머니 한편에 툭 밀어두었던 '행복'이라는 단어도 자주 꺼냈다. 어떻게 사는 게 행복한 삶인가, 행복하게 살려면 무엇을 해야 하나 연구하는 철학자 같았다.

■ 12개 여성인권단체들의 터전인 '여성미래센터' 기금 마련을 위한 연극 〈러브레터〉에 재능 기부를 하셨죠. 늘 이렇게 돈 안 되는 공연에만 적극 나서서 어떻게 해요. (웃음)

2001년부터 여성연합과 인연을 맺기 시작했으니 적지 않은 시간이 흘렀네요. 옆에서 지켜보면 안타깝게도 단체 상근활동가들이 힘 빠지는 경우가 많아요. 하지만 이보다 더 큰 문제는, 늘 곁에서 후원하고 응원하는 분들도 지적하듯이 시민사회 전반이 지쳐 있다고 느낄 때가 많다는 겁니다. 그래서 어떻게 하면 신 나게 할까 생각하다가 이렇게 됐죠.
제게 대중 집회는 늘 벅찬 공간이었습니다. 사회 보는 일은 능력 밖의 일이고 힘든 일이었어요. 한편으로는 대중 집회에 참석하는 가수들이 참 부러웠습니다. 자기가 제일 잘하는 일로 대중과 소통하고 노래 부르고 무대에서 내려갈 때 참 좋아 보이더군요.
그래서 이번 연극은 참 행복한 마음으로 했어요. 시민단체를 후원하는 여러 기부 프로젝트가 있었지만 연극공연은 지난 여성민우회 후원행사가 처음이었을 겁니다. 제가 즐거운 일, 하면서 행복한 일…… 그런 일을 하는 셈이죠.

■ 2001년부터 여성연합 홍보대사를 하고 있습니다. 무급일 텐데 꾸준히 활

동하게 되는 이유가 무엇인가요?

홍보대사도 유통기한이 있다는 것을 누가 단체에 좀 알려주면 좋았을 것을! (웃음) '겨레하나 빵공장' 사업도 2004년에 시작했으니 여성연합과 거의 비슷한 시점에 시작한 셈이죠. 뭘 하면 늘 그렇게 오래 하게 되는 것 같아요. 그럭저럭 좋은 일 아닌가요?

■ 연극 〈러브레터〉는 어떤 작품이죠?

1996년 한국 초연무대에 제가 서기도 했던 작품입니다. 그때 제 아내와 함께 무대에 올랐는데 2010년 공연에서도 같이 했습니다. 아내 조윤희 말고 다른 사람과 호흡을 맞춘 건 처음인데, 배우 김여진 씨가 함께했죠. 이 작품은 미국 상류사회를 배경으로 합니다. 초등학교 2학년 때 만난 친구와 45년간 연인으로 지냈지만 결국 결혼으로 함께하지 못하고 45년간 주고받은 편지, 제목 그대로 '러브레터'를 무대 위에서 배우가 읽어주는 형식의 연극입니다. '리딩 시어터(reading theater)'라고 하죠.

교육과 여성 문제, 하루아침에 해결되진 않겠죠

■ 고 최진실 씨 자녀의 친권 문제가 불거졌을 때, 친권법이 남녀 모두를 위해 평등하게 바뀌어야 한다고 주장했습니다. 유독 여성 문제에 관심이 많은 까닭은 무엇인가요?

우리 사회에 여러 문제가 있지만 따지고 보면 두 가지로 집중되는 것 같아요. 첫째는 교육 문제. 해방 이후 대한민국 교육 틀은 일본 식민지 시대의 시스템을 그대로 이식해 지금까지 연계돼오고 있습니다. 이승만 정권에서 '친일' 문제가 제대로 해결되지 않아 우리는 지금까지도 학교에서 제대로 된 근현대사 교육을 받지 못한다고 생각하거든요.

어릴 때부터 민주시민의 근간이 되는 시민사회에 대한 교육을 받아야 하는데 그런 게 없어요. 그러니 우리는 국민의 권리와 의무, 도대체 그게 뭔지 토론하고 배운 일이 없습니다. 학교에서 경쟁하는 것만 배우다 졸업하는 식이죠. 적어도 학교에서만큼은 아이들이 경쟁보다 나은 것, 돈보다 훌륭한 가치가 있다는 것을 배워야 하는 게 아닌가 생각해요.

또 하나, 바로 여성 문제입니다. 지난 수십 수백 년 동안 남성 중심적 사회였지만 이제 동등한 투표권을 갖고 있는 여성이 자신의 처지를 개선하기 위해, 여성 자신들을 위해 투표하기 시작하면 정말 많은 변화가 생길 거라는 생각이 들어요. 사실 여성연합을 만나기 전에는 잘 모르던 일도 많았습니다. 같이 공부하면서 많이 배웠고요.

■ 이런 얘기를 집에 가서 하면 부인께서 많이 동조해주시겠어요. 혹시 집에서도 '실천'을 많이 하는 편인가요?

아내는 늘 저한테 '너부터 잘해라', '집 안에서 먼저 잘하고 그다음에 나서라' 뭐 이런 말을 하곤 하죠. (웃음) 솔직히 뜨끔할 때가 있습니다. 그러다 또 금세 둔해지기도 하지만요.

■ 아동 성폭력 사건이 끊이지 않습니다. 아이를 기르는 아버지로서, 또 여성 문제에 관심이 많은 사회인으로서 어떻게 생각하시나요?

그런 뉴스 나오면 채널을 돌려요. 여러 이유가 있는데, 첫째는 자식 키우는 부모로서 상상하기 싫은 불편함이 있습니다. 또 하나는 우리나라 매체가 이런 뉴스를 다루는 행태를 보면 참 기가 막힙니다. 언론이 검찰을 욕할 수 있나 싶어요. 언론이 피해자를 배려하고 있는지 의구심이 들고, 대안과 처방은 고민하지 않은 채 경찰의 브리핑을 그대로 옮겨주는 나팔수 같다는 느낌만 듭니다.

또 하나, 아동 성폭력 사건이 과연 과거에 비해 정말 급증했나 하는 점입니다. 과거의 데이터를 제대로 갖고 있기는 한 것인지 모르겠어요. 과거에도 엄청나게 많은 일들이 일어났는데 묻혔을 뿐이고 지금은 사건을 적극적으로 해결하려는 부모들이 많아졌기 때문에 언론에 자주 나오는 것은 아닌지 생각해볼 일이죠.

■ 성폭행범의 재범 방지를 위해 '화학적 거세'를 해야 한다는 주장이 있습니다. 심지어 물리적 거세를 해야 한다는 주장도 있죠. 국회에서는 화학적 거세 법안이 통과되기도 했는데요.

한 번으로 되는 것도 아니고 평생 약물을 투여해야 한다고 들었는데요. 이런 방안은 기본적으로 범죄자에 대한 계도를 포기하면서 출발하는 일이 아닌가 싶어요. 그런 사람들이 줄어들도록 하기 위해서 우리 가정과 교육 현장에서는 '어떻게 해야 하나' 하는 근본적인 질문들이 병행되어

권해효

야 하는데, 그런 문제의식은 별로 없는 것 같아 안타깝습니다. 화학적 거세, 그냥 생각하기에는 단순·명쾌한 방법 같지만 이것이 정말 성폭력 사건을 줄이는 획기적 방안인가, 답답한 생각이 들어요. 대중에게 카타르시스를 줄지는 모르겠지만 근본적인 처방은 아닐 겁니다.

■ **두 자녀를 둔 학부모기도 하죠. 평소 교육 문제에 관심이 많다고 들었습니다. 진보 교육감에게 거는 기대가 있다면요?**

교육감이나 정책이 바뀐다고 하루아침에 학교 현장이 변할까 싶어요. 안타깝게도 교육은 현실이거든요. 우리가 꿈꾸는 이상과 상관없이 학교, 특히 초등학교에서는 어떤 담임선생님을 만나느냐에 따라 아이의 학교생활이 달라져버립니다. 이건 아마도 아이를 학교에 보낸 경험이 있는 부모들이라면 누구나 공감할 거예요.

일종의 로또 같아요. 좋은 선생님 만나면 1년 동안 학교 가는 일이 즐거워지고, 정반대의 경우라면 정말 끔찍한 인연이 되는 거죠. 그 선생님이 전교조든 아니든 상관은 없는 것 같아요. (웃음)

또 학교에는 교사가 처리해야 할 잡무들이 너무 많아요. 그 스트레스가 고스란히 아이들에게 전달되는 경우도 많죠. 어떻게 하면 변할 수 있을까, 고민입니다. 제 생각엔 우선 속도가 너무 빠른 것 같아요. 아이들이 문제 푸는 걸 보면 초등학교 4~5학년이 풀 문제가 아닌 것 같아요. 선행학습을 하지 않으면 도무지 따라갈 수가 없어요. 초등학생 때부터 뒤로 처지는 아이들, 자존감이 사라진 아이들을 어떻게 할 것인가……. 선행학습은 사교육 시장을 도와주는 것이지 공교육 문제를 해결하는 게 아닙니다. 학력신장 같은 허상을 다 없앴으면 좋겠습니다. 수업 내용이 보다 쉬워지고 수준도 좀 더 낮아져서 학교 다니는 순간 아이들이 행복하고 즐거웠으면 좋겠어요.

높은 점수를 받기 위해 노력하기보다는 자기 생각을 잘 정리해서 말할 수 있도록 하는 교육에 집중했으면 좋겠어요. 우리 아이들의 학력이 떨어졌다고 하는 사람들이 많지만, 요즘 아이들 책을 보면 놀라울 정도예요. 이걸 초등학생이? 솔직히 우리 세대엔 고등학생 때도 수학 문제는 단답식이거나 사지선다였어요. 또 우리 때는 학원 금지, 과외 금지였어요. 속된 말로 시간이 '널널'했죠. 팝송 듣고 책 읽고 하고 싶은 것 하고…….

늘 약한 것들에 마음이 흔들렸어요

■ 진짜로 하고 싶은 사회운동은 야생동물 보호운동이라고 말씀하신 적이 있는데, 왜 관심을 갖게 되었나요? 여성과 교육, 문화, 정치 그리고 환경까지 두루 섭렵할 생각인가요?

아주 오래전 인터뷰를 보고 오셨네. (웃음) 생각해보면 늘 약한 것들에 마음이 흔들렸던 것 같아요. 관성적으로 강한 것보다는 약한 걸 보면……. 제가 제일 싫어하는 말이 '카리스마, 우리끼리, 파이팅, 의리' 이런 거예요. 특히 '만물의 영장'! 이런 말 굉장히 싫어합니다. 뭘 근거로 그렇게 말하는 건가 싶기도 해요. 지금도 물론 비슷한 생각이죠. 그런데 사람이 왜 한 해 한 해 지날수록 바빠지기만 하는 걸까요? 조급하다고 해야 할까, 점점 그렇게 되는 것 같아요. 야생동물 보호운동에 관심은 많지만, 꼭 해야 한다고 생각하지만, 아직까지 제대로 된 실천은 못 하고 있네요.

■ 재일조선학교를 돕는 사회단체 '몽당연필'의 대표를 맡고 계십니다. 토크콘서트로 기금 마련도 꽤 많이 했다고 들었는데요. 한국 사회의 여러 편견 가운데 하나가 재일조선인에 대한 것이기도 합니다. 이 문제에 직접 나선 까닭은 무엇인가요?

2011년 여름까지 네 번 공연했습니다. 지방공연은 야외수업 개념으로 '소풍'이라는 제목을 걸어서 했고요. 현재까지는 매달 정기공연을 2012년 3월까지 하는 게 목표예요. 그럼 열두 번 공연이 이뤄지는 거니까요. 일본 현지 상황이 굉장히 열악해요. 후쿠시마 지역의 아이들은 대개 180킬로미터 떨어진 니가타로 떠났고 남의 집 살림을 하는 상황이죠. 센다이, 도호쿠 지역의 학교들은 지난 대지진으로 처참하게 붕괴된 상태예요. 학교는 물론이고 재일동포 생활의 존립 기반이 붕괴됐을 정도로 피해가 심각합니다. 그런데 이 점은 언론에 잘 알려지지 않고 있죠. 저희들의 궁극적인 목적은 재일조선학교와 함께하는 모임을 갖는 거예요. 재일동포의 어려움을 알리고 관심을 갖게 하는 것. 국민들의 관심과 참여가 생길 때 국가 차원에서 보다 더 많은 지원 사업이나 교류가 진행될 수 있지 않을까 싶습니다.

■ 이명박 정부 들어서 남북관계가 경색된 뒤로 재일조선학교에 대한 지원이 좀 더 어려워진 측면도 있는 셈인가요?

남북관계가 경색되기 전까지만 해도 괜찮은 편이었다고 하는데 지금은 아주 어려운 상황입니다. 사실 저희들이 공연을 열두 번 하겠다는 목표를 갖고 있지만 공연 수익 자체는 얼마 안 돼요. 물론 출연자들이 모두 무료로 자원봉사를 해주고 있긴 하지만, 그래도 공연을 하려면 장비를 빌려야 하고, 인터넷 생중계를 하니 서버 비용도 필요한데…… 이게 공연료 1만 5000원 받아가지고는 도통…….

■ 지금까지 얼마나 모였나요?

2011년 8월까지 6600만 원 정도 모았어요. 3개월간의 성과치고는 훌륭한 편이에요. 또 다음 아고라, 네이버 해피빈 등의 공익사업을 통해 마련된 돈은 이미 전달했어요. 당장 지진 피해를 심각하게 당한 도호쿠 학교에 교자재가 필요해서 일단 급한 것부터 건넸죠.

■ 재일조선학교를 후원한다고 하면 '빨갱이', '좌빨' 논란에 시달릴 수도 있는데, 그런 이념 논란이 배우에게는 참 피곤한 일 아닌가요?

재일동포에 대한 인식이 몇 년 새 많이 바뀌었어요. 추성훈, 정대세, 안영학 등 여러 스포츠 스타들을 통해 재일조선학교 출신에 대한 시선이 굉장히 호의적으로 바뀌었거든요. 일본 땅에서 나고 자란 친구들이 저렇게 한국말을 잘하고 유머 감각도 있는데다, 자기 존재감을 갖고 분명한 태도를 취하는 모습을 보며 사람들의 인식이 많이 바뀌었다고 생각합니다.

또 〈우리 학교〉(2006) 같은 영화의 영향도 무시 못 하죠. 그럼에도 이념 논란이라는 게 있어요. 저는 그런 논란을 부정할 수는 없다고 생각해요. 그런데 도대체 왜 우리가 이렇게 됐을까, 왜 재일조선인들이 생기게 됐고, 그들이 한국도 북한도 아닌 조선적을 유지하면서 대대로 일본 땅에 머물고 있을까, 알 필요가 있다고 생각합니다.

조총련과 북쪽이 지속해온 관계의 역사는 꽤 오래전으로 거슬러 올라갑니다. 한국전쟁 휴전 이후 남북 양쪽이 재건에 손을 댈 때인 1957년, 북쪽은 재일조선인 교육 사업에 매년 엄청난 돈을 지원했습니다. 그걸로 학교를 짓고 교사를 수급했죠. 이것이 1965년 한일협정 이후 '민단 대 총련' 식의 대결 국면이 됩니다.

이 과정에서 간과된 점이 거기 남아 있던 200만 명의 재일동포 문제예요. 1945년 해방 이후 많은 사람들이 한국 땅으로 돌아왔지만 당시 70만 명의 재일동포가 일본 땅에 남았고 한국으로 돌아올 기회를 놓쳤죠. 그리고 1948년 분단, 1950년 전쟁을 겪으면서 일본에 남았던 사람들은 자신이 돌아갈 고향을 '통일된 조국'이라고 생각했던 거예요. 통일된 조국만이 내 고향이라는 거죠. 그래서 지금까지도 맥아더 군정 시기에 통칭됐던 '조선적'이라는 난민의 지위를 유지하면서 무국적자 상태로 살고 있는 겁니다.

그런데 남쪽 사회에서는 일방적으로 오해하고 있는 거죠. 저는 다 무지해서 그런 거라고 생각합니다. 해방정국과 한국현대사를 조금만 공부

한다면 조선학교와 북쪽의 관계에 대해 좀 더 쉽게 이해할 수 있을 거예요.

■ 그럼 조선학교 학생들 대부분이 조선적을 가진 무국적 상태인가요?

조선학교 구성원의 60퍼센트 정도는 이미 대한민국 국적을 갖고 있어요. 20퍼센트 정도가 일본 국적자고 나머지 20퍼센트 정도가 조선적이라고 해요. 부모의 국적이 조선적이니까 아이들도 조선적을 갖게 되는 거죠. 이런 현실을 볼 때 우리 정부는 이 문제를 어떻게 풀어가야 하는지 고민해야 한다고 생각합니다.

지난 65년간 일본 땅에서, 세계 그 어떤 이주민의 역사에서도 보기 드문 형태로 소수자가 되어, 유치원부터 대학까지 완벽한 교육체계를 갖고 살고 있는데, 그걸 그냥 두고 봐야 하는지 저는 좀 답답해요.

왜 그분들이 일본 땅에서 지금까지 버티고 있을까요? 제 생각에 그분들은 한반도가 아직 해방되지 않았다고 여기시는 것 같아요. 식민지 피해자에 대한 일본의 책임 있는 배상이 이루어지지 않은 상태라는 거죠. 또 남북이 갈라지는 계기가 된 게 일제강점기이니, 통일을 이루지 못한 우리는 아직 해방이 안 된 것이나 마찬가지라고 생각하시는 것 같아요. 이에 대해 현실을 모르는 태도라고 일축하는 사람들이 있을지 모르겠지만 65년간 일본 땅에서 한국을 접한 그들은 어떤 생각을 할까 고민해볼 필요가 있지 않을까요?

■ 요즘도 조선학교 학생들에 대한 일본 우익의 차별이나 폭력이 있나요?

2005년에는 실제로 여학생들에게 폭력이 가해졌고 치마저고리 입고 다니는 여학생들의 옷을 찢기도 했죠. 그래서 재일조선학교에 다니는 자녀를 둔 부모들은 등하굣길에는 치마저고리를 입히지 않기로 했답니다. 학교 안에서만 입도록 한 거죠. 눈에 보이는 것이 이 정도니 눈에 보이지 않는 차별은 말도 할 수 없는 지경이겠죠.

■ 영화 〈우리 학교〉에 나왔던 홋카이도 조선학교가 2011년 개교 50주년을 맞이한다고 들었습니다. 이 지역으로 이주해 간 재일조선인들은 어떤 분들이에요?

홋카이도에는 탄광지역으로 징용됐던 분들이 주로 계시죠. 제가 재일조선학교 돕기 운동을 하면서 정말 우리 국민들에게 말하고 싶은 건 딱 한 가지예요. 부끄럽다는 걸 좀 알자. 우리나라가 힘이 없어서 자국민을 지키지 못했고 먹고살기 위해 혹은 끌려가서 연변으로 가면 연변조선족, 시베리아로 가면 카레이스키(고려인), 일본으로 가면 자이니치가 된 겁니다. 그런데 우리는 늘 그들에 대해 아무런 정책도 없었고 외면했고 모른 척했죠. 그들이 국내로 오면 '연변족' 운운하며 무시하고 차별하는 것, 부끄러워해야 하는 일 아닌가요?

■ '소셜테이너'라는 별칭이 생겼습니다. 소셜테이너로 구분되는 걸 어떻게 생각하세요?

최근에 갑자기 그런 말이 많이 생겼는데……. 개념 있는 일을 한다는 평가를 받는 건가. (웃음) 그런데 다른 사람들에게 실례되는 말인 것 같아서……. 배우는 드라마에서 자기가 연기한 배역으로 이미지가 남아 있을 때 가장 행복하죠. '소셜테이너'라고 불리면 극 중 배역과 자연인 권해효가 부딪칠 수 있다고 생각해요.

어떤 작품에서 제가 어설프거나 엉뚱한 모습을 보이면 그냥 가볍게 웃어넘기던 분들이, 자연인 권해효를 소셜테이너로 인식하면서 '연기할 때는 멍청하게 보이지만 사실은 그렇지 않아' 하는 식으로 생각하게 되는 상황이 제일 불편한 일일 것 같아요.

과거에도 특정 후보 선거운동을 하면서 '불특정 다수에게 불편함을 줄 수 있지 않겠느냐'는 말을 들었는데요. 물론 일리 있는 말이긴 하지만, 제 생각은 이렇습니다. '정작 뭔가 바꾸기를 원한다면 투표하는 일부터 시작해야 한다. 거창한 것은 아니지만 그래도 세상에는 공짜가 없기 때문에 무엇을 하든 약간의 대가와 시간을 지불하지 않고는 아무것도 얻을 수 없다' 이런 생각이죠.

코믹 연기는 해도 예능프로그램은……

■ 배우 권해효에게 '명품 조연'이라는 수식어가 붙는 것에 대해서 만족하는 편인가요?

제가 드라마에서 주로 했던 일인데 이러쿵저러쿵할 필요는 없을 것 같아요. 문제는 한국에서 무엇을 규정할 때 상당히 '찌라시스러울' 때가

많다는 겁니다. 그런 게 듣기 싫을 뿐이죠. 1990년대 중반에는 한때 '탤개맨'이라는 말도 들었어요. 탤런트와 개그맨의 조합인데 드라마에서 재미있는 역할을 할 때 그런 소리를 들었죠.

■ 코믹 연기를 많이 하셨는데 예능 프로그램에는 왜 안 나가세요? 요즘 리얼 버라이어티가 대세인데요. 이런 데 합류하면 좀 '짭짤해질' 수도 있지 않을까요?

고지식한 생각일지 모르지만…… 저는 제가 숨기고 싶은 부분까지 다 꺼내놓아야 하는 예능 프로그램은 좀 불편해요. 요즘 예능 프로그램은 그냥 재미있는 얘기를 하는 정도가 아니잖아요. 그게 불편하지 않은 분들은 예능을 할 수 있고 그렇지 않으면 어렵다고 생각해요. 예를 들면 제가 중·고등학생 때 했던 바보 같은 짓을 꺼내놓는다는 게 저한테는 불편하거든요. 그냥 저만의 이야기로 남아 있으면 되는 건데 그걸 모두에게 알리는 건 별로라는 거죠.

■ 드라마 〈전원일기〉 양촌리 이장 댁의 둘째 아드님이 문화부 장관을 역임하셨습니다. 동종업계 종사자에서 높은 자리로 영전하셨는데요. 일약 문화권력이 되신 듯한 유인촌 전 장관에 대해 어떻게 평가하세요?

이전 정권과 비교해보면 문화부 장관이라는 자리가 권력처럼 느껴지는 것도 최근의 일인 것 같습니다. 영화진흥위원회를 둘러싼 (기능과 역할 축소) 논란만 봐도 그렇고, 현장의 목소리에는 전혀 귀를 기울이지 않는 분위기죠. 이거 뭔가 많이 잘못되고 있다, 이런 느낌입니다.

마치 문화라는 게 조직하거나 만들어낼 수 있는 것인 듯 생각하는 게 문제라고 봐요. 문화는 우리가 살아가는 모습이자 삶이 묻어나는 흔적인데, 거대한 빌딩을 지어놓고 '랜드마크'라고 지칭하는 것이 21세기 문화지표가 돼서는 안 된다고 보죠. 돈 들이고 마음만 먹으면 얼마든지 만들 수 있는 게 문화라는 생각을 버렸으면 좋겠습니다.

■**인터뷰** 2010. 7. 5, 2011. 7. 15 ■**사진** 유성호

딴따라처럼 날라리처럼
진심을 모으다

제 지론은 자신이 행복해야 남에게도 행복을 줄 수 있고, 또 무엇이든 오랫동안 잘 해낼 수 있다는 겁니다. 행복하지 않으면 내 안에 아무런 에너지도 힘도 남아 있지 않게 돼요. 스스로 행복하다고 느낄 때 내면에서 에너지를 길어 올려 좋은 세상을 만들거나 다른 사람을 돕는 데 힘을 쓸 수 있게 된다는 거죠.

여배우에 대한 편견이 있다. 이러쿵저러쿵 자기가 아는 정보를 조합해 수다 떠는 공간에서 여배우에 대한 가공의 이미지를 형성한다. 물론 TV 드라마나 영화를 통해 굳은 이미지 탓도 있다. 만나보면 전혀 다른 경우도 있지만, 어떤 때는 그 이미지가 맞아떨어지기도 한다.

어떤 사람을 만나러 갈 때, 머릿속에 그림을 먼저 그려본다. 대부분 머릿속 상상이 맞는 편인데, 이번에는 예상이 완벽히 빗나갔다. 김여진 (@yohjini)은 인간적으로 너무 친절했고 시민운동가처럼 거침없이 발언했다. 여배우에 대한 편견이 사라지는 순간이었다. 손수 커피 잔을 날랐고 편하게 웃었다.

우린 커피 한잔을 앞에 두고 주로 북한에 대한 인도적 지원 문제와 환경 파괴적인 4대강 사업, 사회활동에 적극적인 연예인에 대한 방송 섭외 기피 현상에 대해 얘기했다.

열다섯 어린 나이로 예순여섯의 영조와 혼인해 계비가 되어 정조의 생부 사도세자를 죽게 한 정순왕후. MBC 드라마 〈이산〉(2007~2008)에서 그가 맡은 역할이었다. 그는 이 역할로 실력파 배우라는 별칭을 얻었고, KBS 드라마 〈그들이 사는 세상〉(2008)에서는 방송작가 이서우를 연기해 호평을 받았다. 그 뒤로 한동안 TV에서 그를 보기 어려웠다. 3년 만에야 MBC 드라마 〈내 마음이 들리니〉(2011)에서 미숙 역으로 만나게 됐으니 시청자는 그를 꽤 오랜만에 대면한 셈이다.

TV 드라마에 출연하지 않았던 3년 동안 뭘 하며 지냈을까. 주로 연극과 영화에 몰두해 있었지만 한국에서 가장 영향력 있는 매체인 드라마를 외면하며 살 수는 없는 노릇이었다. 언제든 돌아가고 싶은데, 시쳇말로 '불러주지 않아' 고민하던 때다. 2010년 여름, 여성인권단체들을 후원하기 위해 제작된 연극 〈러브레터〉를 끝냈고 영화 〈아이들〉(2011)과 〈고래를 찾는 자전거〉(2010)에 출연했다.

배우로 살면서도 사회활동의 끈을 놓지 않고 꾸준히 활동하고 있는 그에게 관심사를 묻자 딱 두 가지에만 집중하자며 '4대강 사업 저지'와 '인도적 대북 지원'이라고 말했다. 명쾌했다. 그는 수만 년 흘러온 우리 강을 도대체 무슨 근거로 파헤치는 것이냐며 분루(憤淚)를 삼켰다.

인도적 대북 지원 문제에 대해서는, 너무 오랫동안 북한의 식량난을 모른 척해오지 않았느냐며 지그시 눈을 감았다. 자신도 북한의 체제는 너무 싫지만 인도적 지원은 다른 문제라는 것이다. 쌀이 창고에 남아돌아 보관비용 때문에 골치 아프다면서 정작 굶어 죽어가는 북쪽 사람들을 위한 식량 지원은 외면하는 게 말이 되느냐고 개탄했다. 잔인하고 무심한 행동이라는 질타가 이어졌다. 차분하게 사는 이야기로 시작된 인터뷰는 차츰 세상 이야기로 옮겨가면서 절정에 달했다.

■ 최근 어떤 작품을 하셨나요?

두 작품을 거의 동시에 촬영했는데, 최근에 개봉한 영화는 개구리 소년
들의 이야기를 다룬 〈아이들〉이었어요. 그 전해에는 저예산 영화인 〈고
래를 찾는 자전거〉가 개봉했죠.

■ 여성인권단체를 후원하는 연극 〈러브레터〉에서는 출연료를 전혀 받지 않고
연기했다고요?

출연료는 없었지만 정말 재미있게 했던 작품입니다. 출연료를 안 받으
면 오히려 마음이 편하고 즐거워요. 이런 말을 하면 돈 안 되는 작품 섭
외만 들어오려나? (웃음) 비유하자면 춤추는 것과 비슷해요. 클럽에 그
냥 가서 춤추면 놀이가 되는 거지만 돈 받고 무대 위에 올라가서 춤추면
일이 되는 거잖아요. 똑같이 밤새 춤을 춰도 한쪽은 스트레스가 풀리고
반대쪽은 쌓이는 거죠.
지금 하는 일을 노동으로 받아들이느냐, 아니면 즐거운 놀이로 받아들
이느냐의 차이가 있는 것 같아요. 특히 연기는 '유희'라는 측면이 굉장
히 강한 일이기 때문에 대가를 받지 않는다고 해서 못할 일은 아니거든
요. 그러니까 제가 좋아서 놀이로 하는 때도 있는 거예요.
그러나 TV 드라마는 노동의 의미가 더 커요. 제가 맡은 역할의 기본적
인 캐릭터가 잡혀 있긴 하지만 그날그날 나오는 대본에 따라 역동적으
로 변하기 때문에 순발력을 가지고 역할을 소화해야 해요. 따라서 긴장
감이 훨씬 크죠. 그 안에서는 유희를 찾기 쉽지 않아요.

■ 이명박 정부 이후 드라마 출연 섭외가 잘 들어오지 않는다는 기사를 봤어
요. 실제 그런가요?

사실, 확인이 안 되는 것이라서 정확하게 이명박 정부 때문에 방송 섭외
가 안 된다고는 말할 수 없어요. 그런데 정황상 드라마 〈이산〉과 〈그들
이 사는 세상〉 이후 출연 섭외가 많이 들어올 법한데 딱 끊기더라고요.
방송 드라마를 하고 싶은데 요즘은 섭외가 거의 안 들어오고 있죠.
문제는 내면의 공포인 것 같아요. 솔직히 저도 겁을 먹게 되거든요. 제
가 하는 말과 행동 때문에 '찍혔나' 하는 의구심이 드는 거예요. 저는 이
걸 '자기 검열' 문제로 인식합니다. 하고 싶은 말이 있지만 점점 안 하게
되는 거죠. 솔직히 이명박 정부 이후 드라마 출연 섭외가 줄었다는 보도
를 보고 제가 굉장히 날카로워졌어요. 왜 물어보지도 않고 그런 기사를
냈느냐고 다그치기도 했죠. 화를 내긴 했지만 정작 일차적인 책임은 제
게 있는 것이라고 생각해요.

내 안의 공포와 자기 검열이 두려워요

■ 연극이나 영화 말고 드라마를 하고 싶은 까닭은 뭔가요?

드라마는 많은 사람들이 보기 때문에 굉장히 큰 힘을 갖고 있습니다. 미
혼모와 에이즈 문제를 다룬 MBC 드라마 〈고맙습니다〉(2007) 같은 경
우에도 강렬한 사회적 메시지를 전달했죠. 또 〈대장금〉(2003~2004)이

나 〈내 이름은 김삼순〉(2005) 등에서는 여주인공들이 사랑보다 일에 집중하는 모습을 보여주면서 여성에 대한 사회적 편견을 깨뜨리는 데 일조했어요. 우리나라에서는 그 어떤 매체보다 강력한 힘을 갖고 있는 게 드라마라고 생각해요.

열정적으로 학생운동 했지만 제 성향은 딴따라였죠

■ 김미화 씨가 트위터를 통해 KBS에 '블랙리스트'가 있는 거냐고 물었다가 명예훼손 소송까지 당한 적이 있죠. '블랙리스트' 파문과는 별개로 연예인의 사회적 발언은 급격히 줄고 있는 게 아닌가 싶은데요.

KBS에 '블랙리스트'라는 게 있는지 없는지는 알 수 없지만 분명한 건 김제동 씨처럼 프로그램에서 퇴출된 사례가 존재한다는 사실이죠. 그건 연예인들에게 겁먹으라는 신호거든요. 김제동 씨 사례를 본 연예인들의 마음이 어땠을 것 같아요? '나도 잘못 발언했다가 김제동처럼 되지 않을까' 생각하게 되죠. 솔직히 저도 무서워요. 다시는 방송을 못 하게 되지 않을까 하는 두려움이 있습니다.

물론 제가 김제동 씨와 같은 이유로 출연을 못 하고 있는 거라고 보지는 않습니다. (웃음) 그러나 어떤 이유에선지 섭외가 잘 안 들어와요. 들어왔다가 갑자기 취소되는 경우도 있고……. 몇 해째 같은 출연료를 받고 있는데 돈이 안 맞는다거나 나이가 안 맞는다는 등의 이유로 말이에요.

■ 대학 시절에 학생운동도 꽤 열심히 한 것으로 알려져 있는데요.

열심히 했습니다. 그러나 딱 4년 하고는 그쪽으로 눈길도 주지 않았습니다. 민중연대학생회의 소속이었어요. 극좌였죠, 극좌. 대학 1학년 때 강경대 열사 추모집회에 나가면서 운동을 시작한 셈인데 혼자 집회도 많이 다녔어요. 그즈음 어떤 언니가 함께하자고 권유해서 그 조직에 가담했죠. (웃음)

그때 우리 구호가 '민중에게 권력을!'이었습니다. 주로 철거촌을 많이 다녔어요. 철거촌이니까 늘 불안에 떨어야 했고 정파싸움도 많이 했죠. 싸움을 많이 하면 사람이 피폐해지잖아요. 그래서 정리했어요. 행복하지 않았기 때문입니다.

제 지론은 자신이 행복해야 남에게도 행복을 줄 수 있고, 또 무엇이든 오랫동안 잘 해낼 수 있다는 겁니다. 행복하지 않으면 내 안에 아무런 에너지도 힘도 남아 있지 않게 돼요. 스스로 행복하다고 느낄 때 내면에서 에너지를 길어 올려 좋은 세상을 만들거나 다른 사람을 돕는 데 힘을 쓸 수 있게 된다는 거죠.

학생운동을 했지만 사실 제 성향은 딴따라였어요. 노는 것 좋아하고 노래하고 춤추는 것 좋아하고 책과 음악 좋아하고 연애하는 것도 좋아하고. 그런데 학생운동을 하면 그런 걸 못 하니까 힘들고 답답했던 거죠. (웃음)

대안으로 생각한 건 여성운동이었어요. 그래서 대학원에 진학해 여성학을 배우겠노라 결심하고 학점 관리하면서 졸업을 준비했죠. 그러다가 어느 날 난생 처음 연극을 한 편 봤어요. 그러니까 서울에 올라와 대학을 다니면서도 학생운동 하느라 그때까지 연극 한 편 못 봤던 거예요. 처음 본 건데, 그 자리에서 연극에 반했어요. 대학원 시험 합격자 발표를 기다리던 때였는데 그때 바로 그 극단에 가서 한 달 동안 포스터 붙여드리겠다고 했죠. 그러곤 저도 그 작품으로 데뷔했어요. 〈여자는 무엇으로 사는가〉.

■ 이미 오래전 학생운동을 접었다고 하더라도, 신문을 읽거나 사회 돌아가는 걸 보면 마음속에서 뭔가 불끈하지 않던가요?

심정적 지지는 했죠. 그러나 나중엔 신문도 잘 안 보게 되더라고요. 보면 피곤해지니까. '내가 하는 일에 집중하자' 굳게 마음먹고 10년째 이렇게 살고 있는 거랍니다.

■ 극좌파 학생운동에서 인권운동으로 관심을 옮긴 까닭이 궁금해지는데요.

학생운동을 할 때도 그랬지만 '모든 가치를 뛰어넘는 가치는 뭘까' 하는 궁금증 같은 게 항상 있었어요. 궁극과 근원에 대한 관심이 많았던 거죠. 그러다가 어느 날 법륜 스님의 수련강좌인 '깨달음의 장'에 우연히 참여하게 됐어요. 또 방송하면서 사회적 활동을 하는 연예인들이 함께 수행하는 모임이 있는데 그 모임에 참여하면서 그동안 제가 궁금했던 궁극과 근원에 대한 질문거리들이 상당 부분 해소됐습니다. 그때부터 근원을 바로 세우는 일에 관심을 갖게 됐고 아시아에서 하루에 1달러 미만으로 사는 사람들의 생존에 대해 사회적 발언을 하게 된 겁니다.

■ JTS(Join Together Society)의 홍보대사이기도 하죠. JTS는 긴급구호 단체인데, 주로 어떤 활동을 했나요?

하루 1달러 미만으로 사는 아시아 어린이들을 위한 모금 캠페인을 진행했습니다. 거리 모금 총책임자인데 매년 5월과 12월, 명동에서 캠페인을 하거든요. '아이들의 엄마가 되어 달라'는 캠페인인데 젖병 모양의 저금통을 모아 분유 보내기 캠페인도 했어요.

지금 북한은 도움이 절실히 필요한 상황이라고 생각해요. 2010년 홍수 피해가 컸고 배급도 끊긴 상태라고 하더군요. 사회주의 국가에서 배급이 끊겼으니 이건 죽으라는 얘기와 같은 겁니다. 2008년 아사자가 20만~30만 명이었는데 2010년엔 100만~300만 명의 아사자가 발생했을 거라는 보고도 있어요. 대북 제재로 식량지원이 원활하게 안 되니까요.

아시아에서 굶어 죽는 아이가 있는 나라는 북한뿐

■ 대북 식량지원은 아주 중요하고 긴급한 문제죠. 모금 캠페인을 하는 과정에서 에피소드는 없었나요?

2008년 MBC 드라마 〈이산〉을 할 때 함께 촬영한 배우들과 모금 캠페인에 나간 적이 있어요. 그때 명동에서 모금함을 들고 다니는데, 한지민 씨 모금함은 금세 꽉꽉 차는 반면 저는 아닌 거예요. (웃음) 그러니까 자꾸 비교되는 것만 같아서 신경 쓰이더라고요. 캠페인 자체에 집중하지

| 소셜테이너

못하고 제 모금통에 돈이 얼마나 모였는지에만 관심이 가는 거예요. 그러니 목소리는 작게 나오고, 모금에 참여하는 이들에게 감사하기보다는 제가 다른 사람들 눈에 어떻게 비치는지에만 신경 쓰고 있다는 생각이 들었습니다. 그때 딱 목이 메더군요.

이건 아니라는 생각이 들었고 그때부터 진심을 담아 외치기 시작했습니다. 자연스럽게 목소리가 더 커지더라고요. "배고픈 사람은 먹어야 합니다!", "아픈 사람은 치료를 받아야 합니다!", "어린아이들은 제때 배워야 합니다!" 이렇게 외쳤죠. 지금도 그 구호가 가슴을 칩니다.

종교든 이념이든 그 어떤 갈등도 뛰어넘어 해결해야 하는 절대 과제가 바로 '인권'이라는 생각이 듭니다. 굶고 있는 사람이 있다면 당장 밥은 먹여야 합니다. 거기서 출발한 게 북한 어린이 돕기 운동인데 정치적인 것으로 휘말리기도 했어요.

■ 유독 북한 어린이 돕기 운동에 치중하는 까닭은 무엇인가요?

아시아에서 유일하게 굶어 죽는 아이가 있는 나라는 북한뿐입니다. 나라별로 발육 부진이나 저체중 문제를 안고 있는 아이들은 있을지 몰라도 굶어 죽는 일이 예사로 있는 건 북한밖에 없어요.

2008년에 법륜 스님이 70일 단식하신 적이 있는데 48일째 단식하던 날 뵀습니다. 그때, 사람이 굶으면 어떻게 되는지를 느꼈어요. 바싹 마르고 기운이 없으니 잘 넘어지시더라고요. 그걸 보면서 도대체 사람이 얼마를 굶으면 죽게 되나 생각했어요. 저도 사나흘 굶어봤는데 진짜 너무 괴로웠습니다. 속이 울렁거리고 온몸이 아픈 게 상상을 초월하는 수준

이더군요. 먹는 것 말고는 아무것도 생각이 안 나요.

제가 기아 체험을 하고 나니 굶어 죽는 일은 막아야겠다는 생각이 들었어요. 그때 정말 많이 울었죠. 살면서 이 얘기를 계속 하겠노라 마음먹었고 초등학교와 대학교 등을 다니면서 강연하고 서명운동도 벌였죠.

■ 한국에도 굶는 아이들이 많다며 비판하는 사람들도 있죠.

하루에 한두 끼 거르는 결식아동이 있기는 하지만 굶어 죽는 정도는 아니죠. 끼니를 거르는 것과 굶어 죽는 것은 완전히 다른 문제잖아요. 굶어 죽는 사람에게 먼저 밥을 줘야 한다는 게 제 생각입니다.

■ 보수단체 회원들은 대북 지원이 북한 체제를 유지하는 수단이 된다고 비판하는데요.

우리는 너무 오랫동안 북한의 식량난을 모른 척해왔어요. 무심했습니다. 저도 북한 체제가 너무 싫어요. 자기 백성이 굶어 죽도록 놔두는 무능한 정권이라고 생각합니다. 어떤 식으로도 용서할 수 없는 나쁜 정권이죠.

그런데 우리는 어떤가요? 쌀이 창고에 남아돌아 보관비용 때문에 골치 아프다는 뉴스가 계속 나와요. 또 북한의 심각한 식량난에 대한 뉴스도 나오죠. 김정일 체제를 무너뜨려야 한다는 이유로, 우리는 식량이 남아도는데 북쪽은 굶어 죽게 내버려둔다는 게 말이 되나요? 그러면서 또 통일세를 걷겠다고 해요. 정말 잔인하고 무심한 것 같아요.

이렇게 남북관계가 대결국면으로 가는 게 옳은 일일까요? 남쪽과의 관계가 단절된 북한이 중국에 대한 의존도를 높이면 어떻게 될까요? 만약 북한이 중국에 편승한다면 우리야말로 한반도 남쪽에 고립될 겁니다. 대륙으로 나가는 그 어떤 길도 봉쇄당한 채 말이죠. 이명박 정부가 원하는 게 그것인지 묻고 싶습니다.

■ 인도적 대북 지원 외에도 어떤 사회 문제에 관심이 있나요?

4대강 사업입니다. 한반도의 강들은 수만 년 흘러온 강들입니다. 인간이 살아봐야 고작 100년 아닌가요. 오랜 세월 흘러온 강에 비하면 인간은 그저 물 한 방울도 안 되는 존재라고 생각해요. 도대체 무슨 근거로 강을 파헤치는 걸까요. 어떤 신뢰할 만한 연구 결과나 동의 절차도 없이 그냥 밀어붙이면 되는 건가요.

이명박 정부가 지금 이렇게 밀어붙이는 것은 후딱 해치우지 않으면 안 된다고 판단하기 때문인 것 같아요. 수만 년 흘러온 강의 물줄기를 바꾸는 일인데 적어도 몇 십 년 계획을 세워 국민에게 묻고 허락도 받아야 하는 것 아닌가요. 왜 이런 식으로 졸속 처리하려는 건지 모르겠습니다. 물을 맑게 하고 홍수를 막겠다고 하는 일이라면 정말 긴 호흡으로 천천히 국민들에게 그 타당성을 설명한 다음에 해도 늦지 않을 것 같아요. 임기 내에 끝내야 한다고 이렇게 서두를 일이 아니죠.

■**인터뷰** 2010. 8. 17 ■**사진** 유성호

에필로그

인터뷰가 끝난 뒤 그는 컴퓨터로 가서 한글프로그램을 띄웠다. 그러고는 자판을 두들겨 "4대강을 그대로 흐르게 해 주세요"라고 쓰고는 A4 용지에 인쇄했다. 그는 종이를 들고 환하게 웃었고, 사진기자는 연신 셔터를 눌렀다. 배우 김여진의 '4대강 반대' 의사는 이렇게 기록됐다.

인터뷰가 보도된 후 홍익대 청소노동자들의 정리해고 문제가 터졌다. 트위터를 통해 그는 '날라리 외부세력'과 연대했고 한진중공업 타워크레인에서 고공시위 중인 김진숙 민주노총 지도위원과도 접촉했다. 김진숙을 만나기 위해 희망버스에 올랐고 극단적 상황이 생길 때마다 눈물로 호소했다. 2011년 11월 10일, 309일간의 시위 끝에 김진숙은 크레인에서 걸어 내려왔고 김여진은 뱃속에 태아를 품고 김진숙과 포옹했다.

대학생들의 반값등록금 집회에도 어김없이 나섰으며 비정규직 노동자와 함께했다. 이럴 때마다 뉴라이트 인사들로부터 온갖 공격을 받았지만 결코 물러서지 않았다. 배우가 연기나 잘할 것이지 오지랖도 넓다는 비난도 특유의 촌철살인 유머로 웃어넘겼다. 어느덧 그는 한국에서 가장 영향력 있고 실천적인 '소셜테이너'로 자리를 굳혀가고 있다.

악당 레슬러,
정의를 응원하다

이명박 대통령은 아주 훌륭하고 존재감 있는 악당 레슬러죠. 누구보다 자신을 사랑하고 타인의 고통에 둔감한 최고의 악당 레슬러라고 할 수 있습니다. 최고의 악당 레슬러, 이거 칭찬입니다. 욕 아니에요.

1970년대 흑백 TV에서 프로레슬링 경기가 중계되는 날이면 아버지는 마당에서 웃통을 벗어젖힌 채 다섯 딸 앞에서 허공에 대고 박치기 흉내를 내셨다. 다섯 딸과 어머니는 피식 웃으며 드라마나 틀라고 야유를 보냈지만 고집을 꺾지 않으시는 날엔 가족 모두 김일의 '박치기 예술'을 바라보며 박수를 보내야 했다.

타이거 마스크를 쓴 거구가 무지막지하게 김일을 코너에 몰고 공격하면 집안 여자 모두 하나가 되어 타이거 마스크를 비난했다. 링 밖으로 나온 타이거 마스크가 관객까지 위협하면 '반칙'을 외치며 김일을 응원했다. 1970년대 일요일 저녁의 흔한 풍경이었다.

1980년대 프로야구가 선풍적 인기를 끌면서 레슬링은 추억의 운동경기가 됐다. 영화 〈반칙왕〉(2000)으로 살짝 주목받긴 했지만 한국에선 비인기 종목이 된 지 오래다.

그러나 최근 한 젊은 악당 레슬러의 사회적 발언으로 레슬링이 다시 주목받기 시작했다. 그것도 트위터를 통해서다. 국내 오직 하나뿐인 악당 레슬러 김남훈(@namhoon). 그는 하루 60개 넘는 멘션을 쏟아내며 홍대 청소노동자 문제, 재개발로 철거 위기에 놓였던 서울 동교동 두리반 칼국수집 문제 등에 발 벗고 나섰다. 420일 넘게 농성 중이던 두리반 문제 해결을 위해 야외 레슬링 경기도 기획했다. 섭외도 경기장 설치도 모두 스스로 자원봉사하기로 했지만, 마땅한 장소가 없었다.

스물여덟 늦깎이로 프로레슬링에 입문한 김남훈 선수는 챔피언 벨트를 따는 성과를 내기도 했지만 그밖에 UFC 격투기 해설가, 파워 블로거이자 IT 전문가, 일곱 권의 책을 낸 저자, 커피숍 프랜차이즈 대표이사 등 일일이 손꼽기 어려울 정도로 여러 일을 한다.

게다가 트위터로 접한 사회 문제에 침묵하지 않고 사회적 발언에 적극 나선다. 트위터 팔로어 수가 증가하는 추세에 비례해 일은 점점 줄어들지만 발언을 멈추지 않는다. 옳은 게 맞는 것이라고 생각하기 때문이다. 그는 《청춘 매뉴얼 제작소》라는 책도 냈다. 20대에게 보내는 인생편지다. 앞으로 30대에게 보내는 글도 쓸 작정이다. 스스로를 대단한 인물이라 생각해본 적은 없지만 무엇이든 함께 나누고 모으며 느끼는 '공감의 힘'을 믿기 때문이다.

■ 두리반 칼국수집 문제에는 어떻게 관심을 갖게 됐나요?

처음엔 그저 파편적 정보만 알고 있었어요. 그런데 점차 트위터를 통해 여러 의견을 듣게 되면서 뭐가 잘못된 것인지 알게 됐죠. 두리반 칼국수집이 있는 곳은 마포구 동교동이었어요. 심심산골이 아닙니다. 그런데 관공서와 대기업이 손을 잡고 재개발 지역으로 지정됐으니 무작정 나가라고 한 거죠. 못 나가겠다고 하니 전기를 끊고 생존권을 위협하고…….

이게 상식적인 일일까요?

직접 현장을 방문해서 얘기도 들었는데 정말 화가 났어요. 대명천지에 있어서는 안 되는 일이 일어난 거잖아요. 그래서 제가 뭘 할 수 있을까 고민해봤어요. 어떻게 하면 더 많은 사람들에게 이 황당한 상황을 알릴 수 있을까 고민하다가 레슬링 경기를 생각해낸 거죠.

■ 직접 두리반을 방문했을 때는 어떤 상황이었나요?

전기가 끊겨 내부가 꽤 어두웠고 층층계단엔 초와 촛농이 즐비했어요. 우리나라가 OECD 가입 국가잖아요. 거기다 서울시내 한복판이고요. 그런데 이게 무슨 황당한 일인가 싶었죠. 또 놀랐던 건 현장에 20대 활동가들이 많았다는 거예요. 사람들이 요즘 20대는 나약하고 사회 문제에 무관심하다고들 하잖아요. 그게 아니더라고요. 그런 것들이 복합적인 느낌으로 다가왔어요.

무엇보다 안타깝다는 생각이 제일 먼저 들었죠. 두리반 사장님은 잘못한 게 없잖아요? 그런데도 사회적으로는 마치 잘못한 게 많은 사람인 것처럼 취급받죠. 그분이 대기업이나 정부로부터 그런 취급을 받을 이유가 있나 싶어서 참 화가 났어요.

■ 두리반 사태 해결을 위한 아이디어로 레슬링 경기도 기획했죠. 재개발 용역 문제와 레슬링, 어떤 상관관계가 있을까요?

두리반 사태를 프로레슬링 경기에 접목하면 대중들에게 좀 더 쉽게 다가갈 수 있겠다는 생각이 들었어요. 프로레슬링이라는 경기 자체에 선악 구도가 있잖아요. 이 선악 구도를 두리반 문제에 적용하면 좀 더 쉽게 이해할 수 있지 않을까 했던 거죠.

솔직히 두리반 활동가들이나 사장님 입장에서는 굉장히 절박한 문제지만 일반 사람들에게는 별로 관심 없는 이슈일 수 있어요. 하지만 도심 재개발 때문에 쫓겨나야 하는 철거민 문제는 정말 중요한 사회 이슈라고 생각해요. 용산에서처럼 사람이 죽을 수도 있는 문제니까요.

하지만 이걸 바라보는 우리 사회의 시선엔 늘 양비론이 존재합니다. 양쪽 모두 폭력적이라는 거죠. 용산 남일당 사태 때도 경찰특공대나 철거반원도 문제지만 망루를 세운 철거민도 잘한 거 없다는 식이었잖아요. 그런데 저는 여기에 상당한 왜곡이 있다고 봐요. 사실 철거민들은 어느 날 갑자기 오갈 데가 없어졌으니 어디로 가라는 거냐며 시위할 수 있는 거잖아요.

■ 레슬링 경기를 잘 모르는 사람들은 그저 싸움하는 것으로만 이해할 수 있는데요. 레슬링 경기에서의 선악 구도라는 설정, 어떻게 진행되는 것인지 설명해줄 수 있나요?

대기업과 관공서에서 퇴거비용을 얼마나 주면 되겠냐며 나가달라고 하다가 두리반에서 이를 거부하고 농성을 벌이자 강제철거 가능성도 없는 것은 아니라며 협박에 가까운 압박을 했죠. 평화롭게 일상을 살아가며 칼국수집을 운영하던 사장님 내외는 재개발 때문에 난데없이 쫓겨나게 된 거고요.

이런 상황을 프로레슬링에 접목해 보여드리는 거죠. 악당 편 레슬러와 선한 편 레슬러의 대결이라고 해야 할까요. 제가 악당 레슬러 역을 맡아서 가슴에 'GX건설'이라고 써 붙인 채 선한 편 레슬러를 향해 무기를 쓰고 반칙하면서 나쁜 짓 하는 모습을 연출하는 거죠. 그리고 최종적으로는 선한 편 레슬러가 상황을 역전시켜 이기는 걸로 마무리되는 겁니다.

게시판에 욕설만 남기는 분노는 의미 없잖아요

■ 레슬링 경기에서 악당은 어떤 존재예요?

악당 레슬러는 무기를 쓰고 반칙도 하면서 정말 나쁜 짓을 많이 해요. 타인에게는 엄청 나쁜 짓을 많이 하지만 누구보다 자신을 사랑하는 게 악당 레슬러입니다. 자신을 사랑하는 만큼 타인을 공격하고 자신을 지키기 위해서라면 못할 게 없는 인물이죠. 그 정도로 타인의 고통에 둔감한 사람이 링 안의 악당 레슬러인데, 링 밖의 세상에도 악당은 늘 존재하죠. 홍대 청소노동자와 두리반 문제에도 악당이 개입돼 있잖아요. 선한 사람들을 못 살게 굴고 재개발 논리를 앞세워 무조건 쫓아내려는 무리들이 모두 사회적 악당 아닐까요?
그런 점에서 보자면 이명박 대통령은 아주 훌륭하고 존재감 있는 악당 레슬러죠. 누구보다 자신을 사랑하고 타인의 고통에 둔감한 최고의 악당 레슬러라고 할 수 있습니다. 최고의 악당 레슬러, 이거 칭찬입니다. 욕 아니에요. (웃음)

■ 홍대 청소노동자 문제에도 관심을 기울이셨죠. 겨울에 통닭 열 마리를 배달시켜서 트위터에서 뜨거운 호응이 있었던 것으로 기억합니다.

솔직히 화나잖아요? 한 끼 식사에 300원이라니 말이 되나요? 너무 화가 나서 일단 통닭 열 마리를 샀죠. (웃음) 그다음에는 바자회나 출판기념회에서 나온 수익으로 도와드렸는데 솔직히 액수는 얼마 안 돼요. 밝히기 부끄러운 액수죠. 하지만 소액 기부도 의미 있는 거라고 생각해서 동참했을 뿐이에요. 솔직히 제일 화났던 건 홍대 총학생회의 태도였어요. 학교 측을 두둔하는 학생회라……. 그래요, 모든 걸 다 이해한다고 치죠. 학생들도 생각이 있다면 300원으로 한 끼 식사를 해결할 수 있다고 여기는지 묻고 싶었어요. 그래서 제가 말했죠. 홍대 총학은 계좌번호를 불러라. 회식비 3000원을 쏘겠다. 열 명이 맛있게들 잡수시라!

■ 트위터를 보면 사회 문제에 관심이 많으세요.

살다 보니 사람들은 약자보다 강자 편에 서는 걸 더 좋아한다고 느끼게 됐어요. 약자 편을 들려면 논리력도 있어야 하고 이성적 분노도 필요하잖아요.
강자의 논리는 사실 간단해요. 힘 있고 권력 있는 사람에게 복종하고 따라가면 되는 거예요. 본능에 아주 충실한 논리죠. 반대로 약자 편에 설 때는 냉철한 논리가 필요해요. '어려움에 빠진 사람을 지금 함께 돕지 않으면 나도 언젠가는 같은 상황에 처할 수 있다'는 인식을 가지는 거죠. 사회적 모순을 발견하고 이를 해결하기 위한 공동 노력이 필요하다고 생각합니다.

문제는 대한민국에서 12년이나 되는 정규교육 기간 동안 이런 걸 전혀 안 가르친다는 겁니다. 초·중·고 12년은 대학 가기 위해 공부하고, 대학을 가면 취직하기 위해 공부합니다. 스펙만 쌓으면서 '진짜' 공부를 못하게 되죠. 게시판에 욕설만 남기는 분노는 별 사회적 의미가 없잖아요. 행동으로 연결돼야 하는데 가정에서도 학교에서도 분노를 합리적인 방식으로 표출하는 방법을 못 배우니까 점점 '홍대 총학' 같은 수준의 인식이 만연하는 거죠.

■ 트위터에서 사회 문제에 대한 입장을 적극적으로 개진하니까 '좌파'라는 별명도 붙는 것 같아요. 한국 사회는 전통적으로 보수층이 강해서 자신이 '좌파'라 낙인찍히는 것에 대해 부담스러워하는 대중문화예술인이 많은데요.

그럼 저는 좌파 레슬러고 우파 레슬러는 따로 있는 거예요? 너무 우습다고 생각되는 게, 사회적 약자에게 관심 가지면 다 좌파인가요? 불합리한 부분에 대해서 지적하면 몽땅 좌파예요? 그럼 불의에 눈 감으면 모두 우파예요? 그거 우파한테 욕 아닌가요?

제가 이대목동병원에서 여덟 살짜리 아이에게 성분 헌혈을 한 적이 있어요. 그 아이가 좌파여서 헌혈을 했을까요? 어려운 상황에 처한, 물에 빠진 사람 구하는 데 좌우가 따로 있겠습니까. 그건 문명인의 도리죠. 동물과 사람의 차이가 거기에 있는 거 아닌가요?

■ 사회 문제에 관심을 갖게 된 계기가 따로 있나요?

제 전공이 금속공학이에요. 학생운동은 안 했어요. 대학 졸업 후 사업을 하고, 또 레슬링 선수로 활동하면서 상당히 많은 사회 경험을 했습니다. 을로 살다 보니 을의 눈물도 알게 됐고 갑에게 많이 뜯기기도 했죠. 술을 입에도 대지 않는 제가 룸살롱에 가서 갑을 위해 280만 원 카드 값을 내기도 했고 프로레슬링을 하면서 운동선수가 갖는 불합리한 신분체계도 알게 됐어요. 그러면서 세상을 보는 스펙트럼이 넓어졌다고 해야 할까요?

소년은 언제나 강한 걸 동경하잖아요

■ 스물여덟 살에 레슬링 선수가 됐는데 좀 늦은 나이에 도전한 거잖아요. 왜 레슬링 선수가 되고 싶었나요? 혹시 김일 선생님이 멋있어서?

전 WWF(World Wrestling Federation, 프로레슬링세계연맹) 세대입니다. 물론 김일 선생님도 존경하지만요. (웃음) 소년은 언제나 강한 걸 동경하잖아요. 아무리 나이가 어려도 수컷으로서의 자각은 있는지 '로봇 태권 V' 같은 강한 존재를 동경하게 되죠.

저 역시 그랬어요. 제가 동경한 대상은 '프로레슬링의 전설' 미국의 헐크 호건이었습니다. 너무 멋있고 강해 보였어요. 그러나 그건 꿈이었고 현실은 IT 회사 다니는 회사원이었죠. 그러다 2000년 〈딴지일보〉에 다닐 때 프로레슬링에 입문했고 2001년에 데뷔했죠.

■ 실제 직업이 되니까 어땠나요?

프로레슬링만으로는 생계를 유지할 수 없기 때문에 다른 일도 겸업해야
했어요. 하지만 링에 섰을 때의 느낌은 말로 표현할 수 없을 만큼 좋았
어요. 첫 경기 때 '내가 정말 원하던 것을 이뤘구나' 하는 성취감이 대단
했습니다. 하지만 마음 한편에선 '아! 난 헐크 호건은 못 되겠구나' 하
는 좌절감도 스멀스멀 올라왔죠. 가수가 무대 위에서 노래를 하면서도
'역시 난 서태지는 아니야' 하는 것과 비슷한 느낌이랄까요? (웃음)

■ 늦깎이 프로레슬링 선수의 삶이 만만치는 않았을 것 같아요.

격투기 종목 자체가 굉장히 어려워요. 게다가 프로레슬링은 상대와 싸
우면서 동시에 관객의 시선과도 싸워야 하거든요. 관객의 허를 찌르는
게 프로레슬링의 백미인데 거기까지 가는 길이 참 험난했습니다.
전 레슬링에 입문하면서 두 번 죽었던 것 같아요. 한 번은 제가 사회인
으로서 이런 대우를 받을 수 있구나 하면서 죽었고, 또 한 번은 링에서
떨어져 하반신 마비가 올 정도였으니 육체적으로도 죽을 고비를 넘긴
셈이죠. 레슬링 입문 초창기에는 아주 힘들었어요.

■ 어떤 게 그토록 힘들었나요?

엄격한 선후배 관계가 가장 힘들었어요. 영화에 나오는 그대로라고 보
시면 돼요. 어쩌면 그보다 더 심했을지 모릅니다. 하지만 전 그런 문화

를 후배들에게 강요하고 싶지 않았어요. 굳이 그 시스템을 물려주고 싶지 않았던 거죠. 이런 사회적 통념들 있잖아요. 남자는 고생해봐야 인생을 안다, 예술가는 가난해야 좋은 작품을 만든다, 운동선수는 맞아야 운동을 잘한다. 전혀 논리적 개연성이 없는 얘기죠.

팔로어는 늘어나는데 일은 줄어드네요

■ 국내 유일 악당 레슬러이신데, 경기 중 심리적으로는 굉장히 상처를 많이 받을 것 같아요. 관중의 야유와 욕설 등 악당 레슬러에게 쏟아지는 무더기 비난을 감당하기 어려울 때도 있을 것 같습니다.

선한 역할을 하는 레슬러와 달리 악역 레슬러는 당연히 욕을 먹어야죠. 링 위에서는 흉기를 쓰고 연장을 들고 반칙도 하니까요. 현실과 혼동해서 정말로 미워하는 분도 있지만 대개는 해당 캐릭터로 이해하는 분들이 더 많아요. 물론 기분이 안 좋을 때도 많죠. 그래서 제가 프로레슬링에서 악역으로 설정된 뒤로는 가족을 경기에 부른 적이 없어요. 단 한 번도. 아무래도 부모나 친척 입장에서는 좀 그렇잖아요.

■ 트위터를 통한 사회적 발언 때문에 일상에서 손해 보는 일은 없었어요?

음, 팔로어는 늘어나는데 일은 줄어드네요. (웃음)

■ 책을 일곱 권이나 내셨잖아요. 그 가운데는 《청춘 매뉴얼 제작소》라는 책도 있습니다. '청춘'이라는 주제로 접근하기가 쉽지 않은데 어떻게 도전할 생각이 들었어요?

그러게요. '청춘'이라는 주제는 원래 김홍신, 이외수 선생님처럼 엄청난 필력이나 도력이 있는 분, 혹은 반기문, 고승덕, 홍정욱처럼 '7막 7장'급은 돼야 쓰는 건데 말이죠. 저 같은 악당 레슬러에게 책을 낼 기회를 준 출판사가 참 대단한 거죠. (웃음)

저도 나름대로 사업하다 망해보기도 하고, 뒤늦게 레슬링에 뛰어들어 혹독한 경험도 하다 보니 제 인생유전을 바탕으로 젊은 세대에게 뭔가 얘기해주고 싶었어요. 인생에 정답은 없으니까 한번 같이 생각해보자고 20대에게 말을 건넨 거죠. 어떻게 살아야 할지 약간의 가이드라인은 제시해줄 수 있을 거라는 생각에 쓰게 된 거예요.

■ 20대 청년들에게 하고 싶었던 이야기의 핵심은 뭔가요?

꿈과 도전? 솔직히 웃기는 얘기 아닌가요? 일탈? 저도 해봤는데 그게 꼭 좋은 건 아니더군요. (웃음) 서점에 가보면 표지에 환하게 웃는 모습 올려놓고는 '외국 가서 대성공했다!', '너도 할 수 있어!' 하는 식의 책들이 많지만 과연 누구나 그렇게 될 수 있을까요?

《그리스 로마 신화》를 쓰신 고(故) 이윤기 선생님께서 학교라는 컨베이어벨트에서 뛰어내린 것은 자신이 한 선택 가운데 가장 잘한 일이었다고 말씀하셨는데, 감히 덧붙이자면 '뛰어내리는' 것과 '떨어지는' 것은

다르다는 겁니다. 확실한 목표와 실행 전략을 갖고 있다면 뛰어내릴 수 있지만, 그게 아니라면 컨베이어벨트에서 떨어지지 않고 살아내는 것도 훌륭한 삶이라고 생각합니다.

누구나 박찬호와 김연아가 될 수는 없는 거잖아요. 보통 사람들에게는 그들의 삶을 보면서 손뼉 칠 여유를 갖는 게 더 중요할 수 있다고 생각해요. 평범함을 비웃지 않는 비범함, 비범함을 보며 손뼉 칠 수 있는 평범함, 둘 모두가 삶을 살아가는 방식이 아닐까 싶습니다.

■ '이종격투기 해설계의 인간 어뢰'라는 별명도 있던데, 달변의 비결이 따로 있나요?

제 지식의 근원은 책입니다. 여러 미디어가 있지만 책만큼 정보량이 많은 매체는 없다고 생각해요. 개인적으로 활자매체가 갖는 정보 전달력이 가장 크다고 생각해요. 요즘도 한 주에 한두 권의 책을 읽어요. 그리고 아이폰에 블루투스 키보드를 연결해 아무 데서나 책을 씁니다. 오늘의 목표를 정해놓고 하면 못할 것도 안 될 일도 없던데요?

■**인터뷰** 2011. 2. 23 ■**사진** 김남훈 제공, 유성호

에필로그

"내일 복장은 어떻게 하면 될까요?"

인터뷰 하루 전날 그에게서 문자가 왔다. 120킬로그램이 넘는 프로레슬러가 의상에 신경 쓴다는 게 재미있었다. 나는 그에게 답문을 보냈다.

"편하게 하시죠. 레슬링 선수답게?"

그가 어떤 차림으로 나올지 은근 기대됐다. TV 다큐멘터리와 여러 인터뷰를 통해 그를 봐왔지만 실제로 만난 건 처음인지라 적이 궁금했다.

빨간 후드에 블랙 티셔츠 그리고 청바지에 검정 가방과 운동화. '청년' 같은 복장이었다. 곧 마흔이 닥칠 30대 후반의 나이지만 그는 두리반 칼국수집 사장님을 번쩍 들어 올릴 만큼 기운이 셌고 말발도 셌다. 중년의 나이로 접어들고 있음에도 생각만큼은 젊고 즐겁게 긍정적으로 사는 이 같았다.

그와 인터뷰를 한 뒤 사나흘 지났을 무렵 또 문자가 왔다.

"꺄오, 홍대사태 해결됐다고 합니다! ㅋㅋ"

무엇이든 되는 방향으로 밀어가는 긍정의 힘이 작용한 것일까.

그리고 또 하나의 승리가 전달됐다. 두리반 투쟁이 시작된 지 531일째인 2011년 6월 8일 정오, 서울 마포구청은 두리반 대책위원회와 시행사 남전DNC가 '두리반 철거 문제 해결을 위한 합의문'에 서명했다고 밝혔다. 두리반 칼국수집이 기존 상권과 유사한 곳에서 영업을 재개할 수 있도록 한다는 내용의 합의문에 도장을 찍었다는 것이다.

예의 없는 세상에
발차기를 날리다

독도 문제가 정리 안 되면 아직도 독립이 안 된 거나 마찬가지라고 생각해요. 일제강점기를 거치지
않았다면 독도가 '다케시마'로 불릴 수 있었을까요? 독도 문제는 단순히 영토의 문제, 국익과 자원의
문제를 넘어 대한민국 정신의 문제이자 독립의 문제라고 생각합니다.

키 186센티미터에 마른 체구. 황미나의 순정만화에서나 봄 직한 미남
이 저벅저벅 걸어왔다. 씩 웃는 모습이 사람이라기보다는 마치 조각 같
았다. 일순간 나도 모르게 이 말이 툭 튀어나왔다.

"영광입니다."

속으로 뒤통수를 후려쳤다. '뭐야! 기자가 자존심도 없어?'

다리를 꼬고 최대한 삐딱하게 묻기 시작했다. 진정성이 궁금했기 때문
이다. 가수인 그가 어쩌다가 '독도와 동해 제대로 알기 운동'에 매진하
게 된 건지, 월세 살면서 110억 원이 넘는 돈을 기부한 이유가 뭔지, 본
인 데뷔 20주년에 고(故) 김현식 타계 20주년 기념 헌정앨범을 낸 까닭
이 뭔지 최대한 묻고 따졌다.

까칠했다. 개인적으로든 국가적으로든 '인간에 대한 기본 예의'에서 벗
어나면 가차 없이 마음의 발차기를 했다. 자존심은 보통을 훨씬 웃도는
수준이었다. 마이너로 시작한 인생이지만 독하게 버텨 누구의 덕도 보
지 않고 스스로 '업계 1인자'가 된 아티스트, 가수 김장훈이다.

그는 힘든 사람을 거두는 미덕이 있다. 싸이도 MC몽도 마찬가지다. 그
는 싸이가 병역비리 문제로 한참 앓고 있을 때 선뜻 손을 내밀었고 지금

까지 콘서트를 함께하고 있다. 2010년 'Letter to 김현식' 발매 쇼케이스 행사에서는 MC몽을 챙겼다.

"진실이라면 끝까지 싸우고, 진실이 안 밝혀지더라도 언젠가는 밝혀지니 사람을 미워하지 마라. 네가 진실이라고 하면 끝까지 믿을게!"

김장훈이 건넨 응원 메시지다. 평소 의리 있는 남자로 알려진 것처럼 그는 '사회적 왕따'가 되어 나락으로 떨어진 후배에게 먼저 다가갔다. 아마도 후배들은 그런 김장훈을 평생 잊지 못할 게다. 어쩌면 김장훈은 고 김현식에게 받았던 사랑을 후배들에게 그대로 퍼 나르는 중인지도 모르겠다. 언젠가는 그가 쓰게 될 책의 제목처럼 '삶의 고비에는 늘 누군가 있다'.

문득 우리나라 정치인들이 '김장훈과 같다면' 얼마나 좋을까 상상해봤다. 원칙과 소신이 너무 명확해서 한 치의 의심도 들지 않는 정치인이 많아진다면, 본인은 월세를 살면서도 버는 족족 기부하는 정치인이 많아진다면, 스스로 낮은 데 있길 자처하며 국민을 높이 섬길 줄 아는 정치인이 많아진다면 어떨까. 생각만 해도 마음이 느긋하고 풍성해진다. 하지만 현실은 정반대니 슬픈 일이다.

■ '독도 페스티벌'을 열어 꾸준히 대중적 관심을 이끌어내고 있는데요.

2010년에 열린 첫 페스티벌 때는 장대비가 억수같이 쏟아졌죠. 그래도 김제동 씨부터 김범수 씨, 싸이, 성시경 씨, 이문세 형님까지 말 그대로 공연계의 톱스타들이 다 와주었어요. 기자들이 앞뒤로 10년간 그런 공연은 전무후무할 거라고 하더라고요. 그 멤버로 관객 200명밖에 없기는 참 어렵다는 거죠. (웃음) 눈물 나게 고마웠어요.

달콤한 빚을 졌으니 어떻게든 꼭 갚아야죠. 제동이는 50미터까지 보이는 전구 달린 등산용 모자면 될 것 같고 김범수는 광어회 한 접시, 성시경이나 싸이는 '찐하게' 술 한잔, 문세 형은 외국 공연 갈 때 깜짝 게스트로 모시면 되지 않을까?

■ 평소에 워낙 품앗이를 많이 하니까 일종의 '본전치기' 개념인 거죠?

제가 평소에 좀 '지르고' 사는 편이긴 해요. 아는 동생이 "형! 괌에서 한글학당 지원하는 마라톤 대회를 해. 한글을 잘 모르는 교포 2~3세들을 위해서 지원하는 거야. 1미터에 1달러 기부. 어때?" 하는 거예요. 그래서 단박에 승낙하고 가서 5킬로미터 완주한 후 기부했어요. 그랬더니 비킬라 아베베('맨발의 아베베'로 유명한 에티오피아의 마라토너)도 아니고 가수가 왜 그러고 다니느냐며 문자가 오더라고요.

제가 주로 술 먹고 공약을 많이 하는 편인데, 한번은 이런 일도 있었어요. 부산에서 독거노인 돕기 행사를 한다기에 "좋아요, 갑시다!" 했는데 단체장님 한 분이 '홍보대사' 얘기를 슬쩍 꺼내는 거예요. 여러 군데 홍보대사를 하고 있어서 이번엔 어렵겠다고 했는데도 계속 권하는 거예요. 결국은 거절했죠. 그래서 그날 분위기가 상당히 까칠해졌어요. 제가 판단해서 이건 꼭 해야겠다고 가슴이 울리면 '오케이'지만 그게 아니면 죽어도 안 하는 스타일이죠.

■ 어느 단체장인지 그날 아주 식겁했겠습니다.

제가 칼자루에 대한 반감이 있어요. 칼자루 딱 잡고 휘두르는 걸 잘 못
봐요. 불필요한 공권력, 절대 못 참죠. 힘으로 누굴 누르거나 압박하는
꼴 못 봅니다. 결국 인간에 대한 예의 문제 아닌가 싶어요.

■ 나이가 주는 미덕이란 게 있잖아요.

글쎄요, 나이가 든다고 해서 더 비겁해지거나 뾰족한 성격이 둥글어지
는 건 아닌 것 같아요. 사람에 대한 배려랄까. 다른 사람이 피해를 입게
될까 봐 좀 더 신중해지는 거죠. 어떤 선택을 해서 설령 제가 바보가 된
다 하더라도 다시 한 번 생각해보게 되는 거예요.

확실히 이기는 싸움입니다

■ '독도와 동해 바로 알기 운동'을 전국적으로 벌일 계획이라고 들었습니다.

독도 문제가 정리 안 되면 아직도 독립이 안 된 거나 마찬가지라고 생각
해요. 일제강점기를 거치지 않았다면 독도가 '다케시마'로 불릴 수 있
었을까요? 독도 문제는 단순히 영토의 문제, 국익과 자원의 문제를 넘
어 대한민국 정신의 문제이자 독립의 문제라고 생각합니다.
좀 불만인 게 역사교육 축소예요. 요즘 젊은이들은 예전처럼 책도 많이

안 읽고, 인터넷으로 말초적인 것만 즐기니 좀 걱정도 돼요. 제가 존경하는 안중근 의사가 《동양평화론》을 쓰신 게 20대예요. 우린 그 나이에 '클럽'이나 다니느라 정신없었는데 그분은 사상가였다는 거죠.

요즘 '민족주의' 얘기하면 굉장히 진부한 사람이라고 취급할지 모르겠지만…… 최소한 생각이 있는 사람이라면 '나라에 힘이 없으면 남의 나라에 짓밟혀 서러운 꼴 당하게 되는구나, 그런 일이 다시 생겨서는 절대 안 되겠구나' 하는 자각을 해야 한다는 거죠. 이런 의식을 갖고 자라는 아이들과 그렇지 않은 아이들은 완전히 다를 거라고 생각해요.

■ '독도와 동해 바로 알기 운동'을 통해 얻은 성과는 무엇인가요?

전 세계 지도에서 3퍼센트에 불과하던 '동해' 표기가 29퍼센트로 늘어났습니다. 반크 회원들이 그만큼 노력한 덕택입니다. 문서로 기록한 자료를 바탕으로 논리적으로 싸우는 것이기 때문에 일본에 질 리 없습니다. 이 싸움은 확실히 이기는 싸움입니다.

주로 학계를 지원하는 편인데, 일본에서 고지도가 나왔다고 발표하면 경매해서 태워버릴까 봐 얼른 그것부터 삽니다. (웃음) 자료로 데이터베이스를 구축하고 문서로 만들고 책을 펴냅니다. 그래서 외국에 근거 자료로 제출하고요. 유럽에서 나온 고지도 역시 얼른 삽니다. 독도의 경우와 마찬가지로 일제강점기를 거치면서 동해가 일본해로 둔갑한 경우가 많아요. 이런 문제를 꾸준히 제기하고 지적하는 활동을 합니다.

■ 외교 당국에서는 김장훈 씨의 이런 활동에 어떤 반응인가요?

개인이 적극 나서는데 정부가 도와주지 않아 섭섭하지 않느냐고 묻는 경우가 종종 있습니다. 그러나 제게 섭섭할 권리가 있나요? 다만 하고 싶은 말은 있어요. 정부에서는 독도에 대한 실효 지배를 강화하겠다고 말하는데, 그 방안이 뭐냐는 거죠. 실효 지배를 강화하겠다고 큰소리만 치는 것보다 '실제로' 실효 지배하는 게 더 중요한 거잖아요. 외교 당국을 탓하는 게 아니라 이런 문제도 마케팅과 전술이 필요하다는 걸 강조하는 거예요. 일본이 미처 손쓸 겨를도 없이 쥐도 새도 모르게 모든 노력을 기울여야죠. 외국인들이 '독도는 당연히 한국 땅'이라고 말할 수 있게 왜 못하냐는 겁니다.

■ 독도 실효 지배를 강화할 수 있는 새로운 아이디어가 있으세요?

문화관광부와 대한요트협회가 주최하는 코리아컵 국제요트대회가 있어요. 독도를 도는 코스예요. 굉장하죠. 요트가 푸르른 동해와 독도를 지나가는데, 사진만 봐도 끝내줘요. 그런데 몇 년간 이 대회의 외국 참가자가 늘지 않고 있어요. 만일 기업이 이 행사를 상업적 목적으로 주도했다면 엄청난 광고비를 투여해서라도 국제적 행사로 만들었을 거예요. 제가 능력만 된다면 자비를 들여서라도 〈뉴욕타임스〉 같은 국제적 매체에 광고하고 상금 규모도 왕창 키워서 제대로 해볼 것 같아요. 제 말의 핵심은 독도 문제도 관광레저 차원으로 풀 수 있다는 겁니다.

■ 독도 문제를 관광레저 차원으로 풀 수 있는 대안이 있다면 모두가 반색할 것 같은데요.

예를 들어 상금 10만 달러를 걸면 이 대회를 바라보는 세계인의 눈길이 확 달라질걸요? 울릉도 오징어 축제랑 엮어 세계적인 축제를 기획하는 거예요. 브라질의 삼바 축제 같은 걸 우리라고 왜 못해요? 세계 각지에서 요트 타러 '한국의 독도'에 간다고 말할 수 있게 된다고 생각해보세요. 대박이죠. '거기 가면 세계적인 가수 아무개도 온다더라', '축제가 볼만하다더라' 하는 소문이 쫙 퍼지면 그걸로 끝인 거예요. 저 같은 일개 '딴따라'도 아이템 10개는 생각하겠어요. 그런데 군인이 독도에 들어가면 외교 문제가 생기니 어쩌니, 그래서 경찰을 집어넣네 마네 하더니…… 결국 실효 지배는 뭘 어떻게 하겠다는 건지 답답해요.

■ 〈뉴욕타임스〉에 독도 전면 광고를 내 화제가 됐잖아요. 미국 뉴욕 타임스 퀘어 광장 전광판에도 독도 광고를 했고요. 사용료와 광고영상 제작비를 전액 후원했죠.

〈뉴욕타임스〉에 실었던 'Do you know?'나 'Error in WP' 광고 후에 작은 변화들이 있었어요. 〈뉴욕타임스〉 같은 경우는 이제 '동해/일본해'로 병기해 씁니다. 세계 유력지가 표기법을 바꾼 거예요. 그 뒤에도 계속 신문광고를 할 것인가 아니면 CNN이나 NBC 같은 데 방송광고를 할 것인가 고민하다가 뉴욕 타임스퀘어 광장으로 가는 게 좋겠다고 결론 내렸어요.

뉴욕 타임스퀘어 광장에 '대한민국 전용 광고판'을 세우고 독도 광고를 하자, 그럼 그 돈은 제가 대겠다, 이렇게 된 거죠. 3초 만에 결정했어요. (웃음) 이 광고판엔 CNN 뉴스가 흘러나와요. 그래서 마치 뉴스 같은 느낌을 주는 광고가 되는 거죠. 그래서 바로 결정했어요.

굉장히 재밌는 게, 일본 광고주가 독도 광고 내리라고 압박해서 하루 내렸다는 거예요. 일본 쪽 광고 섭외가 안 되니까 그랬던 모양이에요. 그런데 사실 별것 없었어요. "미국엔 하와이, 이탈리아엔 시칠리아, 한국엔 독도. 아름다운 독도를 방문하세요!" 이게 뭐 문제가 되나요?

■ 〈뉴욕타임스〉 광고 이후에 혹시 일본 쪽에서 뭔가 상업적으로 엮어보려는 시도 같은 건 없었나요?

사실 일본 차 광고 섭외가 들어왔었어요. 전 솔직히 하고 싶었죠. 독도 운동 하는 놈이 일본 차 광고를 한다고 비난할 수도 있겠지만 하고 싶더라고요. 출연료 받아서 일본 지진 피해자들에게 기부하려고요. 서해안 기름유출 사고 때 일본에서도 기부했잖아요. 저도 그렇게 하고 싶었어요. 그러나 이걸 찍고 나면 온갖 구설에 휘말릴 것 같더라고요. 해명하느라 기자회견이나 각종 인터뷰도 해야 하고 품이 더 들겠다 싶어서 그냥 관뒀죠. 하지만 그때 광고를 찍었어야 훨씬 세련된 선택이었을 거라고 생각해요.

■ 하지만 우린 여전히 일본에서 망언을 하면 반일감정이 극대화되는 측면이 있어요.

그러면 안 된다고 생각해요. 망언을 하면 일본 사람에게 물건 안 판다는 상인도 봤어요. 하지만 일본 정치인이 망언했을 때 한국에 관광 온 일본인들에게 더 잘해줘야 한다고 생각해요. 그 사람들을 홀대하면 일본으로 돌아가 뭐라고 하겠어요? 역시 한국 사람들은 험악하다고 할 거예요. 그러나 그들에게 친절하게 대해주면 도리어 망언한 일본 정치인을 욕할 거라고 생각합니다. 과격해지기보다는 가볍게 웃으면서 실질적으로 이길 방법을 생각해봐야죠.

현식이 형에게 부치는 편지인 셈이죠

■ 2010년 11월 1일, 김현식 헌정 앨범 'Letter to 김현식'을 내놓으셨죠. 사실 2010년은 김장훈 씨가 가수로 데뷔한 지 20년 되는 해이기도 했어요. 가수 김장훈에게 김현식은 어떤 사람인가요?

헌정 앨범에서 모두 10곡을 불렀어요. 그 가운데 한 곡은 체코 필하모닉 오케스트라의 연주곡이죠. 제게 김현식은 피 한 방울 안 섞였지만 진짜 '형' 그 자체예요. 형이 없었다면, 물론 지금 어디선가 노래는 하고 있었겠지만 현업 가수는 안 됐을 거예요.

우린 설령 소설이라고 해도 너무 작위적인 거 아니냐고 할 정도로 극적인 관계예요. 현식이 형 어머니와 우리 엄마가 친구예요. 그러니까 자랄 때 형네 어머니께 자연스레 이모라고 불렀죠. 또 저희 집 사업이 잘 안돼서 어릴 때 형네 많이 놀러갔어요. 중학교 때 형을 보면 늘 기타를 치고 있었는데 그 자체가 너무 신기하고 좋았어요.

형이 먼 길 떠나기 전날까지도 형을 보면 가슴이 막 뛰고 설레었어요.

당대 김현식이 누굽니까. 요즘 애들도 알 정도니 정말 전설이죠. 전설 같은 존재가 제 형이라니, 그것도 가까이에 있는 친형 같은 존재라니, 얼마나 좋았겠어요.

■ 아주 근거리에서 김현식 씨를 보고 자란 셈이군요.

마지막 5년을 아옹다옹 같이 보냈죠. 형이 1990년 11월 1일 세상을 떠났는데 다음 해 11월 제 데뷔앨범이 나왔어요. 제가 경원대 88학번인데요. 4학년 때 밴드 만들어 공연을 하는데 서울음반에서 찾아와 앨범을 내자고 하더라고요. 너무 놀랐죠. 처음에는 우리 밴드가 정말 잘한다고 소문이 나서 찾아왔나 보다 했죠. 그런데 그게 아니라 당시 서울음반 기획실장님이 형이랑 같이 음악 하던 베이시스트였던 거예요. 형이 사촌 동생 같은 애가 있는데 노래 잘하니까 앨범 한 장 내보라고 귀띔했던 게 생각나서 수소문해 찾아왔다는 거죠. 우리가 녹음한 카세트테이프를 들어보더니 자기들끼리 "꼭 살아온 것 같아. 음색이 너무 비슷해" 이러더라고요.

■ 그래서 서울음반에서 앨범을 낸 거예요?

냈죠. 당시로서는 파격적인 계약금 600만 원에 인세 20원. (웃음) 그런데 이게 그 시절엔 적은 돈이 아니었어요. 만일 형이 소개하지 않았다면 전 오디션 볼 일 없었을 테고 그냥 그대로 나이 먹었을 거예요. 생각해보면 그때 형 연습실에서 누구보다 집요하게 노래 연습했고 형이 '봄여름

가을겨울' 활동하는 것 구경하면서 가수의 삶을 알게 됐죠. 형은 제게 노래할 연습실도 줬고 정신도 줬고 데뷔할 계기까지 만들어준 분입니다.

■ 데뷔 이후 뭔가 달라진 게 많았을 것 같아요.

청운의 꿈을 안고 1991년에 '늘 우리 사이엔'이라는 앨범을 냈는데, 반응은 싸늘했죠. 그런데 그때 MBC 드라마 〈우리들의 천국〉(1990~1994)에 〈내 사랑 내 곁에〉가 나오면서 김현식 붐이 다시 일어났어요. 그 노래가 공전의 히트를 친 거죠. 그때 동아기획 사장님 말씀으로는 모든 음반공장에서 다른 건 올 스톱하고 김현식 앨범만 찍었다는 거예요. 단군 이래 최고의 히트였다고 했어요.

그런데 형은 가고 없으니 방송에 나와 그 노래를 부를 사람이 없는 거예요. 그러다 방송사에서 소문에 김현식의 음색과 비슷한 동생이 있다고 하니, 그에게 김현식의 노래를 부르게 하자는 제안이 나왔던 모양이에요. 그래서 딱 한 번 형의 노래 〈내 사랑 내 곁에〉를 불렀어요. 하지만 전 형의 죽음을 딛고 일어선다는 게 너무 미안했어요. 그래서 안 했으면 좋겠다고 했는데 방송사에선 좋은 기회라고 자꾸만 권하더라고요. 물론 김현식의 후광을 입었다면 단숨에 유명한 가수가 됐겠죠. 그러나 전 그게 싫었어요. 형 도움 없이 내 힘으로 일어서고 싶다는 생각이 강했어요. 지금 생각하면 참 속이 좁았던 것 같은데, 그땐 그랬어요.

■ 김현식 씨가 눈을 감던 날, 많이 울었겠어요.

아뇨. 눈물이 안 났어요. 꿈을 꾸는 것 같고 전혀 실감이 나지 않는 거예요. 사람들은 펑펑 우는데 저는 그저 바라보고만 있었죠. 그런데 시간이 한참 흐른 후에야 형이 곁에 없다는 걸 깨닫고 눈물이 나더라고요. 담배에 불을 붙이다가도 눈물이 뚝뚝 떨어져서 스스로 당황했던 기억이 납니다. 요즘도 형 노래를 들으면 눈물이 흘러요.

인생의 최종 목표는 '잘 죽는 것'이에요

■ 무명 시절 배추장사 하면서 발성 연습을 했다고 들었어요. 그 시절이 더 행복했나요?

좋기야 지금이 훨씬 좋죠. 하지만 그때가 더 아름다웠던 것 같아요. 그땐 반대급부가 없는 삶이었어요. 잃을 것도 얻을 것도 없는 삶이었죠. 하루하루 그냥 밥 먹으면 되는 거고 내일 뭘 해야 한다는 것도 없는 시절이었으니까요. 그저 하루 잘 사는 게 행복한 거였죠.
그러나 지금은 오늘 뭔가 이루지 못하면 안 되는 게 생겼죠. 제일 좋은 건 제가 번 돈으로 먹고 싶은 것, 사고 싶은 것 해결할 수 있고 더 나아가 가족은 물론이고 주변을 챙길 수 있게 되었다는 거예요. 가족들을 추운 데서 안 재워도 되는 게 참 좋아요. 혼자라면 다시 그때로 돌아갈 수도 있겠지만 가족들을 생각하면 별로예요.

■ 인생의 최종 목표가 '잘 죽는 것'이라고 들었어요. 기부 잘하는 착한 사람

으로 남고 싶으세요, 아니면 나쁜 놈 소리를 듣더라도 노래 공연만큼은 잘하는 사람이고 싶으세요?

제가 열세 시간 동안 소파에 앉아 이런저런 생각만 한 적이 있어요. 그때 문득 '이러다 어느 날 문득 세상 떠나는 날이 오겠지. 죽는 순간 내가 살아온 삶을 후회하면 어쩌나' 하는 생각이 들더라고요. 그러면 안 되겠다는 생각이 드니까 '후회 없이 살자. 비겁하거나 비열해지지 말자. 음란하고 폭력적인 것은 하지 말자' 같은 결심을 하게 되더군요. 그렇다고 제가 누구에게 귀감이 될 만한 사람은 아니에요. 지탄받지 않을 정도로만 사는 것뿐이죠. 제가 워낙 욱하는 성질이 있어서요. 가수 안 됐으면 감옥 몇 번 갔을 거예요. 가수 하면서 많이 착해진 거죠. 착한 행동을 습관적으로 반복하니까 정말 착해지던걸요?

■ '부당거래'를 안 할 것 같은 연예인 2위에 뽑혔어요.

그런 데 뽑히면 안 되는데. 전 그냥 부당거래도 좀 할 것 같고 룸살롱도 좀 갈 것 같고 돈도 많이 벌 것 같고 사회활동도 많이 할 것 같고, 그런 게 좋아요. 제가 바른생활 사나이는 아니라니까요. (웃음)

■ 가만 듣고 보니 전형적인 일중독 같은데요?

저 완전 일중독이에요. 여자도 싫어해서 안 만나는 게 아니라 만날 여건이 안 돼요. 만날 지겹다고 불평하면서도 손에서 일을 놓지 않아요. 그래서 한번은 정말 딱 접고서 쉰다고 생각하고 일을 났더니 바로 공황장애가 오더라고요. 아무래도 쉬는 법을 까먹은 것 같아요. 예전에 제가 미국에 쉬러 간다니까 기자들이 아마 뭔가 일을 벌이고 올 거라고 말하는 거예요. 그냥 놀 사람이 아니라는 거죠. 그런데 그때는 정말 스케줄에 얽매이지 않고 몇 달 푹 쉬었어요. 물론 내내 놀기만 한 건 아니지만.

■ **공황장애 치료를 받았다고 들었는데요.**

100퍼센트는 아니지만 이젠 수면제 없이 잘 수 있어요. 2002년 콘서트 도중 와이어가 끊어지는 사고가 발생한 뒤 공황장애가 생겼어요. 일종의 염려증인데, 괜히 걱정하는 거예요. '무대가 또 무너지면 어떡하나' 부터 해서 별별 걱정을 다 하는 거죠. 공연 시뮬레이션을 너무 많이 해서 싸이가 저라면 아주 고개를 절레절레 저어요. (웃음) 무대를 일일이 점검하거든요. 무대 골조공사를 직접 한 적도 있어요. 보통사람들이 한 가지 걱정을 하면 전 백 가지, 천 가지 걱정을 하는 거예요. 걱정을 없애려면 완벽하게 해야 해요. 그러니 제가 얼마나 힘들겠어요.

■ **2007년에 사비 1억 원을 털어 가출청소년 쉼터 '꾸미루미(꿈이룸이)'를 운영하셨잖아요.**

저희 어머니가 일산 십대교회 목사님이신데요. 가출청소년들을 위한 쉼터 개념의 버스가 필요하다고 하셔서, 전 그냥 물질적 지원만 해요. 전 태어날 때부터 아버지가 안 계셨어요. 가정사가 평탄치 않았던 셈인데 어머니가 어디 나가 후레자식 소리 들으면 안 된다고 참 엄하게 기르셨어요. 어릴 땐 그런 게 참 힘들었는데 지금 생각해보면 노래하기 딱 좋은 환경에서 살았던 것 같아요. 학교 못 다녔지, 자살 시도 두 번 했지, 차압 세 번 당했지, 교통사고 열한 번에 정신병까지 걸렸지, 노래할 수 있는 조건은 다 갖춘 거 아니에요?

무소유 철학 같은 거 없어요

■ **지금까지 기부한 액수가 80억 원(2011년 현재 110억 원)을 넘었다고 들었어요. 보통 남에게 주기보다 자기 욕심 차리기 마련인데 어떻게 이렇게 많이 기부하시나요?**

계획은 늘 갖고 살지만 욕심은 없어요. 공연이 잘되면 기부도 하고 엄마랑 누나들에게 목돈도 드릴 수 있었어요. 그런데 제가 바보라서 그런 게 아니라, 뭐랄까 전 미래에 대한 불안감이 없어요. 대개는 미래가 불안하기 때문에 돈도 모아두고 자기 욕심도 챙기는 거잖아요. 제가 또 시프트(장기 전세주택) 모델도 하지 않았습니까. (웃음) 전 집 걱정 안 해요. 월세여도 별로 불안하지 않아요.

■ **월세 살면서 그 큰돈을 기부한 거예요?**

제가 집을 갖지 않는 건 거창한 무소유 철학이 있거나 굉장히 검소해서

가 아니라 가치관 때문이에요. 물론 연금 보험은 들어놨어요. 늙어서 후배들에게 얻어먹고 살 순 없으니까 술값 마련 차원에서 들었어요. 하지만 집은 안 사요. 이유가 있죠. 고층 건물은 우후죽순 들어서는데 정작 인구는 줄고 있어요. 굳이 집을 사려고 발버둥 칠 이유가 없다는 거죠. 돈 모아 집 사는 데 쏟아 넣을 바에야 차라리 그 돈으로 놀겠다, 뭐 이런 거죠.

■ 그럼 검소한 분은 아니란 얘기네요.

물론이죠. 제가 지금은 리스(lease)한 차를 타고 다니지만 은퇴하면 엄청 비싼 차 탈 거예요. 무슨 얘기냐면 저처럼 기부 많이 한 사람이 말년에 고생한다는 소문이 나면 누가 기부를 많이 하겠어요? 그러니 기부하고도 잘산다는 소리를 들어야죠. 좀 유치하지만 지금은 버스 타고 다녀도 은퇴해 힘 빠지면 꼭 럭셔리하게 살 거예요. 연예인이 늙어서 돈 없으니 추하더라, 이런 소린 안 듣겠단 거죠.

■ 정말 궁금한 게 있어요. 이명박 대통령 취임식 때 노래했잖아요.

돈 받고 한 거예요. 이명박 대통령 취임을 축하해주러 간 게 아니라 대한민국 5년의 미래를 축하하러 갔던 거죠. 참고로 전 그분 안 찍었습니다. 개인적으로 안 좋아했어요. 제가 지지한 사람은 아니지만 취임식에 간 건 결과에 승복하겠다는 의미였어요. 내가 선호하지 않는 사람이 대통령이 됐지만 그래도 국민의 한 사람으로서 당신을 응원하겠다, 대한

| 김장훈

민국을 잘 살려다오, 이런 당부인 거죠.

당시에는 이명박 대통령에 대한 호불호를 떠나 우리나라 대통령이니까 응원해야 하는 거라고 생각했어요. 그가 아무리 싫다고 해도 등에 칼을 꽂으면 결과적으로는 우리 국민에게 손해라고 생각한 거죠. 그리고 이 나라가 대통령의 나라인가요? 국민의 나라인 거지.

■ 미국산 쇠고기 수입 반대 촛불집회에도 참석했잖아요.

누리꾼들이 장난 아니게 공격했어요. 이명박 취임식에 간 놈이 촛불집회에 왜 왔느냐는 거죠. 얍삽하다는 등 말이 많았는데 대꾸 안 했어요. 오죽하면 대통령 취임식 때 노래한 사람이 촛불집회에 참석했을까, 이런 관점으로 봐주시는 분은 없더라고요.

어쨌거나 지금은 운으로라도 임기 끝날 때까지만 나라 잘되게 해달라고 빌고 있죠. 임기 끝나는 그날, 소주 한잔 받아드릴 수 있는 상황이 되면 좋겠네요. 소주를 확 뿌리는 게 아니라 말이죠.

■ 대통령에 대한 반감 같은 게 있는 건가요?

예전에 이런 일이 있었어요. 이명박 대통령이 오는 지방 축제였는데, 검문검색을 지나치게 하는 거예요. 20년 가수 생활한 사람인데 제가 대통령을 향해 총을 뽑겠습니까, 칼을 들겠습니까. 검색이 꼭 필요하다면 개인 검색대를 마련해달라고 주최 측에 요청했어요. 대통령이 민생을 위해 보호받아야 하는 것처럼, 저도 국민들에게 행복과 낭만을 주는 가수로서 신비로움을 보장받을 필요가 있다고 주장했죠. 그런데 끝까지 안 된다는 거예요. 그래서 그냥 집으로 돌아왔어요. 대통령은 아마 지금까지도 모르실 거예요. 그 밑에 알아서 기는 관료들이 문제라고 봐요. 이상한 권위주의. 전 그런 게 너무 싫어요.

■ 가수 인생 20년인데, 이런 이야기들을 묶어 책 한 권 집필할 생각은 없나요?

책을 내자는 제안은 많이 받았는데 안 내요. 제 성격에 누가 제 글 다듬어주는 것도 싫으니 직접 써야 하는데 시간이 없어요. 그 시간에 음악하고 애들 한 번 더 만나지, 책 쓸 여력은 없네요. 그러나 마음 한편에 쓰고 싶은 마음도 있어서 제목은 정했어요. '삶의 고비에는 늘 누군가 있다.' 제 인생에 현식이 형, 양희은 누나가 있었던 것처럼 모든 사람들에게도 삶의 고비마다 그 옆을 지켜줄 누군가가 있다는 거죠.

■**인터뷰** 2010. 10. 29 ■**사진** 유성호

'부당사회'에 분노하다

좌우를 떠나, 인간이 인간에게 갖는 최소한의 예의와 상식을 지키면 좋겠다고 생각해요. 실제로 전 운전하다가도 예의 없고 비상식적인 상황을 접하면 화도 잘 내고 싸움도 잘 해요. 박찬욱 감독님은 제가 쓴 시나리오 읽다가 가끔 그러세요. "너 파쇼니?" 그러면 깜짝 놀라서 당장 수정하기도 하죠. 어 쨌든 제가 진보나 보수라는 구분에 적합한 사람은 아닌 것 같습니다.

"전 좌파가 아니거든요. 제발 부탁드려요. 아주 부담스러워 죽겠어!"
배우 류승범과 유해진을 살짝 섞어놓은 것 같은 익살스러운 표정과 말투가 퍽 인상적이었다. 50분 인터뷰하고 10분 쉬면서, 방송 녹화를 포함해 하루 다섯 차례 인터뷰를 하던 류승완 감독은 영화 〈부당거래〉(2010)를 홍보하느라 무척 바빴다.

한 인터뷰가 끝나면 기자와 인증 사진을 찍어 휴대전화에 기록했다. 얼굴과 이름을 까먹지 않기 위한 장치란다. 길거리에서 우연히 만나 반갑게 인사를 주고받았는데 알고 보니 패 죽여도 시원치 않을 관계였다면 너무 억울할 것 같아서, 최소한 그런 사고는 미연에 방지하기 위한 노력이라 했다.

너무 바쁘고 힘들지 않느냐고 묻자 하나도 힘들지 않단다. 자기가 고졸인데 본인 경험상 한국에서 고졸이 할 수 있는 일 중 이거보다 편한 게 없다고 너스레를 떤다. 약간 쑥스러웠다. 대충 얼버무려도 될 것을 명확하게 콕 짚고 넘어간다. 만들고 나니 마치 다큐멘터리 같더라는 그의 영화 〈부당거래〉만큼 직설적이다.

그는 '개그감' 또한 충만했다. 개념 차게 웃기는 재주가 있다. 껄렁한 편이었지만 생각은 꽤 깊었고 그런 자신을 대중이 '지적'이라고 봐주길 원했다. 그 말을 하며 스스로 멋쩍었는지 낄낄 웃는다. 그런 그가 영화를 통해 아주 솔직한 화법으로 권력의 추악한 부당거래 현장을 고발했다. 영화는 꽤 볼만하다. 박중훈의 평대로 '연기 올림픽'이 대단하다.

부당한 권력 간 거래를 고발한 그는 타인의 취향이 존중되고 인간에 대한 예의가 한결같이 지켜지기를 바란다고 말했다. 그는 "어떤 집단이나 단체에 숨은 개인들이 다른 한 개인을 무참히 짓밟는 건 잘못됐다고 생각한다"며 '타진요(타블로에게 진실을 요구합니다)'와 'KBS'를 꼽았다(일련의 누리꾼들이 가수 타블로의 학력 위조 의문을 제기했던 사건과 방송사에 '블랙리스트'가 존재하느냐는 김미화의 발언을 두고 KBS가 법적 소송을 벌인 사건). 타블로와 김미화를 걱정한 탓이다. 툭하면 좌익으로 몰아붙여 곤란하게 만드는 일도 없었으면 좋겠다며 입이 마르고 닳도록 당부했다. 그건 진보도 마찬가지라면서.

■ 〈부당거래〉는 권력의 먹이사슬을 사실적으로 보여준 영화입니다. 승자도 패자도 없다고 했지만 영화에서는 결국 작은 권력은 다 죽고 거대 권력만 살아남습니다.

특별히 그것만을 의도한 것은 아니에요. 처음 이 대본을 받았을 때 가장 매력적인 대목은 바로 극 중 등장인물들의 직업과 삶이었어요. 사실 저는 기소독점이 뭔지, 경찰조직이 어떻게 굴러가는지 잘 몰라요. 다만 이 영화 안에 등장하는 사건에 대해서는 최대한 알려고 노력했죠.

127 | 류승완

그러나 평소 권력관계에 심취해서 깊이 파거나 관심을 두고 살진 않았어요. 간혹 어떤 특정 권력집단을 타깃으로 한 영화 아니냐고 오해하기도 하는데, 그건 아닙니다. 그런 시선에서 좀 벗어나고 싶어요.

■ 사건보다 인물에 관심을 두고 작업한 까닭은 뭔가요.

경찰, 검사, 조폭 출신 건설업자가 등장하는데 이들의 직업과 이들이 각각 휘말린 사건이 특수해 보였어요. 서로 물고 물리는 관계잖아요. 발목 잡기를 한다고 해야 할까. 그런데 가만히 생각해보세요. 우리 일상이 다 그렇지 않나요?

솔직히 한 조직에 속한 사람이라면 어떤 일을 하면서 자기 손에 피 묻히고 싶어 하지 않잖아요. 똥 묻히기 싫어하고 욕먹기 싫어하고 책임지기 싫어하는 게 우리 자신의 모습일 수도 있다는 거죠. 조직과 관계된 개인이라면 누구나 그런 상황에서 살아가는 것 같아요. 그걸 카메라에 담고 싶었어요.

'검사와 스폰서' 사건 때문에 영화 개봉 걱정했죠

■ 최철기(황정민 분), 주양(류승범 분), 장석구(유해진 분) 중 가장 애정이 가는 인물은요?

음, 공 수사관(정만식 분)이요. 주양 검사 밑에서 일하는 그분 참 애정이

가요. (웃음) 공 수사관은 철저히 먹고살기 위해서 일하는 사람이잖아요. 우리들에게 지금 이 순간 일을 하고 있다는 건 굉장히 중요하죠.

공 수사관은 일을 잘하는 건 아니지만 적어도 상식에 어긋난 죄를 짓지는 않고 살아요. 무능력한 게 죄는 아니잖아요. 전 그렇게 생각하는데, 아닌가요? 여하튼 우리는 어릴 때부터 늘 성실하게 살라는 말을 듣고 살았지만 사실 능력은 없는데 성실하게 일하기만 하는 사람에겐 많은 보상이 따르지 않죠. 욕도 많이 먹고요.

영화를 보면 저도 아버지이다 보니 넣은 장면이 있어요. 원래 대본에 없던 걸 제가 만들어 넣은 건데 스스로도 참 잘 넣었다고 생각하는 장면이에요. 공 수사관이 미용실에서 주양 검사에게 깨지는데 딸내미한테 전화가 옵니다. 딸이 "아빠 뭐 해?" 하니까 공 수사관이 "아빠 일하는 중이야" 이렇게 말하죠. 주양 검사는 가만히 듣고 있어요.

사실 이럴 때 "어, 아빠 지금 나이 어린 상사한테 욕먹고 있으니까 끊어!"라고 할 순 없잖아요. 저도 종종 애들한테 전화를 받거든요. 그런데 구체적인 상황을 다 얘기할 순 없으니까 그냥 통칭해서 '일하는 중'이라고 말해요. 그냥 일상의 표현인 거죠.

이동진 선배가 제 영화를 일컬어 '장남 영화'라고 해주셨는데 저한테 정말 그런 게 있는 것 같아요. 일종의 장남 영화이고 가장의 영화예요. 호객행위에 별 도움은 안 되지만요. (웃음)

■ 〈부당거래〉가 촬영될 때 '검사와 스폰서' 사건이 터졌어요. 별다른 에피소드 없었나요?

1차로 그 사건이 터진 건 촬영 직전이에요. 사실 배우들은 처음 영화 대본을 받았을 때 이게 말이 되느냐, 관객들이 뭐라고 하겠느냐, 리얼리티가 떨어진다고 할 게 아니냐고 그랬어요. 그래서 설득을 했죠. 사건에 주목하지 말고 서로 발목 잡는 인간들의 이야기에만 집중하자고. 그런데 '검사와 스폰서' 사건이 터진 거예요. 너무 비슷한 사건이라 다들 굉장히 놀랐죠.

그런데 속으론 쾌재를 불렀어요. (웃음) 돈으로 환산하면 이게 얼마짜리 광고냐 싶었죠. 그런데 이 사건이 일파만파 커지고 검찰 내부에 별도의 수사처가 생기고 급기야 특검까지 생기면서 배우들이 걱정하기 시작했어요. 개봉이나 할 수 있을까 걱정이 됐던 거죠. 왜냐하면 실제로 류승범이 출연하기로 한 영화 〈26년〉(강풀 만화 원작)이 제작 중단된 상태였고 시국선언 이후 영화계 사람들의 상처가 아직 아물지 않았던 터라 내심 걱정하지 않을 수 없었어요.

■ 결과적으로 '검사와 스폰서' 사건을 모티브로 한 영화는 아니군요.

영화가 어떻게 만들어지는지 아신다면 그게 물리적인 시간상 어려운 일이라는 것쯤은 이해하실 거예요. 그 사건과 전혀 관계없이 영화가 촬영됐어요. 다만 모티브를 따온 사건이 하나 있긴 해요. 2008년 3월에 발생했던 '일산 초등생 납치 미수 사건'이에요. 당시 이명박 대통령이 직접 일산경찰서 현장을 방문했고 그 덕분인지 이례적일 만큼 기록적인 시간 안에 사건이 해결됐죠. 영화에서 극을 리드하는 사건이 '아동 성추행범'과 관련됐거든요.

■ 현실로 드러난 '검사와 스폰서' 사건에 대해서는 어떻게 생각하세요?

정말 웃기는 게, 정작 저는 그 사건을 다룬 〈PD수첩〉을 못 봤다는 겁니다. 저희 집에 TV가 없잖아요. 애들이 대안학교 다니는데 그게 학교 방침이에요. 나중에 스태프가 자료로 챙겨줘서 보긴 했지만요. 정작 사건이 떠들썩하게 돌아갈 때는 못 봤다는 거죠.

■ 비리 검사의 일상이 그럴싸하게 묘사돼 있잖아요.

혹시나 오해하실 분들을 위해 내용증명이라도 보내드리고 싶은데요. 특정 기관을 의도적으로 비판하려고 시작된 프로젝트가 절대 아니에요. 지금 기획됐다면 아마 조심스러워서 잘 못 다뤘을지도 몰라요. 영화 개봉하고 나서 류승완이 한국 사회를 해부했다고 평가해준 매체들이 있는데 실은 저 인터넷에서 연예 뉴스 위주로 봐요. 제가 꼭 그렇게 '왼쪽'으로 치우친 사람이 아니거든요.

보여주는 것과 보이는 건 다르죠

■ 이 작품 속에선 기자도 권력의 먹이사슬에 낀 존재로 묘사됩니다. 건설업자가 비리 검사에게 건넨 명품 시계를 결국 기자가 받게 되는데, 그러고 나서 취재원의 입맛대로 기사를 써주는 얘기가 나오죠.

언론 시사회 때 어떤 기자가 제게 언론관을 묻더군요. 그런데 이 영화에 등장한 기자는 그냥 그 직업에 종사하는 한 직업인으로 그려진 거예요. 언론에 대한 얘기가 아닌 거죠. 언론을 비판하고 싶었던 것도 아니었어요.

단지 그 세계 안에서 얽히고설킨 관계를 묘사하려다 보니 기자도 등장하게 된 거죠. 어떤 분은 경찰 위에 검찰, 검찰 위에 언론이 있는 거 아니냐고 하더군요. 결국 제가 권력의 최고 자리에 언론이 있다고 생각하기 때문에 영화에서 그렇게 묘사한 것 아니냐는 거죠. 하지만 최고 권력의 자리에는 반드시 시민이 있어야 한다는 게 제 생각이에요. 한국 사회에서 언론이 갖는 영향력을 인정하지만 솔직히 언론도 발목 잡히는 순간 있지 않나요? 언론이 최고라고 생각하진 않아요.

■ 주양 검사에게 접대 받은 기자가 쓴 기사와 신문이 나오잖아요. 이때 〈조선일보〉의 '일보' 자가 슬쩍 스치던데요. '기자' 하면 어떤 생각이 들어요?

아, 그랬나요? 아닌데……. 제가 어렸을 때 우리 집이 식당을 했어요. 돈가스 집이었는데요. 어떤 아저씨가 고기 두께가 너무 얇다는 거예요. 막 항의를 하다가 끝내 하는 말이 자기 친구가 신문기자인데 이 집 한번 언론에 맞아봐야 정신을 차리겠다고 하는 거예요. 그 말이 절대 잊히지 않아요.

또 제가 삼촌이라고 부르며 따라다니던 분이 있는데요. 이분이 낚시인가 바둑인가 잡지 기자였어요. 제가 당구장에서 일할 때였는데 경찰이 종종 야간 단속하러 나오고 그랬거든요. 그런데 그분이 자기에게 기자

증이 있다는 걸 그렇게 당당히 여기셨던 기억이 나요. 그냥 무의식 속
에서 기자라는 직업이 대단한 거구나 하고 느끼게 만든 경험들이 있긴
하죠.

> ■ 강력계 형사인 최철기 반장이 고민 끝에 구정물에 손을 담그게 되는데, 결
> 국 이건 장남이자 오빠로서 여동생에게 뭔가 보여줘야 한다는 책임감 같은 것
> 때문인 걸로 보여요. 감독님 영화에선 장남의 무거운 어깨가 자주 표현되는
> 것 같습니다.

동생 친구 중에 10대 시절을 어둡게 보내고 제도권 밖에서 정말 골통처
럼 놀다가 갑자기 의대에 간 녀석이 있어요. 지금은 그마저도 때려치우
고 변리사 준비를 하고 있다는데 그렇게 변신한 까닭이 여동생 때문이
에요.
여동생 시집보낼 때가 됐는데 집안에 보호자라고는 덜렁 오빠인 자기
하나밖에 없는 거예요. 그런데 변변한 직장 하나 다니지 못하는 게 너무
싫고 제대로 된 명함 하나 필요하다는 생각이 들어서 독하게 공부해 의
대에 합격했다는 거죠.
저도 그랬던 것 같아요. 책임져야 할 식구들에 대한 무게감이 컸죠. 그
런데 가족이라는 게 또 살갑지가 않잖아요. 집집마다 문제를 안고 사는
것 같아요. 그게 우리가 살아가는 모습이죠. 그러다 보니 〈짝패〉(2006)
에서도 그랬고 제 영화엔 가까운 관계가 틀어지는 사건, 가족 혹은 가족
같은 관계에서 빚어지는 문제들이 나오는 것 같네요.

■ 특정 권력집단을 겨냥한 것은 아니지만, 그래도 이 작품을 통해 감독 스스로 사람들에게 말하고 싶었던 사회적 메시지는 있을 것 같은데요.

요즘에는 작품 끝내고 인터뷰하는 게 참 어렵습니다. 예전에는 영화를 만들 때 어떤 의도, 소위 작의라는 게 많이 작용했던 게 사실입니다. 그런데 요즘은 '산은 산이고 물은 물이로다' 하는 식이에요.

나만 알고 있는 어떤 속뜻? 이제는 그런 게 자꾸 치기처럼 느껴져요. 어떤 기호를 갖고 게임하는 것이 영화를 만드는 본질 같지는 않다는 거예요. 그래서 전 제가 선택한 이야기의 기승전결을 정하고 나열해서 완성한 것뿐이라고 생각합니다.

보여주는 것과 보이는 건 완전히 다른 거라고 생각해요. 보여주는 것에 대한 통제권은 제게 있을지언정, 보이는 것에 대한 통제권은 저한테 없죠. 500석짜리 극장에 500명의 관람객이 왔다면, 500편의 〈부당거래〉가 상영된 거라고 생각해요.

■ 영화를 만들 때 취재를 많이 한다고 들었어요.

진짜 취재 많이 하는 감독들에 비하면 전 새 발의 피예요. (웃음) 제가 상상력이 굉장히 풍부하다거나 세상을 보는 시선이 매우 독창적인 사람은 아니라고 생각해요. 부족한 부분은 발로 뛰어서 채워야 한다고 여기면서 작품을 합니다.

그리고 한 인간의 상상력이란 게 사실 세상에서 벌어지는 모든 일을 따라잡기에는 너무나 부족하죠. 놀라운 일들이 얼마나 많이 벌어집니까.

취재 중에 얻는 생생한 정보들을 통해 도움을 얻으려고 하는 편이에요.

■ 〈부당거래〉를 만들 땐 주로 어떤 분들을 만나 취재했나요?

이 영화는 여러 인물들의 관계망에서 발생하는 일들을 다뤘잖아요. 따라서 그 관계망에서 생길 법한 일과 사건을 확인하는 절차가 필요했어요. 현직 경찰과 검사들의 생각, 표현, 문화 같은 것을 잘 알아야 했죠. 처음엔 접근이 쉽지 않아서 사회부 기자들을 만났어요. 영화를 만든 뒤에는 '문화부' 기자의 도움이 필요하지만 만들기 전엔 '사회부' 기자가 상당히 도움이 됩니다. (웃음) 자세한 얘기는 예민한 부분이 있어서 일일이 다 밝히기가 좀 그런데, 다만 폭탄주 만드는 장면은 취재에 근거한 기법이었다는 사실을 전합니다. 현직 경찰이 그렇게들 드신다고 하더라고요.

■ 영화에서 검사가 비리와 엮여 검찰청이 좀 불쾌해하지 않았나요?

우리에겐 〈공공의 적 2〉(2005)가 있잖아요. (웃음) 어쨌든 저도 소수의 문제를 다루면서 다수의 이미지까지 흐려버리는 누는 안 끼치려고 했어요. 사실 검사들에게도 그런 시선이 있죠. 영화나 드라마에서 그려지는 검사의 이미지는 왜 그렇게 나쁘냐는 거예요. 정말 애쓰는 검사들도 많다는 겁니다. 물론 저도 잘 알죠. 그때마다 꼭 얘기합니다. 우리에겐 〈공공의 적 2〉가 있잖아요.

'과찬'이라고 하면 너무 좋아서 괜히 겸손 떠는 것 같고 그저 영광이죠.
마틴 스코세이지 감독은 제가 가장 좋아하는 연출가 중 하나입니다. 비
견된다는 것 자체가 영광이에요. 그런데 과연 〈부당거래〉가 그 정도인
가 싶긴 해요. 객관화해서 말하자면 〈셔터 아일랜드〉(2010)보다는 나은
것 같고 〈좋은 친구들〉보다는 훨씬 못한 것 같아요. 하지만 어찌 보면
비교할 수 없는 것 아닌가요? 다른 영화고 다른 세계잖아요.
물론 저도 거장이 되고 싶고 유명해지고 싶은 욕망이 있었던 게 사실이
에요. 하지만 전 어느 순간 그런 사람이 될 수 없다는 걸 깨달아버렸어
요. (웃음) 더 비극적인 건 너무나 뛰어난 연출가들이 제 가까운 곳에서
숨 쉬고 산다는 점입니다. 그래서 전략을 바꿨어요. 그들을 뛰어넘을 수
없다면 다른 걸 하자! 비교당하지 않게끔 영업 전략을 살짝 바꾼 거죠.

■ 2008년 대학생이 좋아하는 인물 중 영화감독 부문에서 1위를 하셨어요.
왜 대학생들이 감독님을 선호하는 걸까요?

글쎄요? 어려 보여서? (웃음) 그런데 사실 전 그런 게 별로 의미가 없다
고 생각해요. 그냥 지나가는 일일 뿐인 거죠. 그리고 전 영화감독인 저
를 좋아하는 것보다 제 영화를 좋아해주시는 게 훨씬 감사합니다.
"〈무릎팍 도사〉 잘 봤어요! 감독님 영화는 한 번도 본 적 없지만 팬이에

요!" 이렇게 말하는 분들이 있어요. 30분도 안 되는 짧은 시간으로 편집된 소스를 보고 어떤 사람을 좋아한다는 게 가능한가요? 게다가 영화감독에게 그 개인의 이미지가 좋다고 말하는 게 칭찬인지 욕인지 생각해볼 일이에요. 물론 대학생이 혐오하는 감독 1위보다는 100만 배 낫지만 말입니다.

인간에 대한 최소한의 예의와 상식 꼭 지켜야죠

■ 영화인 225인 시국선언에 동참했고 촛불집회에도 참가했었죠.

사실 저를 아는 분들은 오히려 제가 우파 성향이 강하다고 해요. 부분적으로는 사형제도도 찬성해요. 애한테 몹쓸 짓을 저질렀거나 음식 갖고 장난친 인간들에 대해서는, 그 이면의 실체가 무엇이든 간에 그 사실 하나만으로 찢어 죽여야 한다고 생각하거든요.

물론 평생 남편에게 구타당했던 일흔 살 할머니가 남편을 죽인 일 같은 건 경우가 다르죠. 남편이 죽고 난 뒤에도 한동안 몽둥이질을 했다는 기사를 읽은 적이 있는데 이런 경우엔 법이 좀 융통성을 발휘해주면 좋겠다는 생각을 합니다.

좌우를 떠나, 인간이 인간에게 갖는 최소한의 예의와 상식을 지키면 좋겠다고 생각해요. 실제로 전 운전하다가도 예의 없고 비상식적인 상황을 접하면 화도 잘 내고 싸움도 잘 해요. 박찬욱 감독님은 제가 쓴 시나리오 읽다가 가끔 그러세요. '너 파쇼니?' 그러면 깜짝 놀라서 당장 수

정하기도 하죠. 어쨌든 제가 진보나 보수라는 구분에 적합한 사람은 아닌 것 같습니다.

■ 촛불집회 참석에도 특별한 이유는 없는 건가요?

그것도 뭐 특별히 진보적 의식을 갖고 한 행동이 아니에요. 영화 〈다찌마와 리〉(2008)의 녹음 작업을 할 때였는데, 촛불집회 인터넷 생중계를 봤어요. 그때 어떤 여자아이가 밑에 깔렸는데 군홧발로 막 걸어차는 게 보이는 거예요. 광우병이고 뭐고 이건 인간적으로 있을 수 없는 일이라는 생각이 들어서 나간 거죠.

설령 남자아이라 하더라도 군홧발로 걸어차면 안 되는 건데 하물며 여자아이한테 그런 몹쓸 짓을 하는 걸 보니 정말……. 게다가 그 여름에 뭐하는 거냐고요. 전경 애들은 두껍게 옷을 입혀서 생고생을 시키니 흥분 상태가 되지 않겠어요? 아주 비인간적인 처사라고 생각했어요.

전경도 피해자고 시민도 피해자인 거죠. 술자리에서 만나면 모두 친구고 영화 관객이고 또 내 고객인데. (웃음) 그런데 그 순간, 청와대 뒷산에 올라 손에 피 한 방울 안 묻히고 우아하게 〈아침이슬〉 노랫소리를 들으며 눈물 흘리는 분이 계시더라 이거죠. 그래서 화가 났던 겁니다.

■ 2002년엔 미군 장갑차에 치여 숨진 미선·효순 양을 위한 촛불집회에서 삭발도 하셨는데요.

2008년에도 2002년에도 전 어떤 상황에서든 사람이 죽거나 다치면 안 된다고 생각했어요. 생각을 해보자고요. 살아 있는 사람이, 그것도 어린 여중생이 장갑차에 깔린 거예요. 장갑차 바퀴에 짓이겨져서 죽었으니 그 고통이 어땠겠습니까. 상상만 해도 끔찍한 거 아닌가요?

국가가 존재하는 이유는 국민을 보호하기 위해서잖아요. 국민을 잘 보호해달라고 선거해서 대통령도 뽑고 그러는 거 아닌가요? 그런데 꽃 같은 나이에 사람이 죽었어요. 게다가 누가 범인인지도 확실히 알아요. 하지만 가족들에게 사과 한마디를 안 하는 거예요. 이건 상식적으로 말이 안 된다고 생각한 거죠.

그냥 한 아이의 부모로서, 시민으로서 그렇게 한 겁니다. 전 지금도 미제 좋아하고 담배도 말보로 피워요. 반미주의자는 아니에요. 하지만 그 사건은 도의적으로 참을 수 없는 일이었어요.

■ 〈무릎팍 도사〉에 출연했을 때 교육 문제에 관심 많다고 하셨잖아요. 한국의 교육 현실에 어떤 변화가 왔으면 좋겠다고 생각하세요?

제 경우를 일반화할 수는 없다고 생각해요. 왜냐하면 제가 고졸이잖아요. 동생은 중졸이라서 군대도 안 갔고요. 우리 애들은 대안학교 다니는데 인가가 안 나서 모조리 학력 인정이 안 된대요. (웃음)

저는 대학교육을 안 받았음에도 제가 하고 싶은 걸 하고 있어요. 하지만 이런 자신감을 일반화할 수는 없다고 생각해요. 그래서 뭐가 옳고 그른지 말하기가 참 어려워요. 안타까운 건 매일 밤 12시가 넘으면 강남 대치동에 아이들이 좀비처럼 걸어 다닌다는 거죠.

국사 교육보다 영어 교육이 더 중요한 건가 하는 생각이 들고요. 철학과

윤리를 공부하는 것보다 토익 점수를 더 많이 받는 게 중요한 건가 하는 생각도 들죠. 저도 필요하니까 영어 공부를 하긴 하죠. 하지만 자기만의 철학을 형성하고 사고력과 상상력을 길러야 할 시기에 성적만을 요구하는 교육이 맞는 건가 싶어요. 그런 교육이 좀 바뀌었으면 좋겠다는 생각은 합니다.

■ 자녀들에게 어떤 이야기를 많이 해주나요?

얼마 전 제가 한 초등학교에 일일교사를 하러 간 일이 있어요. 제일 많이 나온 질문은 영화감독 연봉이 얼마나 되느냐는 거였어요. 더 놀라운 건 따로 있어요. 초등학교 6학년 아이들을 대상으로 한 수업이었는데, 꿈이 대기업 취업, 공기업 취업이래요. 이게 맞는 건가요? 우리 때는 대개 과학자, 의사, 피아니스트 이런 거였잖아요.

〈부당거래〉도 그렇지만 개인이 자신의 행복을 찾을 수 있는 사회구조라면 전혀 일어날 수 없는 사건이 벌어지잖아요. 따지고 보면 〈부당거래〉에서 일어나는 일은 다 헛소동이에요. 한 발만 떨어져서 보면 완전히 헛소동극이죠. 이렇게 사는 게 정말 맞나요? 좀 더 가치 있는 삶에 대해 알려고 노력하는 게 맞는 것 같은데…….

■ 영화감독 말고 자연인으로 살아가는 원칙이랄까, 우리 사회에 바라는 게 있다면요?

개인을 좀 더 존중하고 타인의 취향을 존중하며 인간에 대한 예의를 지키는 세상이었으면 좋겠어요. 어떤 집단과 단체에 숨은 개인들이 다른 한 개인을 무참히 짓밟는 건 잘못됐다고 생각해요. 타블로에 대한 '타진요'의 공격, 김미화에 대한 KBS의 비열한 처사 같은 게 다 그런 것들이죠. 뭐만 하면 '좌익'이라고 몰아붙이는 것도 너무 웃겨요. 그런 태도는 진보 쪽도 마찬가지인 것 같아요. 뭐든 '몰아세우려는' 태도가 없어졌으면 좋겠습니다. 또 권력이 좀 분산돼야 한다고 생각해요. 이를테면 대기업이 체인점을 만들어서 자그마한 동네 구멍가게의 역할까지 다 빼앗아가는 것, 참 나쁘죠. 다양성이 공존하고 존중되는 사회였으면 좋겠고 전문가나 장인이 존중받는 문화였으면 좋겠어요.

어찌 보면 그런 여러 문제들이 친일 청산을 제대로 하지 못한 데서 기인하는 게 아닌가 싶기도 해요. 근현대사로 넘어오면서 잘못된 것들이 굉장히 많은 거죠. 그 점에서 국사 교육과 역사 인식이 강화됐으면 좋겠다는 생각도 해봅니다.

■**인터뷰** 2010. 10. 30 ■**사진** 유성호

힘없는 단역배우?
할 말은 한다

이삼십 년 후의 행복을 위해 오늘의 고통을 참아야 한다고들 하죠. 그러나 저는 반대예요. 내일 행복하기 위해 오늘 행복하자'는 게 제 신념입니다. 그래서 늘 웃어요. 사실, 슬픈 일이에요. 연예인들이 방송에 출연하지 못할까 봐 눈치 봐야 하는 현실……. 이게 지금 민주주의 국가 맞는 거예요?

그는 이름을 대면 단박에 알아차릴 수 있는 배우가 아니다. 출연한 작품
과 역할을 일러주면 그제야 "아, 그 사람……" 하고는 고개를 끄덕인
다. 제일 유명한 작품은 2005년 MBC에서 방영한 드라마 〈내 이름은
김삼순〉이다. 그는 이 작품에서 주인공 김삼순(김선아 분)의 아버지로 출
연했다. 배우 맹봉학(@hagmb003)이 누군지는 잘 몰라도 '삼순이 아버
지' 하면 알아주는 그는 단역배우다.

그는 이명박 정부 초기인 2008년 봄 미국산 쇠고기 수입 반대 촛불집회
에 열렬히 참석했다. 그 때문에 경찰서에 붙들려 가서 조사도 받았다.
그 탓일까? 이전까지는 비록 단역이더라도 여러 드라마에 출연할 수 있
었지만 이명박 정부 이후엔 그마저도 뚝 끊겨버렸다. CF 섭외도 들어오
지 않는다. 먹고살 길은 점점 막막해지고 있었지만 오히려 시민단체로
부터는 참여 요청이 쇄도했다. 돈은 안 되지만 의미는 풍성한 행사들이
었다.

그는 여러 행사와 집회에서 소신 있는 사회적 발언을 많이 했다. 새로
만나는 세상에서 사회적으로 쑥쑥 커가는 느낌이었다. 그는 사회활동으
로 오히려 많이 배웠다고 겸손하게 말했다. 늘 입은 비뚤어졌어도 말은

바로 해야 한다고 생각하는 사람. 2008년 미국산 쇠고기 수입 반대 촛불집회, 2009년 노무현 대통령 서거 당시 시민영결식 사회, 2010년 최저생계비 일일체험, 2011년 제주 해군기지 반대행렬에도 섰다. 최저생계비 일일체험 당시에는 차명진 한나라당 국회의원이 단돈 6300원의 식비로도 황제 같은 생활을 할 수 있다고 하자 공개편지로 직격탄을 날리기도 했다. 국회의원과 '맞짱 뜬' 유일한 단역배우 아닐까.

그는 사회적 발언에 적극 나서는 연예인의 방송 출연을 슬슬 금기시하는 상황에 직면해서는 격노했다. 방송 출연 못하게 될까 봐 연예인이 권력의 눈치를 봐야 하는 현실이 제대로 된 민주주의 국가에서 가능한 일이냐며 가슴을 쳤다.

그는 1986년 전주지방연극제에서 〈멀고 긴 터널〉로 데뷔했다. 공사판에서 막노동을 하며 라면으로 끼니를 때우면서도 버리지 않은 배우의 꿈이었다. 그리고 지금껏 그때 그 마음으로 살고 있다. 그는 25년간 배고픈 연극배우로 살며 느낀 사회현실에 대해서 '거침없이 하이킥'을 날린다. 비록 쉰 살을 바라보는 나이에도 '가족을 책임질 능력'이 없기 때문에 떠꺼머리총각으로 살고 있긴 하지만, 그렇다고 해서 생계 문제 때문에 잘못된 사회에 대해 눈감지는 않는다. 가정을 꾸리지 못할 만큼 먹고사는 문제가 급박한 그가 왜 '소셜테이너'라는 결코 가볍지 않은 짐을 스스로에게 지웠을까 궁금해졌다.

■ 2010년 7월 참여연대에서 주관하는 '최저생계비 일일체험'에 참여했는데, 특별한 동기가 있었나요?

연극하는 사람들의 현실도 비슷한 경우가 많아요. 지금 막 연기를 시작하는 배우들이나 연출자들의 경우에는 특히 더하죠. 고시원에서 생활하는 후배 연기자들도 참 많습니다. 배우는 화려한 직업이지만 모든 배우가 화려하게 사는 건 아니에요. 1986년 제가 처음 연극을 시작할 때도 그랬어요. 라면 하나 끓여 먹으면서 연극을 했거든요. 출연료는 생각도 못했어요. 그럼에도 그냥 연극이 좋아서 무대에 선 거죠. 지금 막 시작하는 배우와 연출자들에게는 꿈이 있습니다. 희망도 있죠. 그때의 저도 그랬어요.

하지만 쪽방에서 최저생계비로 근근이 생활하는 분들에게는 꿈과 희망은커녕 오늘 하루를 살아갈 먹을거리조차 없어요. 노쇠해지고 기력도 쇠약해졌는데 편안한 잠자리조차도 제공 안 되는 현실이 너무 안타까웠습니다.

제가 일일체험을 한 곳은 서울 용산 동자동 쪽방이었어요. 딱 하루 했는데 방음이 안 돼서 옆방 사람 방귀 뀌는 소리, 화장실 물 내리는 소리, 술 먹고 싸우는 소리, 별별 소리를 다 들었어요. 그 하룻밤을 보내면서 솔직히 한숨도 못 잤습니다. 도무지 잠이 오질 않더군요. 그런데 그분들은 늘 거기서 생활하시거든요.

이명박 정부가 말로는 친서민 정치를 한다면서 왜 실제로는 가난한 사람들의 복지를 최우선으로 해주지 않는 건지 이해되지 않습니다. 제가 묵었던 쪽방 1층엔 식당이 있었는데요. 한 끼 밥값이 5000~6000원이었습니다. 그런데 하루 최저생계비가 6300원입니다. 그 돈을 세 끼로 나누면 한 끼에 2100원짜리 밥을 먹으라는 얘기인데 어디 가서 그 값에 한 끼 식사를 할 수 있을까요? 이명박 대통령이 좀 가르쳐주면 좋겠네요. 현실성이 없죠.

■ 일일 최저생계비 6300원으로 황제의 식사 부럽지 않게 먹었다는 차명진 한나라당 의원에게 공개편지도 썼는데요. 왜 쓰게 됐나요?

한 인터넷 매체에서 연락이 왔어요. 차 의원이 최저생계비로 황제처럼 살았다는데 글 좀 써달라고요. 최저생계비 일일체험에 다녀온 뒤 한 발언인 것 같은데 어이가 없을 뿐이죠. 한 나라의 국회의원이 그런 생각을 한다는 것 자체가 굉장히 슬펐어요. 봉사활동이라면 1년씩이라도 할 수 있겠죠. 그러나 그게 삶인 사람들에게는 차 의원의 말이 상처가 되지 않겠습니까. 저는 그런 게 참 속상합니다.

아이들이 촛불 들어야 하는 현실이 부끄럽네요

■ 최저생계비 일일체험 와중에 SBS 드라마 〈자이언트〉(2010)에도 출연했는데, 바쁘지 않았나요?

26부와 27부에 출연했어요. 도로공사 현장소장 역할을 맡았는데요. 별로 중요한 배역은 아니었지만 그래도 대사 몇 마디는 했습니다. (웃음) 드라마 출연하는 배우들에게도 등급이라는 게 있어요. 1등급부터 18등급까지 있는데요. 16년 전 제가 처음 드라마를 시작할 때 받은 등급이 있어요. 18등급이 최고 등급인데 전 아직 멀었어요. 좀 올려주면 좋겠

는데 잘 안 올라가요. 단역이라서 그런가 봐요.

■ 2005년 MBC 드라마 〈내 이름은 김삼순〉 이후 미국산 쇠고기 수입 반대 촛불집회로 더 유명해졌는데, 그 배경에는 1987년 6월 항쟁에 참여하지 못했던 빚이 있다고요?

저는 대학을 다니지 못했습니다. 그러나 연극을 하면서 당시 대학생들이 필독했던 사회과학 서적을 읽었어요. 또 제가 속했던 극단이 상당히 깨어 있는 극단이었습니다. 상업극만 하는 곳이 아니었거든요. 수원의 극단 '성(城)'이었는데, 이 극단에서 제가 1987년 당시 단종을 죽이는 세조 역할을 맡았습니다. 주인공이었죠. 아, 그때 정말 신 났는데⋯⋯. 그때 수많은 사람들이 거리로 나가 최루탄 맞으면서 독재타도를 외쳤어요. 하지만 저는 최루가스 속에서 연극 포스터를 붙이고 다녔죠. 그렇게 세월은 계속 흘러갔습니다. 그러다가 2008년 미국산 쇠고기 수입 반대 촛불집회에 참여하게 된 거예요. 기성세대가 아이들의 먹거리를 책임져야 하는데 아이들 스스로 촛불을 들고 거리에 나서게 했다는 게 참 부끄러웠습니다.

저는 결혼을 안 했기 때문에 아이도 없습니다. 그럼에도 어른으로서의 책임윤리 같은 게 있었죠. 그런데 때마침 경찰이 촛불집회 참가자들에게 폭력을 행사하는 걸 목격하게 된 거예요. 도저히 집에 갈 수가 없었습니다. 발길이 안 떨어지더군요. 화가 났죠. 그래서 그들과 함께 뜬눈으로 밤을 지새우다가 아침 7시에 집으로 가 옷만 갈아입고 다시 나오곤 했습니다. 그러다가 경찰서까지 가게 된 거죠. (웃음)

■ 2008년 촛불집회에 직접 참여하면서 느낀 이명박 정부의 문제점은 무엇인가요?

소통의 부재인 것 같아요. 국민의 소리에 귀 기울이려는 마음이 있어야 하는데 그런 게 참 없는 것 같아요. 얼마 전엔 4대강 사업에 반대하며 여주 이포보에서 농성 중인 환경운동가들을 만나고 왔습니다. 혹시 여주 이포보 가보셨나요? 공사해놓은 걸 보면 '아! 이게 운하가 되는 거로구나' 하는 걸 단번에 알아차릴 수 있어요. 대운하 사업의 전초전이라는 걸 금세 알게 되죠. 그런데 반대하는 사람들의 목소리를 경청하지 않고 자꾸 아니라고만 하니 참 답답한 노릇이죠.

게다가 무슨 일이든 언제나 끝이 있는 법인데 지금 하는 걸 보면 끝이 없다고 착각하시는 게 아닌가 싶어요. 솔직히 걱정이 좀 됩니다. 도대체 임기가 끝나면 어쩌려고 저러시는 건지. BBK 의혹, 강남 세곡동 땅, 이거 모조리 청문회감 아닌가요? 청문회 피해 망명 가시려고 그러나? 참 이해가 안 됩니다.

■ 가만히 듣다 보니 배우라기보다는 사회운동가에 더 가까운 게 아닌가 싶은데요.

(웃음) 2008년 12월 17일 경찰에 소환될 때 후배가 전화를 했어요. 배우가 신문 문화면에 나와야지, 자꾸 사회면에 나오면 어떡하느냐는 거예요. 일리 있는 말이긴 했어요. 그러나 배우는 사회 현실에 민감해야 한다고 봅니다. 이 나라에서 벌어지는 온갖 사회 현실에 눈 뜨고 깨어

있어야 제대로 된 배우라고 생각해요. 그래야 배역도 잘 소화할 수 있다는 거죠. 왜냐하면 드라마건 연극이건 그 작품엔 늘 사회가 반영되기 때문이에요.

문화를 누리는 사람일수록 행복함을 느끼죠

■ 이명박 정부에선 배우, 탤런트, 가수 등 연예인들이 사회적 활동에 적극적으로 나서기 어려운 상황이에요. 하고 싶은 말이 있어도 참는 분위기라고 해야 할까요? 왜 그럴까요?

당연하다고 생각해요. 대중에게 받는 인기로 먹고사는 연예인들이 모든 사회 현안에 대해 일일이 자기 입장을 표현하면서 적극적으로 사회적 발언을 하기는 어렵죠. 저처럼 이름 없는 배우라면 모를까.

그러나 한편으로는 이런 생각도 합니다. 사회 문제에 적극 참여하게 되면 스스로를 성찰할 기회가 생긴다는 거예요. 저는 사회적 활동을 하면서 스스로를 돌아볼 수 있었거든요. 그런 면에서 촛불집회 참여 경험은 저를 성숙하게 해줬습니다. 사람들은 이삼십 년 후의 행복을 위해 오늘의 고통을 참아야 한다고들 하죠. 그러나 저는 반대예요. '내일 행복하기 위해 오늘 행복하자'는 게 제 신념입니다. 그래서 늘 웃어요.

사실, 슬픈 일이에요. 연예인들이 방송에 출연하지 못할까 봐 눈치 봐야 하는 현실……. 이게 지금 민주주의 국가 맞는 거예요?

■ 인터뷰 내내 스스로 이름 없는 배우라 칭했지만 독립영화계에서는 나름 알아주는 배우로 통합니다. 2004년 한국예술종합학교 영상원에서는 '맹봉학 특별전'도 열렸죠. 영상원 학생들이 레드카펫 대신 빨간 나일론 천을 깔아줬다고요?

제가 D급 배우잖아요. 그런 배우에게 학생들이 빨간 나일론 천을 깔아 줬으니 제가 얼마나 고마웠겠어요? (웃음) 그런데 이런 말은 하고 싶어요. 연극을 잘해도 운이 없어 발탁이 안 되는 경우가 있거든요. 물론 제가 그렇다는 건 아닙니다.

■ 아직도 대중들에게 연극은 영화보다 친숙하지 못한 것 같아요. 오랜 세월 연극배우를 한 입장에서 볼 때, 왜 그렇다고 생각하세요?

그 뿌리는 박정희 정권 시절부터 시작된 것 같아요. 먹고살아야 한다는 이유로 자유와 문화를 억압했죠. 그러다 보니 일반 사람들 역시 먹고살기도 바쁜데 무슨 연극이냐는 생각을 하게 됐죠. 연극은 고급 엘리트들이나 누리는 문화생활이었던 거예요. 그러나 외국은 마을마다 소극장이 있고 누구나 연극을 봅니다. 또한 기업에서도 연극을 비롯한 문화 사업에 기꺼이 지원을 한다고 들었습니다.

먹고사는 데 만 원이 필요하다면 그중 2000원만 아껴서 가슴을 넓힐 수 있는 문화에 투자했으면 좋겠어요. 거리를 지나가는 사람들 가운데 자기가 행복하다고 느끼는 사람이 얼마나 될까요? 분명한 건 문화를 누리는 사람일수록 행복감을 느낄 가능성이 더 크다는 겁니다. 부와 성공을 거머쥐기 위한 무한경쟁에 치여 앞만 보고 달리지 말고 좀 더 행복하게 살기 위해 시선을 돌려보라고 말하고 싶어요.

■ 어쩌면 돈이 부족한 게 아니라 정신적으로 여유가 없는 건지도 모르죠. 퇴근 후엔 집에 가서 소파에 누운 뒤 TV 리모컨을 조작하는 데 훨씬 익숙하다고 해야 할까요? 그런 면에서 드라마의 영향력은 대단한 것 같아요. 〈내 이름은 김삼순〉도 그랬죠. 그때 아버지 역할을 너무 잘 소화해서 계속 비슷한 역할만 들어온다고 했는데 어떤 역할을 하고 싶으세요?

아버지 역할 말고 다른 것 없냐고 했더니 아예 섭외 전화가 뚝 끊겼어요. (웃음) 이젠 뭐가 됐든 연락 좀 주셨으면 좋겠어요. 개인적으로는 조폭 두목 역할 같은 것 한번 해보고 싶어요. 나쁜 역할. 영화 〈대부〉의 말런 브랜도나 알 파치노, 〈우아한 세계〉(2007)의 송강호가 맡았던 배역 있잖아요. 그런데 그런 역할을 하기엔 내 얼굴이 너무 유한가 싶기도 해요. 사람이 너무 유해 보여서 강한 이미지를 보여줘야 하는 연기는 무리인 건가 고민하기도 하죠.

■ 꽤 오랫동안 연기를 해오셨는데 단역을 넘어서고 싶다는 욕심이 분명 있는 거죠?

그럼요. 주연배우가 되고 싶죠. 그래서 제가 단편영화를 좋아합니다. 주인공을 할 수 있거든요! (웃음) 드라마에서는 저를 보여줄 수 있는 기회가 많지 않아요. 대개 중간에 투입되는데다가 제게 포커스가 맞춰져 있

는 게 아니니까요. 대사가 모두 열 마디라면 주인공이 다섯 마디 하고 나머지 배우들이 남은 대사를 쪼개서 하는 식이죠. 정말 열심히 했는데 편집에서 사라지는 경우도 종종 있고요. 속상하죠. 〈내 이름은 김삼순〉에서는 감독님이 굉장히 잘해주셨어요. 삼순이 한 번, 저 한 번, 이렇게 버스트 숏(bust shot)으로 잡아줬거든요. 대사도 길었고요. 감독님 덕에 제가 시청자들에게 각인될 수 있었던 거죠. 그런 면에서 감독님께 정말 감사합니다.

배우를 위한 노조와 연금 제도가 필요합니다

■ 날마다 단역배우를 하느니 차라리 그만두고 싶다는 생각도 들었을 것 같아요.

30대 초반까지는 했어요. 계속 무명배우였으니까. 처음 연극 시작할 때가 생각나네요. 고향이 수원인데 서울로 올라와 자취를 했어요. 집안이 가난한데다가 부모님이 연극하는 걸 반대하셔서 손을 벌릴 처지가 아니었어요. 스스로 생활비를 벌어야 했죠. 당시 공사판에서 막노동을 하면 하루에 5만 원을 받았는데 그나마 비가 오면 일거리가 없었어요. 월세 10만 원 내고 생활비까지 감안하면 최소 20만~30만 원은 벌어야 했는데 비라도 오면 참 난감했습니다.

한번은 건물 공사장에서 일하는데 누가 위쪽에서 각목을 던졌나 봐요. 그게 하필 제 머리에 찍힌 거예요. 어찌나 피가 많이 나던지 꼭 죽는 줄만 알았습니다. 그런데도 보상금은커녕 치료비 한 푼 못 받았어요. 겨우 그날 일당만 받았는데 그때 불현듯 계속 이렇게 살 수는 없다는 생각이 들더군요. 굶어 죽는 한이 있어도 연기 말고 다른 일은 안 하겠다고 결심했죠. 그 뒤로 죽을힘을 다해 연기에만 매진했더니 수입이 오히려 몇 배로 늘더라고요. 저는 배우가 굉장히 좋은 직업이라고 생각해요. 세상에 험한 일이 참 많은데 배우처럼 찬란한 직업이 없잖아요. 제가 선택한 이 직업에 후회는 없습니다.

■ 실은 제 친구 중에도 가난한 연극배우가 있어요. 오늘 얘기를 듣다 보니 그 친구 생각이 많이 나네요. 그래서 묻고 싶은 게 있는데요. 가난한 배우들을 위해 정부가 해야 할 일이 뭘까요?

저는 솔직히 배우 노조가 필요하다고 생각합니다. 그리고 프랑스처럼 예술인을 위한 일종의 연금 제도 같은 게 만들어졌으면 좋겠어요. 이를테면 한 작품에 출연료 100만 원 받는 배우가 있다면 이 중 30퍼센트는 떼어내서 연금을 붓듯 정부에 내는 거예요. 그리고 작품을 하지 않을 때는 정부가 연금 형식으로 생활비를 보전해주는 거죠. 이렇게 최소한의 안전장치를 마련해주지 않으면 순수 창작예술은 계속 쇠퇴할 수밖에 없습니다. 당장 생활고에 시달리니 이 바닥을 떠나게 되죠. 가난해도 배우의 꿈을 잃지 않도록 지원을 해준다면 좋겠습니다. 그래야 우리 국민들도 동네에서 연극 한 편 쉽게 볼 수 있는 세상이 오지 않을까요?

■ 연예인 노조가 있는데 별도의 배우 노조가 꼭 필요할까요?

배우 조합 정도도 좋을 것 같아요. 분명한 건 배우에게 힘이 없다는 겁니다. 연출가가 100명이라면 배우는 1000명 수준이에요. 상황이 이렇다 보니 캐스팅 때문에라도 몸을 낮출 수밖에 없는 거죠. 영화 노조가 있지만 잘 안 되는 이유는 여전히 제작자와 감독의 힘이 세기 때문입니다. TV도 마찬가지 구조입니다. PD의 힘이 세죠. 물론 배우들의 마인드도 변화해야 한다고 생각해요. 희생과 양보가 없으면 안 되니까요. 여담인데, 간혹 촬영장에서 섭섭한 일이 벌어질 때도 있어요. 젊은 PD들 중에 '수고하셨다'고 인사를 건네도 그냥 모른 체하고 가버리는 사람들이 있거든요. 단역배우라고 하대하는 건데 그러지는 않았으면 좋겠어요. 아, 이러다가 불이익 당하는 거 아냐? (웃음)

■ 얘기를 듣다 보니 저조차 숙연해지는군요. 실례지만 한 해 수입이 얼마나 되나요?

오늘 정말 별걸 다 밝히는군요. 음…… 2000만 원에서 3000만 원 사이예요. 그래도 가끔 CF를 찍으면 사정이 좀 나아집니다. 한 번 찍으면 800만 원에서 1000만 원은 받으니까요. 예전에는 가발 CF가 들어오면 화내면서 안 한다고 했는데 요즘엔 말 그대로 '땡큐'죠. (웃음)

■ 방송사에서 불러주지 않는다고 했는데 그렇다면 사회적 활동을 많이 해온 만큼 차라리 정치적 활동에 좀 더 방점을 둘 생각은 없으세요? '맹봉학의 막걸리당' 창당론도 나왔다고 들었는데요.

배우는 배우로서 본연의 활동을 잘해야 대접받는다고 생각해요. 정치에 대해서는 섣불리 말할 수 없어요. 분명한 것은 현재 제게 정치를 하려는 의도가 전혀 없다는 겁니다. 그러나 사람 일은 모르는 법이니 앞으로 어떻게 될지는 뭐라고 말 못하겠어요. '막걸리당' 이야기가 나온 것은 사실 미국에서 지난 대선 이후 이른바 '커피 파티'가 유행하는 데서 착안한 거예요. 그게 쉽게 말해서 진보성향 정치참여 운동인 거잖아요. 그래서 난 막걸리를 좋아하니 '막걸리당'을 만들겠다고 말한 것뿐이에요. 그 이상의 의미는 없으니 오해하지 마세요. (웃음)

■ **스스로 '소셜테이너'라는 말에 동의하나요?**

'소셜테이너'라고 불러주면 저야 고맙죠. 나이 마흔이 되면 자기 얼굴에 책임을 져야 한다고 하잖아요. 물론 그래서 사회적 활동을 한다는 건 아닙니다. 그걸 떠나 무릎 한 번 구부리면 누구와도 눈높이를 맞출 수 있다는 겁니다. 다른 사람의 입장을 이해할 수 있다는 거죠. 나눔은 나눌수록 커진다고 했습니다. 시간이 허락된다면 시간, 재력이 있다면 돈, 건강하면 헌혈이라도 하라는 겁니다. 주변을 돌아볼 여유를 갖고 살았으면 좋겠습니다. 연예인이 그렇게 산다면 그게 소셜테이너 아닐까요? 그런 맥락에서 보자면 저 역시 소셜테이너죠. (웃음)

■**인터뷰** 2010. 8. 7 ■**사진** 유성호

인터뷰를 한 뒤로 간혹 집회 현장에서 그를 봤다. 슬쩍 지나치며 인사도 나누었다. 내심 드라마 촬영 현장에서 만나고픈 욕심이 있었지만 그 바람은 실현되지 못했다. 대신 문성근 대표가 이끄는 '백만송이 국민의 명령 야권통합' 1인 시위 현장에서 그와 우연히 만났다. 2011년 봄, 그는 국회 앞에서 팻말을 손에 들고 '시위하는 배우'였다. 먹고사는 문제는 여전히 어려워 보였다. 요즘 어떠냐는 질문에 그냥 '씩' 하고 웃었다. 단박에 알 수 있었다. 여전히 잘 풀리지 않고 있다는 것을.

언제쯤이면 그가 '요즘 스케줄이 너무 많아 시민단체 일을 도와줄 수 없다'고 하는 날이 올까. 돈 욕심 부리지 않고 성실하게 사는 배우 맹봉학. 언젠가는 그에게도 '쨍 하고 해 뜰 날'이 오리라고 믿는다.

몸에 꼭 맞는
'에코라이프'를 찾다

전 제 삶의 질에 영향을 받지 않는 선에서 에코라이프를 실천하는 편이에요. '우리 모두 일회용 컵은 절대로 쓰지 말고 의무적으로 머그컵 들고 다니자'는 식은 아니라는 거예요. 원하는 사람들이 필요하다고 느낄 때 실천하도록 하자는 거죠.

듣던 대로 보던 대로, 똑똑하고 야무졌다. 혹시라도 문제가 될 것 같은 질문들은 잘 피했다. 덫을 놓아도 도통 걸려들지 않는다. 우물쭈물 엉기는 법도 없다. 또박또박 할 소리 다 하고 답하기 모호한 질문엔 그냥 웃었다. 20대 초반에 탤런트가 되어 종횡무진 일한 끝에 얻은 지혜인가 싶기도 했다.

어느덧 서른 줄에 접어든 여배우는 죽음을 앞둔 시한부 인생(영화 〈친정엄마〉)에 이어 사채업자로 변신한 여성 사업가(SBS 드라마 〈자이언트〉) 역할까지 잘 소화했다는 평을 받았다. 방영 당시 인기 사극을 제치고 월화드라마 1위를 달렸던 〈자이언트〉(2010)에서 여주인공 '황정연'으로 분했던 탤런트 박진희(@eco_jini).

팜므파탈 같은 매력이 있는 인물보다는 영화 〈몬스터〉(2003)에서의 샤를리즈 테론처럼 막장 같은 삶을 사는 여자, 온갖 냉대와 천대 속에서도 끝내 삶의 주인공으로서 당당하게 살아내는 여자를 연기해보고 싶다고 했다.

또렷한 이목구비의 미인과 마주하니 주변마저 훤해지는 느낌이었다. 그는 차 주문부터 서둘렀다. 갑자기 불어닥친 한파로 기온이 뚝 떨어진 한

겨울 밤에 만났기 때문이리라. 내 쪽엔 일회용 컵에 김이 모락모락 피어 오르는 커피가 배달됐고 그 쪽엔 자기 핸드백에 늘 넣고 다닌다는 보온 병이 나왔다. '루이보스 티'란다. "아토피에 도움이 된다기에 1년 넘게 마시는 중인데 이 차 때문인지 조심하는 습관 때문인지 확실히 좋아지 기는 했다"며 웃었다.

그는 탤런트이자 영화배우지만 트위터에선 환경운동가로 더 많이 알려 져 있다. 미생물을 이용한 비누 만드는 법을 올리는가 하면 한지양말 신 은 모습을 사진으로 찍어 올리기도 했다. 일회용 컵 쓰지 말자는 캠페인 은 오래전부터 해오던 일이고 무슨 글을 쓰려는 것인지 난데없이 '타자 기'를 찾는다는 글도 올렸다.

닭 두 마리를 집에서 키우며 태양광 에너지로 가정용 전기를 쓰고 전기 차를 살 수 있는 날을 기다리는 그는 슬로푸드를 즐기며 '느린 삶'을 살 고 있다.

미녀 배우가 액상 쓰레기로 인한 하수 오염을 우려하며 친환경 세제를 챙겨 쓰고 국적 없는 음식 문제를 걱정하며 자급자족 로컬푸드를 꿈꾸 니 인생 자체가 얼마나 고상할까 싶었는데, 의외의 답변이 쏟아졌다. 동 료 여배우들끼리 모였다 하면 그렇게 '소주'를 마셔대고 백숙 먹으러 가면 닭 껍질만 들입다 먹어댄단다. '포차'를 사랑한다는 여배우들, 영 화 속과 다른 이미지다.

■ 드라마 〈자이언트〉에서 여성 사업가 '황정연' 역을 맡으셨는데요. 몸에 잘 맞는 옷을 입은 것처럼, 딱 맞는 배역이었다고 생각하세요?

그 역할은 이미 입었던 옷인데 저한테 안 맞았었다고 말하긴 좀 어렵지 않겠어요? (웃음) 물론 분명히 처음 입어보는 옷이긴 했어요. 기존에는 청바지에 티셔츠, 거기다 좀 더 갖춰 입었을 때 조끼 정도를 걸쳤다면 '황정연'이라는 배역에서는 완전히 다른 옷을 입었던 것 같아요. 캐주얼에서 정장으로 바꿔 입은 것 같은 느낌이랄까? 느슨하고 편안한 옷에서 살짝 각진 옷을 입은 느낌이었어요.

■ 그 작품에서 '황정연'이라는 인물의 일대기를 살아낸 것과 다름없습니다. 박진희표 연기에 어떤 '터닝 포인트가 됐다', '한 고비를 넘겼다' 뭐 이런 평가가 가능할까요?

꼭 그렇진 않아요. 스스로 제 연기의 한 고비를 넘었다고 판단하는 작품은 〈친정엄마〉(2010)라는 영화예요. 연기를 하다 보면 멜로 영화나 드라마에서 아주 슬픈 이별도 해보고 또 전쟁이 가져다주는 고통을 경험해볼 수도 있죠. 그 가운데 사람이 겪을 수 있는 가장 극한 감정은 뭘까 생각해봤어요.

각자가 느끼는 고통과 행복은 주관적인 것이라서 누구의 슬픔과 고통이 더 큰지 잴 순 없다고 생각해요. 하지만 죽음을 앞둔 사람, 그 사람이 가장 극한 감정을 갖지 않을까 생각했습니다. 예전부터 죽음을 앞둔 시한부 인생 역할을 꼭 해보겠다고 마음먹어왔는데 그 작품이 〈친정엄마〉가 된 거죠. 게다가 '모녀 이야기'도 꼭 해보고 싶었어요. 그래서 박흥식 감독님의 〈인어공주〉(2004)를 참 좋아하거든요. 결과적으로 〈친정엄마〉가 그 두 가지를 모두 충족시켜준 셈이에요.

■ '에코셀러브리티(Eco-Celebrity)'라는 별칭을 갖고 있죠. 본업인 연기 외에 환경 문제에도 관심을 갖고 적극 활동하는 사람들에게 붙여주는 별칭인데요. 요즘도 집에서 닭 키우세요?

그럼요, 두 마리. 제가 집에 늦게 들어갈 때가 많으니까 엄마가 현관 불을 켜두시는데요. 그 불빛이 그다지 환한 편이 아니에요. 그 흐릿한 불빛 아래서 닭들이 싸놓은 변을 밟지 않으려고 상당히 애를 쓰며 집 계단을 올라가곤 합니다. 그런데요, 우리 집 닭들이 도대체 뭘 먹는지 이건 닭의 변이라고 생각하기 어려울 정도예요. 너무 커. (웃음)

태양광 지붕 아래서 닭 키우는 여배우 보셨나요?

■ 달걀은 안 사 먹겠네요?

네. 하루에 두 알씩 낳아요. 엄마 말씀이 집에서 기른 닭이 낳은 달걀과 마트에서 파는 달걀은 천지차이래요.

■ MBC 다큐멘터리 〈북극곰을 위한 일주일〉(2009)에도 출연했잖아요. 친환경적으로 산다는 게 쉽지 않았을 것 같은데, 어땠나요?

저한테 너무 잘 맞는 생활방식이었기 때문에 좋았어요. 자신한테 맞지 않는 방식이라면 피곤해서 못 살지 않겠어요? 키우는 닭만 해도 여름이면 변 냄새가 너무 심하거든요. 그걸 못 견디는 사람이라면 차라리 확 잡아먹어 버리고 싶다는 생각 안 하겠어요? 하지만 전 매일매일 우리 집 닭들이 예쁜 알을 낳는 게 너무 신기하고 가까이에서 그런 광경을 볼 수 있다는 게 참 고마워요.

대개 말로만 슬로푸드가 필요하다고 하는데 다큐멘터리 촬영 땐 정말 실천을 해야 했어요. 콩나물 무침을 해 먹으려면 일단 일주일은 기다려야 하는 거예요. (웃음) 마트에 가면 당장 살 수 있지만 일단 콩나물 콩을 사다가 물을 붓고 일주일 기른 다음에야 콩나물 무침을 해 먹을 수 있는 거죠.

거시적으로는 요즘 농산물 유통 시스템에 대해서 다시 한 번 생각해보는 계기가 됐어요. 농산물까지 대기업 상품이 돼 대형 마트에서 판매되는 현실이잖아요. 뭐든 기업화하니 자급자족이 안 되는 게 너무나 당연한 거죠.

지역에서 기르고 생산한 농산물을 먹을 수 없는 게 현실이잖아요. 뭐든지 대량 생산해 전 세계 어디서든 배와 비행기로 실어 나르니까요. '국내산', '국산'이라는 개념이 굉장히 희박해지고 있죠.

한편으로 생각하면 그렇게 될 수밖에 없는 것 같아요. 현대 사회는 너무 빠르게 돌아가니까요. 빨리빨리 밥 사 먹고 일해야지, 언제 두 시간 걸려 밥해 먹겠어요? 점심시간은 한 시간인데 밥하는 데 두 시간 걸리면 이건 말도 안 되는 거죠. (웃음)

■ 어떻게 밥을 하기에 두 시간이나 걸려요?

일단 불을 지피는 데만 30분 걸려요. 장작에 불을 피우고 그 위에 밥솥을 올리죠. 그리고 태양광 에너지로 달걀 프라이를 하고 국도 끓여요. 그럼 그 정도 걸리죠. 한 끼에 두 시간이니까 세 끼 먹으려면 여섯 시간이 필요한 거예요.

제가 아토피가 있어서 한약을 지어 먹었는데요. 요즘에는 약을 달여서 대개 일주일 이내에 택배로 보내주잖아요. 그런데 화석연료를 안 쓰고 살아야 하니 집에서 태양광 에너지를 이용해 약을 달여야 했어요. 3일에 한 번씩 약을 달여야 했으니까 그 또한 만만치 않은 시간들이죠.

현대인 가운데 이렇게 살 수 있는 분들은 거의 없을 것 같아요. 다시 옛날 방식으로 돌아가서 살자고 하면 대개 원치 않을 거예요. 대문만 열고 밖으로 나가면 5000원짜리 밥이 수두룩한데 누가 두 시간씩 밥하는 데 시간을 쏟으며 살겠어요. 하지만 제겐 그렇게 느리게 사는 삶이 맞았다는 거죠.

불편한 걸 참을 필요는 없어요

■ 에코라이프 전도사로 알려졌는데 어떻게 사는 게 친환경적 삶일까요?

전 제 삶의 질에 영향을 받지 않는 선에서 에코라이프를 실천하자는 편이에요. '우리 모두 일회용 컵은 절대로 쓰지 말고 의무적으로 머그컵 들고 다니자'는 식은 아니라는 거예요. 원하는 사람들이 필요하다고 느낄 때 실천하도록 하자는 거죠. 일회용 컵 안 쓰려고 텀블러를 매일 핸드백에 넣고 다니면 꽤 무거워요. 이런 게 불편한 사람들도 있거든요. 스스로 불편함을 느끼면서까지 환경운동과 에코라이프를 실천하는 건 아니라는 거죠. 불편하면 하지 말자는 주의예요.

■ 평소에 환경교육 얘기도 많이 하시죠?

환경교육이 굉장히 중요하다고 생각합니다. 에코라이프 실천 방식을 스스로 선택하도록 하되 그게 습관이 되도록 하면 전혀 불편하지 않거든요. 쓰레기 분리배출, 꽤 귀찮은 일이지만 습관이 되면 당연한 일상이 되는 거잖아요. 어릴 때부터 분리배출을 당연한 것으로 알고 자란 아이는 성인이 돼서도 자연스럽게 분리배출을 하겠죠. 그런데 그렇게 살지 않던 사람들에게 어느 날 갑자기 정부가 나서서 쓰레기 분리수거를 실시한다니까 불편하게 느끼는 거예요.

하지 말라는 게 많아지면 사람들이 귀찮아할 수밖에 없어요. 예를 들어 저는 텀블러를 집에 두고 왔을 때 가끔 일회용 컵을 쓰는 경우가 있어요. 커피는 너무 먹고 싶은데 매장에서 먹고 갈 시간은 안 되면 그냥 일회용 컵을 쓰는 거죠. 일회용 컵 쓰면 안 되니까 커피를 먹지 말아야 하나? 제 욕구를 참으면서까지 그렇게 하는 건 아니라고 생각해요. 자기 삶이 행복한 방향으로 하는 게 맞는 것 같아요.

■ 생활 속에서 실천할 수 있는 작은 환경운동은 무엇이 있을까요?

일회용 컵은 정말 사용하지 않는 게 좋을 것 같아요. 우리가 짐작하는 것보다 훨씬 많이 사용되고 있거든요. 각자 하루에 한 번만 안 써도 쓰레기가 굉장히 많이 줄어들 거예요. 한 번 쓰고 버리는 물건들이 줄어든다면 그만큼 자원도 덜 소비되겠죠. 이산화탄소 발생량을 줄일 수도 있을 겁니다.

■ 집에 태양광 지붕을 설치했다고 들었는데요.

정부가 설치비용을 지원해주는데 세 번 신청했다가 이번에 당첨됐어요. 태양광 에너지를 모아서 직접 전기를 생산해 가정용으로 쓰는 건데요. 웬만한 가정집에서는 설치비용이 만만치 않아서 선뜻 나서기가 어려워요. 정부 지원을 받으면 가격이 훨씬 저렴해지지만요. 그런데 설치하자마자 전기료가 확 떨어지는 것은 아니라고 하더군요. 당장은 좀 손해가 있을지 모르지만 길게 보면 훨씬 이로운 것이니까 태양광 에너지 사용에 동참한 셈이에요.

■ 환경에 특별한 관심을 갖게 된 까닭은 뭔가요?

부모님의 영향이라고 생각해요. 늘 "전깃불 끄고 다녀라", "수돗물 틀어놓고 다니지 말아라" 잔소리가 많으셨거든요. 어렸을 땐 정말 귀찮고 피곤한 일이라고 생각했는데 이젠 제가 아무도 없는 분장실에 불이 켜져 있으면 먼저 가서 끄고 사람 없는 곳에 전깃불 켜진 걸 보면 돌아다니면서 다 끄고 다녀요. (웃음) 생각해보면 이런 게 다 어릴 적 엄마의 영향인 것 같아요. 휴지 팍팍 뽑아 쓰면 "한 장씩 써!" 이러시거든요. 그

땐 무진장 싫었지만 이젠 제 삶의 일부로 체화된 거죠. 손수건, 포크 겸용 순가락, 머그컵 다 들고 다녀요.

■ 팬들에게 무공해 비누를 선물했다는 이야기도 들었습니다.

친환경 세제를 만들어서 선물한 적이 있어요. 유용미생물 공법(Effective Microorganisms Technology)으로 만든 건데 효모, 유산균, 누룩균 같은 80여 종의 미생물을 이용해서 오염물질을 제거하는 거예요. 제가 EM 공법 전문가는 아니어서 정확히는 모르겠지만 미생물이 환경을 파괴하는 나쁜 세균을 갉아먹어서 환경을 좀 더 좋게 만드는 거라고 들었어요. EM 자체가 미생물인데 이걸 오염된 토양이나 하천에 뿌려주면 정화가 된다고 해요. 여기에 적정량의 쌀뜨물이나 당밀을 첨가해 발효시키면 천연세제가 되는데 만드는 과정을 제 트위터에 동영상으로 올리기도 했어요.

■ 일반인의 환경상식 중에서 잘못된 게 있다면요?

하수 오염에 대한 인식이요. 음식물 가운데 액상 쓰레기에 대한 인식은 아직 낮은 것 같아요. 하수 오염의 주된 원인이 김치 국물, 된장찌개 국물, 라면 국물 그리고 쌀뜨물이라잖아요. 우리의 주식이 쌀이기 때문에 굉장히 많은 양의 쌀뜨물이 액상 쓰레기로 나오죠.
그런데 재밌는 건 쌀뜨물이 적정량만 있을 때 수질 개선에 도움이 된다는 거예요. 미생물과 만나면 하천오염을 줄일 수 있는 천연세제가 되는

거죠. 그러니 쌀뜨물을 활용한 작은 환경운동도 실천해볼 수 있을 것 같아요. 한 가지 팁을 더 드리자면, 쌀뜨물로 설거지를 하거나 창문을 닦으면 그렇게 깨끗해질 수가 없어요. (웃음)

■ **전기차 홍보대사를 맡아 화제가 된 적 있잖아요. 혹시 전기차도 갖고 있어요?**

아뇨. 서울시내에선 운행을 할 수 없어요. 특수한 경로로 다니는 곳에만 몇 대 있다고 들었어요. 예를 들어 국회 안을 돌아다니는 순찰차는 전기차예요. 그런데 아직 속도가 시속 60킬로미터밖에 안 나와서 고속도로 운전이 안 된대요. 강변북로와 올림픽대로에는 전기차는 달리면 안 된다는 표지판이 있어요. 사실 전기차를 사려고 알아보긴 했는데 보험문제 같은 것도 아직 정리가 안 돼 있는 것 같더라고요. 그래서 실행을 못 하고 있죠.

■ **미국이나 브라질에서는 옥수수를 이용한 바이오에탄올로 달리는 자동차도 있잖아요.**

자동차 한 대에 들어가는 연료를 만들려면 더 많은 식량이 사라져 오히려 바람직하지 않다는 보도를 접한 일이 있어요. 멕시코에선 옥수수 값이 갑자기 뛰어서 식량파동이 나기도 했잖아요. 그 영향으로 우리나라에서도 갑자기 밀가루 값하고 라면 값이 확 올랐었죠. 뭐가 더 친환경적인가는 따져볼 필요가 있어요.

대개 자전거 여행이 친환경적이라고 알려져 있지만 자전거로 이동할 수 있는 거리에는 한계가 있어요. 같은 거리를 가도 시간은 더 많이 걸리고요. 만약 며칠 동안 가야 한다면 밥 먹고 잠자고 움직이는 데 소요되는 '탄소발자국'을 계산했을 때 차라리 차로 여행하는 편이 훨씬 친환경적이라는 얘기도 있죠.

환경운동 분야에는 너무나 다양한 의견이 있어서 저도 헷갈리는 경우가 많아요. 당장 지구온난화의 원인만 두고 보더라도 단지 이산화탄소 발생 때문만은 아니라는 반론이 제기되는 등 학계의 논란이 많잖아요. 그래서 전 자기 삶이 행복한 선에서 에코라이프를 살자고 말해요.

인간 박진희에게 무엇을 하고 싶냐고 물어봤죠

■ 대학원에서 사회복지학을 전공했죠? 전 과목 A와 A+로 수석졸업을 했다고 들었습니다. 왜 사회복지학에 관심을 갖게 됐나요?

배우지만 배우이기 이전에 전 저예요. '박진희'가 많은 사람들에게 '배우 박진희'이지만 저로 돌아오는 순간 '인간 박진희'인 거죠. 스스로에게 인간 박진희는 무엇을 하고 싶은가 물었을 때 바로 나온 답이 '아동복지'였어요. 아주 간단한데요. 아이들은 나라의 미래이기 때문입니다. 애들을 어떻게 돌보느냐에 따라 미래가 달라진다고 생각해요.

소외받은 아이들에게 좀 더 관심을 기울이고 바깥쪽에서 움츠리고 있는 아이들을 안쪽으로 데려와서 돌봐주고 제대로 된 교육을 받지 못하는 아이들에게 배울 기회를 주는 것이 곧 문화적 발전이자 경제적 발전이라고 생각해요. 좀 거창하게 말했는데, 간단히 말해 아이들을 잘 돌보는 게 가장 중요한 일이라는 거죠.

■ 석사논문 주제가 '연기자의 스트레스와 우울 및 자살 생각에 관한 연구'예요. 연기자 260명을 직접 면접 조사한 걸로 알려졌는데요. 조사 결과가 어떻게 나왔나요?

설문지 400부를 돌렸는데 응해주신 분들은 260명이었어요. 한창 활동 중인 배우들 중 조역, 단역까지 망라해서 받았어요. 그런데 신문에 난 것처럼 연예인들의 우울증이 다른 집단에 비해 아주 심각하다는 정도는 아니었어요.

하나 꼭 얘기하고 싶은 건 외국의 경우 정신과 상담이나 치료를 받는 것에 대해 훨씬 열려 있다는 거예요. 누구나 이용할 수 있을 뿐더러 별로 이상하게 생각하지도 않는다는 거죠. 반면 우리는 정신과에 다녀왔다고 하면 일단 편견을 갖고 심지어는 사회적 낙인을 찍는 경우도 있어요. 아무개가 정신과에 다닌다는 소문이 퍼지면 무슨 엄청난 일이 생긴 것처럼 반응하죠. 이러니 비밀 보장이 안 되고 치료 자체가 어려워지는 겁니다.

또 굳이 병원에 가지 않고도 여러 사람들과 어울려 괴로움이나 외로움을 토로하면서 해결할 수도 있는데 연예인들은 직업 특성상 그게 쉽지 않아요. 그래서 결국 혼자 끙끙 앓게 되는 거죠.

예를 들어 일반인 같으면 동료들과 어울려 술 마시면서 "김 부장 그 거지 같은 놈 내가 죽여버릴 거야" 이럴 수 있잖아요. 그러면서 스트레스를 푸는 거죠. 이걸 옆 자리의 김 모 양이 듣고 있다가 인터넷에 '아무개가 김 부장 죽인다더라' 라고 올리진 않잖아요. 하지만 만약 어떤 연예인이 그랬다면 당장 인터넷에 오르겠죠. 그런 게 참 쉽지 않은 것 같아요. 치료가 필요한 단계에서는 혼자 참다가 치료가 어려운 단계로 넘어가니까 문제가 생기는 게 아닐까 싶습니다.

■ 결혼하고 아이를 낳게 되더라도 입양은 꼭 하고 싶다고 한 적이 있죠. 입양에 대해 관심을 갖는 이유는 뭔가요?

입양에 대한 긍정적인 생각을 갖고 있을 뿐이에요. 전 아직 결혼도 안했고 아이를 낳아보지도 않았잖아요. 그래서 지금 입양에 대해 이러쿵저러쿵하는 건 옳지 않은 것 같아요.
사실 전 굉장히 나약한 인간이랍니다. 한없이 팔랑거리는 귀를 가졌고 국기도 아닌데 계속 나부긴답니다. 하늘에서 뭐만 내려오면 마음이 울렁거리고요. 배포도 크지 않고 '쿨' 하지도 못해서 늘 이런저런 것에 연연하며 질질 끌고 살아요. (웃음)

■ 사회복지와 환경운동에 관심 많은 여배우로서 한국 사회에 꼭 하고 싶은 말이 있다면 무엇일까요?

지구사랑에 가장 중요한 것은 교육이라고 생각해요. 아주 어릴 때부터 체계적으로 환경교육을 받고 그것이 몸에 익숙해진다면 보다 나은 지구

사랑을 실천할 수 있을 것이라고 생각합니다. 그런 면에서 저는 환경교육이 아주 절실하다고 봅니다.

■**인터뷰** 2010. 11. 17 ■**사진** 유성호

전태일 정신을
지키고 싶다

저도 솔직히 모든 이들로부터 사랑받고 싶은 배우이기 때문에 여기저기 나서는 편은 아니에요. 물론
전태일 다리는 달랐죠. 그 일에 반대하는 사람들에게 미움을 받는 한이 있더라도 꼭 해야겠다고 생각
해 참여한 일이니까요.

그와 앉으니 무장해제가 된다. 어깨의 뽕이 '퐉' 빠졌다. 별것 아닌데도 그가 말을 뱉으면 폭포수처럼 웃음이 터져 나왔다. 드라마나 영화에서 보이는 이미지와 다르게 최대한 진지하고 안 웃기게, 배우 박철민에게도 꽤 엄중한 모습이 있다는 걸 독자들에게 보여주고 싶었지만 실패했다. 그가 극 중에서 자주 쓰는 사투리처럼 '겁나' 웃었다. 그는 시시껄렁한 농담 속에 진심을 담았다. 연기와 삶이 그다지 다르지 않은 이 남자, 너무 쉬워 보였다. 그래서 물었다.

"남들이 쉽게 보는 거, 싫으시죠?"

"살짝 헛웃음 나오게 하는 걸로 이제 겨우 먹고살 수 있게 됐기 때문에 전 그게 좋아요. TV나 영화에서 나오는 이미지가 실상에서도 드러나야 한다고 생각하거든요. 그토록 남들이 알아봐주기를, 무대에 서기를 바랐는데 이제 좀 알아본다고 거드름 피우면 나쁜 놈이죠. 전 쉬운 남자이고 싶어요. 전 국민이 쉽게 보는 그날까지, 아자!"

배우 박철민은 한가위 보름달처럼 둥근 함지박 웃음으로 각지고 상처 난 영혼을 따뜻하게 어루만져주는 우리 시대 진정한 광대였다.

가수든 배우든 텔런트든 코미디언이든 인기가 많다는 이유로 건방 떨

필요 없다고 스스럼없이 털어놓는 대목이, 또 대중에게 사랑을 받는 만큼 좋은 일을 많이 해야 한다는 설명이 그를 더 매력적으로 보이게 만들었다. 배우 박철민이 소셜테이너로 평가받는 이유였다.

■ 영화 〈시라노: 연애조작단〉(2010)의 문을 열고 닫으셨어요. 극 중 제일 중요한 역할을 맡은 거 아닌가요?

그렇게 해석될 수 있을 정도로 김현석 감독이 저를 상당히 배려한 거죠. 아주 부담스러우면서도 영광스러운 일인데 아무래도 제가 김 감독의 초등학교 선배라는 점이 크게 작용한 게 아닌가 싶어요. 그리고 감독이 배우에게 애정이 있으니까 자연스럽게 그런 배치가 가능했던 게 아닌가 합니다. 그게 꼭 필요한 장면이기도 했고. (웃음)

■ 애주가라고 하던데 주종은 주로 막걸리겠죠?

아니 왜 그렇게 단정적으로 생각하시나. 술이야 뭐 시대에 따라, 또 인생의 시기에 따라 많이 달라졌어요. 고등학교 때는 소주에 튀김. 빨리 취하니까, 값도 싸고. 또 대학 때는 아무래도 막걸리. 공복감도 해소해주고 밥값도 없었으니까. 연극하던 시절에는 다시 소주.
그런데 요즘엔 맥주가 편안하고 부드럽고 좋더구먼요. 제가 아주 맥주에 흠뻑 빠져 있는데 열정적으로 땀을 쏟았거나 무리했거나 반대로 느슨했던 하루였거나, 그 어떤 날을 막론하고 하루를 마무리할 때는 역시

'씨언~한' 생맥주가 답답함을 해소해주는 것 같아요.

성취욕이나 즐거움은 배가시켜주고 답답하고 지친 일상은 북돋아주는 것 같아서 늘 생맥주 한잔이 생각나죠. 우리 집 근처에 선술집이 있는데 퇴근길에 들러 멸치에 생맥주 한잔 먹고 들어가면 참 좋아요.

대중스타가 문화권력자는 아니죠

■ 배우생활 20년이 넘었는데요. 초반엔 사회참여 연극도 많이 하신 편이죠. '양심수를 위한 시와 노래의 밤' 사회도 봤고. 그때의 박철민을 기억하는 분들도 많을 것 같은데요.

제가 속했던 극단이 좀 진보적이어서 문화집회에 많이 관여했던 게 사실입니다. 상황극이나 춤 공연을 하며 자연스럽게 사회도 봤죠. 그러나 그 극단을 그만둔 뒤로는 사회 보는 게 너무 부담스러워서 안 했습니다. 대본을 갖고 무대 위에서 연기하는 건 참 좋은데 집회 사회는 제 생각을 정리해서 말해야 하고 또 참가자들의 동의를 구하거나 그들을 이끌어야 하는 측면도 있어서 저랑 잘 안 맞더라고요. 그런데 아름다운재단 10주년 기념행사 때는 너무 강력하게 부탁을 하셔서 사회를 봤습니다.

■ 사회참여형 극단을 그만둔 까닭은 무엇인가요?

아무래도 배우로서 겪는 갈등이 컸다고 봐야 할 것 같습니다. 극 자체가 너무 정형화돼 있고 연기도 마당극적 틀에 갇히는 것 같다는 느낌이 들었어요. 더 실험적인 연기를 하고 싶고 다양한 색깔을 표현하고 싶어서 극단을 그만뒀어요.

또 사회적 발언을 직접 연극이나 예술적 매체로 하는 것 자체에 대한 부담도 있었어요. 전적으로 동의하기에는 어려움이 있었다고 해야 할까요. 좀 더 풍자적이고 예술적으로 표현하는 방법에 대한 갈증도 있었습니다. 색깔이나 주의(主義) 주장에 대해 의견이 다른 부분도 있었고요.

■ 인기 있을 때 최대한 건방 떨다가 인기 떨어지면 조용히 사라지겠다고 하셨는데 여러 인터뷰에서 드러난 느낌은 굉장히 겸손하다는 거예요. 원래 그렇게 겸손한 편인가요?

저는 솔직히 제가 박수 받고 응원 받고 사랑 받는 게 늘 과분하다고 생각해요. 주관적으로든 객관적으로든 저의 연기, 색깔, 능력이 여러 모로 부족하고 빈틈 많고 완벽하지 못하다고 생각하거든요. 그런데도 절 사랑해주시는 걸 보면 역설적으로 그들과 제가 가깝기 때문 아닐까 싶기도 해요.

일반인들이 보기에 저는 그들 주변에 있는 사람과 비슷한 느낌을 주는 거죠. 철없이 까불며 뭔가 모자란 듯한 연기로 웃음을 주니까 친근하고 재미있다는 평가를 내리는 게 아닐까 싶어요. 일종의 정서적 공감 같은 것 아닐까요? 원래 사람이 자기와 비슷한 사람한테 끌리는 게 있잖아요. 그리고 솔직히 건방 떠는 게 배우의 역할은 아니죠. 인기를 얻고 사랑을 받으니까 자기가 최고인 줄 알지만 그렇다고 해서 배우나 가수 같은 연

예인이 저 높은 곳에 있는 권력자는 아니잖아요. 그런데 유명세를 타다 보면 뭔가 착각에 빠져 잘난 척하거나 건방을 떨게 되는 거죠.

■ 권력까지는 아니라 하더라도 한국적 현실에서 대중문화 스타가 가진 힘이 큰 것은 사실 아닌가요?

그래서 저는 연예인들이 자기가 받은 사랑을 대중에게 다시 나눠주고 고마움을 전달해야 한다고 생각해요. 또 높은 위치에 있는 것은 아니지만 청소년들에게 많은 영향을 끼치는 자리에 있는 것만은 분명하기 때문에 늘 말과 행동을 조심해야 한다고 보는 거죠. 대중을 만날 때 뭔가 신경 써야 할 위치에 있는 것이지 엄청난 권력을 지닌 위치에 있는 사람은 아니라는 겁니다.

■ 돌아가신 형님의 회고에 따르면 어렸을 때 추송웅의 모노드라마 연기를 곧잘 따라 했다고 들었습니다. 조선대부속고등학교 연극반과 중앙대학교 마당극 동아리 창단 멤버로 활약했고, 아버님은 정치경제 선생님이셨다고 했는데 도대체 그 엄청난 끼는 누구에게서 물려받은 건가요?

아버님이 술 한잔 드시면 늘 하시던 말씀이 "나는 최고의 강의를 하는 사람이다"였어요. "한 시간 수업하면 나중에 꼭 박수가 나와~야" 하셨죠. (웃음) 늘 자신하시던 기억이 있는데요. 당신 주장에 따르면 강의는 참 재밌게 하셨던 모양이에요. 그리고 어머니는 영어 선생님이셨죠. 그게 지식이든 감정이든 남들에게 희로애락을 전달하는 대목에서는 집

| 박철민

안에 꿈틀거리는 끼가 있었던 것 같아요. 우리 형님이 성우이자 배우셨는데 그것도 다 집안 내력 아닌가 싶어요. 우리 누나도 글 쓰는 걸 좋아해서 〈동서문학〉을 통해 등단했고, 동생도 프로는 아니지만 아마추어 극작가거든요.

■ 평소 소문난 효자로 알려져 있는데 어머니 건강은 어떠세요?

치매에 걸리셨는데 기억이 15퍼센트 정도 남아 있는 것 같아요. 밥도 잘 드시고 운동도 열심히 하셔서 그렇게라도 좀 더 오래 사셨으면 좋겠습니다. 제가 예전보다 훨씬 스킨십을 많이 해요. "엄마" 하고 부르면 갓 6~7개월 된 아기가 엄마아빠 개념은 없어도 '나를 따뜻하게 불러주는 사람이 있구나' 하고 쳐다보듯 편안하고 안정적인 표정을 지으세요. '저게 내 아들이구나' 하는 개념은 없으세요. 그러나 그런 편안한 모습을 뵐 때마다 순간순간 울컥해요. 한강 유람선 타는 것 좋아하시고 문화유산이나 절 같은 데 구경 다니는 거 좋아하시는데 많이 못 즐기시니까 마음이 아프죠. 그래도 "엄마" 하면 '헤' 웃으시니까 그 모습으로라도 오래 사셨으면 참 좋겠습니다.

전태일, 더불어 사는 삶의 선구자죠

■ '아름다운 청년 전태일 40주기 행사위원회' 홍보대사에 위촉됐죠. 청계천 '버들다리' 이름을 '전태일 다리'로 바꾸는 캠페인에도 적극 참여했고요.

청년 전태일은 그 다리에서 분신했습니다. 한국 현대사에서 사회·정치·문화적으로 그렇게 큰 파급력을 가졌던 인물이 있나요. 그가 마지막을 불태우며 온몸으로 항거했던 역사적 현장인 만큼 후대 사람들에게 '버들다리'로 불리는 것보다는 '전태일 다리'로 불리는 게 훨씬 더 의미 있을 것 같다는 생각이 들어 그 캠페인에 즉각 참여했습니다.

사람들의 생각을 조금만 바꾸면 아주 의미 있는 일을 해낼 수 있을 것 같아서 혹시 제가 도움이 된다면 참여하겠다고 했어요. 대학 초창기 때 읽었던 《전태일 평전》, 평범했지만 대단했습니다. 그저 나라에서 만들어놓은 근로기준법을 지켜달라는 '평범한' 요구를 한 것뿐인데 현실에서는 그게 안 지켜지니……. 너무 아프고 힘들고 억울한 사람들이 많다고 호소했는데 아무것도 달라지는 게 없어 분신한 거잖아요. 사회적 약자와 소외된 이웃을 위해 자기 자신을 태운 거죠. 저도 그 영향을 적잖게 받았습니다.

사실 이 행사를 맡은 마케팅·홍보 담당이 20대, 30대, 40대를 대표하는 배우를 찾아 부탁했는데 다른 배우들이 모두 고사해서 저만 하게 됐어요. 제가 그들보다 인기 있는 배우는 아니지만 그래도 사람들이 생각해보고 판단하는 데 도움이 될 수 있다면 해야겠다고 생각했죠.

■ 왜 그 배우들이 고사했을까요. 이명박 정부의 영향도 있을까요?

꼭 그런 것만은 아닐 겁니다. 배우들은 정치적 문제나 사회적 문제를 언급하기 꺼려하는 경향이 있어요. 어떤 정치적 입장에 서거나 사회적 이슈가 되는 문제에 대해 특정 발언을 하면 상대적으로 반대편에 서 있는 사람들로부터 틀린 사람, 나쁜 사람, 안 좋은 사람, 답답한 사람으로 평가받거든요.

배우는 어떤 입장에 서든 모든 사람에게 사랑받고 싶은 욕구가 있습니다. 그런데 그런 평가가 얼마나 두려운 일이겠어요. 그런 건 김대중 정부나 노무현 정부 때도 마찬가지였습니다.

당부하고 싶은 건, 소신 발언을 하는 배우나 예술인들을 너무 한 색깔로 규정지어 폄훼하거나 편파적으로 생각하지 말았으면 좋겠다는 거예요. 예를 들어 '저 배우는 전쟁을 아주 싫어하는구나' 그냥 그 정도로 기억해주면 어떨까 싶어요. 거기에다가 또 여러 억측들을 덧대어 함부로 판단하지 말고 말입니다.

저도 솔직히 모든 이들로부터 사랑받고 싶은 배우이기 때문에 여기저기 나서는 편은 아니에요. 물론 '전태일 다리'는 달랐죠. 그 일에 반대하는 사람들에게 미움을 받는 한이 있더라도 꼭 해야겠다고 생각해 참여한 일이니까요.

■ 배우가 아닌 인간 박철민에게 청년 전태일은 어떤 의미인가요?

저는 사인을 할 때 늘 '더불어 사는 세상을 위해서'라고 씁니다. 그렇게 쓰는 까닭은 전태일 때문이에요. 남을 위해서 자기를 희생한다는 건 정말 힘든 일이잖아요. 정말 어렵고 골치 아픈 일이죠.

전태일은 전적으로 남을 위해 온몸으로 자신을 희생했습니다. 저는 개인적이고 이기적으로 살 때가 대부분이지만 그래도 순간순간 이타적으로 살아야겠다고 생각하도록 만들어주는 게 전태일입니다. 무엇보다 어릴 때, 20대 때 그런 생각을 갖게 한 사람이기 때문에 제게 큰 영향을 줬죠. 현대사에서 '더불어 사는 삶'의 선봉에 섰던 사람이에요.

있는 사람이 나눠서 없는 사람 좀 채워주고 절대빈곤이 사라지는 세상이 빨리 왔으면 좋겠어요. 다 같이 기뻐하면서 살 수 있는 세상, 절대약자는 없는 세상, 그런 세상 좀 앞당기면 안 될까요?

연기 속에 꼭 웃음 한 자락 들어갈 거예요

■ 살짝 진보적인 배우로 평가받잖아요. 작품에선 그런 성향이 전혀 드러나지 않는 까닭은 작품을 선택할 때 어떤 기준이 있기 때문인가요?

무슨 그런 말씀을. 우린 솔직히 감독과 제작자에게 먼저 선택권이 있는 직업군의 사람입니다. 일단 저는 일이 없어서 못하는 거지, 들어오는 일을 마다하지는 않아요. 물론 도저히 시간이 안 맞아 못하는 것이 더러 있기는 하지만 작품을 가리면서 하지는 않습니다.

30대 초반 때 일거리가 없을 때였어요. 애들 엄마가 집에서 수업을 하면 제가 애들을 데리고 나가 있어야 했어요. 놀이터에 나가면 애들은 애들끼리 놀지만 애들 엄마들은 아저씨인 저랑은 안 놀아주니까 홀로 공허하게 벤치에 누워 하염없이 '삐삐'만 쳐다본 일이 많았습니다. '누가 나 좀 안 불러주나', '어떤 감독이 나 좀 안 불러주나' 생각하면서 말이에요. 더 이상 이 길로 가면 안 되는 건가 자책하면서 아픈 생각을 많이 하던 시절이에요. 저는 그때 기억이 뼛속 깊이 남아 있어요.

그래서 누군가 저를 불러주는 게 얼마나 행복한지 누구보다 잘 압니다. 〈제7광구〉(2011) 촬영 때가 생각나네요. 영화 성격상 촬영할 때마다 무슨 액체를 바르고 피도 묻히고 액션 신이 있다 보니 몸에 멍도 들고 그랬어요. 새벽 5시까지 촬영이 이어지면 너무 힘들어 지쳐 있는 나를 보게 되는 거예요. 그러다 문득 이런 생각이 스치는 겁니다. '내가 얼마나 카메라 앞에 서고 싶었는데 이러나', '카메라 앞에 서는 걸 그렇게 동경했는데 이러면 안 되지' 하며 자성합니다. 어쨌든 저를 불러주면 '대체 내가 뭐라고 이 사람이 날 이렇게 찾아주나' 감동합니다. 저의 향기를 맡고 찾아와주면 바로 응하죠.

■ 주로 코믹 연기를 해왔는데 새로 도전하고 싶은 역할은 없나요?

〈혈의 누〉(2005)를 찍은 이후로는 '나도 악역이 되는구나, 악역도 성취감을 주는구나' 했습니다. 정말 다양한 역할을 하고 싶죠. 멜로 연기, 해맑은 바보 연기, 독특하고 여성스러운 연기, 늘 술에 절어 있는 반알코올중독자 연기 등등. 그런데 아마도 저는 어떤 역할을 하든지 즉발적인 웃음, 그게 과장된 웃음이든 냉소적인 웃음이든 약간 비틀린 실소든 웃음 한 자락 갖고 들어갈 것 같긴 합니다. (웃음)

■ 극 중 이미지를 보면 좀 쉬워 보여요. 전라도 사투리로 '시피 보인다'고 할까요? 본래 좀 쉬운 남자인가요?

그런 것 같아요. 속도 없고 쉽죠. 김현석 감독은 저한테 "형은 참 속도

없소" 하는데, 제 캐릭터 자체가 쉬운 이미지인데다가 또 살짝 헛웃음 나오게 하는 걸로 이제 겨우 먹고살 수 있게 됐기 때문에 전 그게 좋아요. TV나 영화에서 보이는 이미지가 실상에서도 드러나야 한다고 생각하거든요. 그토록 남들이 알아봐주기를, 무대에 서기를 바랐는데 이제 좀 알아본다고 거드름 피우면 나쁜 놈이죠. 전 쉬운 남자이고 싶어요. 전 국민이 쉽게 보는 그날까지, 아자!

공정 사회 만들겠다는 '말놀이'는 이제 그만

■ 큰딸이 외고 다닌다고 들었어요. 딸의 대학 진학 문제가 잘 풀렸으면 좋겠다고 했는데 학부모로서 겪어본 한국의 교육 현실, 어떻습니까.

우리 큰딸! (웃음) 더 벌어서라도 많이 채워주고 싶죠. 저는 사실 우리나라 교육제도에 굉장히 불만이 많습니다. 아이가 대학을 준비하는 나이가 되니까 이것저것 알게 되는데 우리나라에서 대학 가는 방법이 4000가지가 넘는다고 하더군요.

문제는 서민 부모들이 그런 중요한 정보들을 알기가 어렵다는 거예요. 아이들 대학 보내는 데도 많은 정보가 필요하고 공부도 해야 하고 컨설팅도 받아야 하는데 먹고살기 바쁜 서민들은 그게 어렵다는 거죠.

애한테 치중할 수 있는 시간과 경제적 여유, 학원에 가서 수십만 원 주고 컨설팅 받을 수 있는 여유가 있는 집이라야 애들을 대학에 보낼 수 있다면 그건 보통 심각한 문제가 아니죠.

산업현장에서 일하느라 아이들을 일일이 챙기지 못하는 서민 부모들은 자기 자식이 어디에 강하고 어디에 약한지 잘 모르는 경우가 많아요. 그렇다고 학교에서 모든 학생들에게 일일이 관심을 가지고 챙겨주는 것도 아니고요. 참 걱정입니다. 이명박 대통령이 '공정 사회'를 슬로건으로 내세운 적이 있는데 그게 정말 말놀이가 아닌 실질적, 제도적 성과로 이어졌으면 좋겠습니다. 지금의 교육제도에서는 더 이상 개천에서 용이 날 수 없어요. 너무 슬픈 현실이죠.

■ 공부 잘하는 딸이 연기한다고 하면 어떻게 할 것 같으세요?

큰딸은 능력이 없어 보이는데요. 연기는 아닌 것 같아요. 만일 감독이나 극작 같은 다른 분야라면 적극 밀겠습니다. 가끔 대학 강의 가서도 하는 말인데 잘하는 일과 좋아하는 일, 이 두 가지를 인생에서 찾는다면 그것만으로도 승리한 거죠.

그런데 둘 중 하나를 선택해야 한다면 저는 조금의 망설임도 없이 좋아하는 일을 해야 한다고 말합니다. 만약 좋아하는 일이 영화라면 제가 할 수 있는 모든 지원을 하고 싶습니다. 사람은 정말 자기가 좋아하는 일을 해야 하거든요. 사회악과 관계된 것만 아니라면 말이죠. (웃음) 예전 우리 아버님 세대 때는 '딴따라' 하면 배고프고 천한 일이라고 생각했지만 지금은 달라졌잖아요.

■ 대학시절 학생운동에도 적극 참여하셨죠. 1987년 6월 항쟁의 또 다른 주역이신데 함께했던 친구들이 정치권에 많이 가 있겠어요. 486 정치인에게 당

부할 게 있다면요.

도와주지도 못하면서 당부하고 싶지는 않지만 굳이 말하자면, 나이를
먹으면서 점점 보수화되는 것 아닌가 하는 생각이 듭니다. 젊은 시절 가
졌던 의롭고 열정적이던 생각과 행동들이 너무 퇴색되지 않았으면 좋겠
다고 말하고 싶네요. 저도 그런 생각들이 점점 작아지고 퇴색되고 변질
됐지만 정치하는 사람들은 더더욱 그러면 안 될 것 같아요. 이젠 486이
됐지만 20여 년 전 우리가 가졌던 맑고 깨끗한 생각을 버리지 말라고
당부하고 싶습니다.

■인터뷰 2010. 9. 14　■사진 유성호

에필로그

배우 박철민과 인터뷰를 하고 한 달쯤 지났을 때였다. 서울시는 청계천의 13번째
다리인 '버들다리'의 명칭을 '전태일 다리'와 병행해 표기하겠다고 밝혔다. 명칭
을 병행해서 쓰기로 한 까닭은 전태일 열사가 분신한 평화시장이 다리 부근에 있
고, 또 그의 흉상과 동판이 다리 중앙에 설치돼 있기 때문이라고 전했다. 전태일
40주기 행사위원회와 함께 가장 적극적으로 이 캠페인을 벌인 그에게는 매우 반
가운 소식이었을 게다.
그리고 그로부터 1년 후인 2011년 9월 3일 전태일 열사의 어머니 이소선 여사
가 향년 81세를 일기로 별세했다. 영결식은 공교롭게도 박철민과 인터뷰한 지

딱 1년 만에 치러졌다. 2011년 9월 7일, 이소선 여사의 장례식은 민주사회장으로 서울 대학로에서 열렸고 청계천 13번째 다리인 '전태일 다리'에서 노제가 거행됐다.

만일 그 다리가 계속 '버들다리'였다면 모두가 참 머쓱할 뻔했는데 박철민과 시민사회단체 덕분에 그나마 이소선 여사를 편히 보내드리게 된 것 같아 가슴을 쓸어내렸다.

'레몬트리 공작단'과
유쾌한 재능 기부에 나서다

부모님을 잃은 청소년들이 생계유지 때문에 꿈을 버리지 않는 것이 중요하다고 생각했어요. 온전히 자기 꿈을 키워가도록 돕고 싶어요. 미래를 짊어질 청소년들이 어떤 환경에서든 자기 꿈을 펼칠 수 있도록 돕는 것이 어른들의 임무가 아닐까 싶어요.

가수 박혜경(@parkheykyoung)을 직접 만나봐야겠다고 생각한 건 '쌍용차의 아이들' 때문이었다. 쌍용차 구조조정으로 1년 무급휴직자로 지내다 회사의 복직 약속이 지켜지지 않자 힘들어하던 임무창 쌍용차 노조원이 2011년 2월 26일 저세상으로 갔다. 이에 앞서 그의 부인은 남편의 파업과 실직으로 인해 우울증을 앓다가 2010년 4월 스스로 목숨을 끊었다. 별안간 부모를 모두 잃게 된 아이들, 그들은 이제 고등학교 2학년과 중학교 2학년이다.

박혜경은 트위터에서 이 소식을 접했고 두 아이의 '친구'가 되기로 마음먹었다. 트위터를 통해 그 뜻을 전달했고, 곧장 '레몬트리 공작단'이 개설됐다. 하루 만에 트위터리안 300명이 가입했다. 반응은 아주 뜨거웠다. 게다가 400만 관객을 돌파한 영화 〈조선명탐정: 각시투구꽃의 비밀〉(2011)을 제작한 '청년필름'의 김조광수 대표도 이 모임에 가입해 자신의 재능을 나누겠다고 밝혔다.

영화배우 김여진이 홍대 청소노동자 문제에 관여하면서 '날라리 외부세력'을 만들었다면 가수 박혜경은 '레몬트리 공작단'을 만들어 어느 날 갑자기 부모를 잃게 된 아이들의 '꿈 지킴이'가 된 셈이다.

■ 최근, 앨범 홍보보다 재능 기부에 주력하는 분위기예요.

재능 기부는 '모두가 섞일 수 있는 최고의 기회'인 것 같아요. 주는 사람 따로, 받는 사람 따로 있는 게 아니고 주고받는 사람들이 함께 섞이는 거죠. 전 그런 게 참 좋더군요. 자신의 재능을 기부하고 어려운 이웃과 함께 '섞일 수 있다'는 것이 기부자에게도 많은 도움이 돼요. 그래서 전 돈 내는 것보다 재능 기부가 더 값진 게 아닌가 싶어요. 물론 금전적인 지원을 해주는 것도 굉장히 중요한 일이지만요.

■ 왜 재능 기부가 필요하다고 생각했나요?

부모님을 잃은 청소년들이 생계유지 때문에 꿈을 버리지 않는 것이 중요하다고 생각했어요. 그건 너무 안타까운 일이잖아요. 온전히 자기 꿈을 키워가도록 돕고 싶어요. 미래를 짊어질 청소년들이 어떤 환경에서든 자기 꿈을 펼칠 수 있도록 돕는 것이 어른들의 임무가 아닐까 싶어요.

10대와 20대들이 자기 꿈을 버려야 한다는 건 너무 가혹하잖아요. 저도 지금까치 처절하고 치열하게 가난을 극복하며 살았어요. 제가 큰딸인데 아버지가 일찍 돌아가시는 바람에 어머니와 함께 동생들을 공부시켰고 가난과 소외에서 오는 서러움에 눈물 흘리기도 했고 힘과 권력에 분노하며 치를 떨기도 했죠. 그런 제가 어느덧 성장해 이 자리에 섰는데 이제는 제 이름을 좀 더 좋은 곳에 써야겠다, 제 나이 30~40대를 그렇게 살아야겠다고 생각하고 재능 기부에 적극 나선 거죠.

■ 어려운 가운데서도 가수라는 꿈을 포기할 수 없었던 이유가 궁금하네요.

'연예인이 되면, 스타가 되면' 행복해질 수 있을 거라는 막연한 꿈이 있었어요. 노래를 잘해서 스타가 되면 우리 가족 모두가 행복해지고 삶도 여유로워지지 않을까 생각했던 거죠. 부모님 없는 아이들이 원래 눈치도 빠르고 조숙해요. 저 역시 그랬어요. 자기 즐거움보다는 가족과 엄마에게 미칠 영향을 먼저 생각하는 아이였죠. 노래만 부를 수 있다면 무조건 좋다는 꿈이 아니었어요. 일반 직장인보다 훨씬 많은 돈을 벌 수 있다고 생각했어요. 스타에 대한 아주 막연한 꿈이 있었죠.

항상 2위까지 가는 가수죠

■ 처음에 어떻게 해서 가수의 길로 들어서게 됐나요?

제 고향이 전북 진안이에요. 중학생 때 처음 서울로 유학을 왔어요. 그땐 전화도 없어서 우체국에서 엄마랑 통화하고 그랬어요. 제가 살던 곳이 엄청 시골이었거든요. 다른 지역에 비해 굉장히 낙후했죠. 그런 촌동네에 살다 상경해서 이른바 '서울 탐험'을 하게 된 거예요. 그러니 얼마나 신기한 게 많았겠어요. 고등학교 때는 극단도 찾아다녔고 뮤지컬 오디션도 보러 다녔어요. 연예인이나 가수가 될 수 있는 길을 찾아다닌 거죠. 그때 '아, TV에 나오는 걸로 해야겠다'라는 생각이 들더라고요. 그러곤 대학 1학년 때 강변가요제에 나간 거예요.

■ 강변가요제에서 입상을 했나요?

본선 진출까지만 했어요. (웃음) 그게 1995년도입니다. 그러니까 그때 부터 치면 벌써 17년째 노래를 부르고 있는 거네요. 무슨 가요제에서 본선 진출을 하면 기획사들이 이런저런 제안을 해요. 그런데 그때 온 제 안들은 모두 제가 원하는 장르의 노래가 아니었어요. 그렇게 차일피일 미루다 1997년도에 '더더 밴드'로 앨범을 내고 데뷔한 거죠.

■ 가수 생활은 만족스러웠나요? 힘들었거나 부당했던 것은 없었어요?

생활인으로서 가수를 한다는 게 가장 힘들었어요. 어떻게 보면 더 용감 해질 수 있었는데 그렇게 하지 못했어요.

■ 음악 프로그램 첫 데뷔는 〈이소라의 프로포즈〉에서였는데 사실 그 전에 〈서 세원 쇼〉의 토크박스에 먼저 출연해서 주목을 끌었죠. 예능 프로그램에 먼저 출연하는 게 반갑지 않았을 것 같아요.

솔직히 싫었죠. 하지만 방송사에서 따로 자리 만들어 신인가수를 불러 주나요? 내키지는 않았지만 얼굴은 알려야겠기에 나갔어요. 또 예능 프 로그램에 먼저 나가도 가수 되는 데 별 지장은 없을 거라는 자신감도 있 었고요. 그때 〈서세원 쇼〉 시청률이 엄청났어요. 제가 토크박스 1위를 세 번 정도 했어요. 다른 얘긴데, 가수가 노래 부르는 환경이 그때와 지 금은 많이 다른 것 같아요. 한동준 선배가 어디엔가 올린 글에서 예전에는 노래가 좋아서 가수를 좋아했다면 요즘엔 가수가 좋아서 그 노래를 좋아해주는 것 같다고 하시더라고요. 트렌드의 변화겠죠?

■ 어느 인터뷰에서 "나는 가요 차트 1위곡을 부르는 가수가 아니다" 이렇게 말했는데 무슨 의미예요?

항상 2위까지는 가는 가수예요. 1위는 안 되더라고요. (웃음) 솔직히 말하면 제 노래가 많은 대중들에게 공감과 반향을 일으키는 장르는 아니라고 생각해요. 그래서 늘 인터뷰를 하면 틈새시장을 얘기하곤 했죠. 굳이 분류를 하자면 마니아층이 있는 것 같고 모든 대중이 사랑하는 장르로 접근하려는 노력은 하지 않았다고 생각해요.
살짝 낯선 스타일인 셈인데 그 덕분에 CF 음악에 많이 사용됐어요. 그리고 낯설기 때문에 오히려 제 노래를 편히 여기는 분들도 있는 것 같아요. 대중가요이긴 하지만 노래 부르는 스타일, 악기 구성과 편성이 좀 낯설다는 점은 저도 인정합니다.

■ 지금까지 부른 노래 중 가장 '박혜경다운 노래'는 어떤 건가요?

전부. (웃음) 세 곡을 고른다면 '더더'를 대표하는 곡인 〈내게 다시〉, 솔로 히트곡인 〈고백〉, 다시 한 번 노래를 하게 해준 〈레몬트리〉를 꼽겠어요. '박혜경답다'기보다는 가수로서의 삶을 시작하게 해준 노래, 다시한 번 가수로서 살게 해준 노래들 같아요. 젊은 친구들이 '박혜경' 하면 고개를 갸우뚱해도 '레몬트리' 하면 알아듣더라고요. 고마운 일이죠.

몰라서 못하는 경우도 많잖아요

■ 2.5톤짜리 트럭 두 대를 빌린 적이 있죠. 사연이 있을 것 같은데요.

아, 그거요! 사실 데뷔하고 어느 시점까지는 오로지 일만 생각했어요. 다른 건 아무것도 눈에 들어오지 않았죠. 그러다 어느 순간 이렇게 살아서야 되겠나 하는 자각이 생겼어요. 생각이 좀 더 구체화된 건 2010년부터였어요. 그전에도 가끔 봉사는 다녔지만 그것도 다니다 말다 했어요.

그런데 이렇게 해서는 안 되겠다 싶어서 한 주에 한 번 꼭 봉사를 하자 목표를 세웠어요. 트위터를 시작한 뒤로는 봉사 다녀와서 어디 갔다 왔는지 간단하게 후기를 올려요. 그러면 '나도 가고 싶다', '같이 하면 안 되겠느냐' 하는 멘션이 많이 올라와요. 그걸 보고 저만 할 게 아니라 많이 알려서 사람들이 동참하는 방법을 찾아야겠다는 생각을 한 거죠.

재능 기부를 적극적으로 제안한 것도 그런 맥락이에요. 함께하고 싶지만 몰라서 못하는 사람들도 많잖아요. 그분들께 트위터로 참여할 수 있는 기회를 알려드리는 거죠. '번개'를 하면 정말 많이들 오세요. 신기하죠? 그래서 결심했어요. 많은 사람들이 봉사에 참여할 수 있도록 하는 '매니저'가 되겠다고요. (웃음)

■ 트럭을 빌려서 어떤 일을 한 거예요?

'박혜경과 레몬트리 공작단'에서 재능 기부 '트럭 콘서트'를 했습니다.

'재능 기부' 하면, 뭔가 특출한 게 있어야 한다고 생각하는 분들이 많은데 전혀 그렇지 않아요. 김밥을 잘 싸건 설거지를 잘하건 청소를 잘하건 뭐든 재능 기부가 될 수 있다고 생각해요.

■ '레몬트리 공작단'은 뭔가요? 배우 김여진 씨의 '날라리 외부세력' 비슷한 건가요?

맞아요. (웃음) 여진 언니도 참 열심히 하시죠? 레몬트리 공작단의 문을 연 후 첫날 가입자가 300명을 넘었어요. 그리고 처음 모이던 날에는 1000명 넘는 분들이 오셨고요.

사실 별건 아니에요. 갑작스럽게 부모님을 잃은 아이나 청소년들이 성인이 될 때까지 친구, 오빠, 언니, 이모, 삼촌이 되어줄 재능을 나누는 거죠. 재능은 특별한 게 아니에요. 함께 손잡고 걸어주는 거라고 생각해요. 사실 전 얼마나 모일까 내심 걱정했는데 의외로 선의를 모아주시는 분들이 많아서 감동했습니다. 참 따뜻하고 착한 분들이 많다는 느낌이 들었어요. 레몬트리 공작단 생각만 하면 그냥 기분이 막 좋아져요.

■ '레몬트리 공작단'에선 트럭 콘서트 외에 또 어떤 활동을 하나요?

어린이재단과 연계해서 일종의 결연을 맺어요. 또 어린이재단 후원금 모금 저금통을 받아서 레몬트리 공작단의 스티커를 붙이고 트럭 타고 돌아다니면서 콘서트를 해요. 콘서트 하면서 저금통을 돌리고 석 달 뒤엔 다시 거둬들이는 거죠. 금전적인 후원이 주된 목적은 아니지만 그런 것도 필요하니까요.

■ 2009년 쌍용차 정리해고 때 옥쇄 투쟁을 했고, 최근 사망한 고(故) 임무창 씨의 자녀들과 함께해서 화제가 됐는데요.

생각해보면 일찍 아버지를 여읜 제가 이렇게 잘 클 수 있었던 건 주변에서 좋은 분들이 많이 도와주셨기 때문이에요. 꿈을 버리지 않도록 이끌어주신 분들이죠. 자취방 주인, 독서실의 좋은 오빠들, 좋은 선생님, 또 시골 선교사님. 그런 분들 덕택에 꿈을 버리지 않고 지금까지 달려올 수 있었던 것 같아요.

마찬가지로 저도 그 아이들에게 그런 누나이자 언니가 되고 싶은 거예요. 그래서 만났죠. 특별하게 한 건 없어요. 뭐하고 싶으냐고 물었더니 머리하고 싶다고 해서 함께 미용실 갔다가 인도요리 먹고 용산역까지 데려다주곤 집으로 왔죠. 서로 문자도 주고받고 그냥 친구처럼 자연스럽게 만나서 노는 거예요.

■ 쌍용차 문제에는 어떻게 관심을 갖게 됐나요?

트위터에 그 사연이 올라왔어요. 쌍용차 정리해고 때 파업을 했던 아버님 그리고 곁에 계셨던 어머님이 모두 돌아가셨다고. 그걸 읽고 아이들이 걱정돼서 글을 올린 분에게 트위터에서 쪽지를 보냈어요.

도움을 주는 것도 실은 막무가내로 하면 안 되는 거잖아요. 상대가 원치 않을 수도 있는데 무작정 돕겠다고 나서는 것도 또 하나의 폭력이라고 생각해요. 그래서 물어봐달라고 요청을 드렸더니 큰아이가 허락을 했다더군요. 정확한 사정을 얘기했고.

그 친구를 만난 뒤 문자가 오는데 '잘 자라서 훌륭한 사람이 되겠다, 나중에 이 은혜를 꼭 갚겠다' 그랬어요. 생각해보니 저도 어릴 때 똑같은 내용의 편지를 많이 썼던 것 같아요. 눈물이 났어요. 마음이 짠해지더군요.

연예인이 되고 싶다는 꿈, 진짜 절실한가요?

■ 고(故) 장자연 씨 편지가 논란이 됐죠. 그 편지가 진짜냐 가짜냐를 떠나 사람들은 이 사건의 재수사를 요구했고 김여진 씨도 트위터를 통해 진실을 밝혀달라고 호소했고요.

저는 생전에 그분을 한 번도 만난 적이 없어요. 하지만 정말 어이없고 말도 안 되는 일이 일어난 것만은 분명하죠. 진실이 밝혀져야 한다고 생각해요. 솔직히 저도 대중연예인이라 남자들한테 욕먹기 싫어서 이런 말 잘 안 했는데요. 뭐랄까, 부끄러운 행동을 하면서도 전혀 부끄러운 줄 모르는 것 같아요.

태국에서 한국 남자들이 10대 성매매를 해서 문제 된 게 한두 번이 아니잖아요. 동남아를 돌아다니며 해외 원정 성매매를 하죠. 심지어 필리핀에선 어학 연수생들이 현지처까지 두고 성매매를 합니다. 이건 다 교육이 잘못됐기 때문이에요. 뭐든 하지 말라고만 하지 제대로 표현하고

표출하는 방법에 대해서는 가르치지 않잖아요. 행복해지라고만 이야기하고 슬픔이나 분노 같은 감정은 무조건 억누르게 만들죠. 성 문제도 제대로 가르쳐주는 게 아니라 무조건 알지 못하게 하고 금지만 하니까 왜곡된 욕구와 호기심이 발동하는 것 아닌가 싶어요.

여기에 하나 더 덧붙이자면 우리나라에서 성을 바라보는 시선이 굉장히 남성 중심적이라는 겁니다. 이를테면 제가 아주 감명 깊게 읽은 책이 있었는데, 하나 걸리는 부분이 있더라고요. 남편과 행복하게 살려면 여자가 좀 참으라는 것 같았어요. 남편이 바람을 피워도 '최대 주주'는 아내니까 참으라는 대목에서는 반감이 생기더군요. 이런 걸 보면 우리나라는 사실상 일부일처제가 아니라 일부다처제인 것 같다는 생각이 들 정도예요. 이런 현상이 생기는 건 비단 학교 교육 때문만이 아니라 가정과 사회에서 올바르게 가르치지 못했기 때문이라고 생각합니다. 성에 대한 이중적 태도는 정말 문제라고 생각해요.

■ 어느 인터뷰를 보니 불행해져도 좋으니 가수가 되게 해달라고 기도했다면서요. 그렇게 가수가 되고 싶었던 이유는 뭐였나요? 가수가 못 돼도 행복한 게 더 나은 것 아닐까요.

그만큼 가수가 되고 싶은 마음이 절실했다고 이해하시면 될 것 같아요. 뭐냐 하면 '내가 가수를 하고 싶다는데, 이 길이 나의 길이라는데 안 될 게 뭐야' 하는 반항심 같은 게 있던 거죠. 불행해져도 좋으니 가수가 꼭 되고 싶다는 말은 결국 반드시 가수가 되고야 말겠다는 의지의 표현이었던 셈이에요. (웃음)

■ 대한민국 국민의 80퍼센트가 연예인을 꿈꾼다는 여론조사가 있었어요.

요즘 아이들이 연예인 되고 싶어 하는 것은 옛날과 좀 다른 것 같아요. 연예인이 되겠다는 자기 생각과 주장이 뚜렷하다기보다는 대중매체와 문화를 통해 워낙 연예인을 많이 접하니까 그게 좋아 보이는 것 아닌가 싶어요.

예를 들어 빵집 옆에 살며 늘 빵 굽는 것만 보고 자란 아이라면 나중에 빵집 주인이 되고 싶다는 생각을 할 수 있잖아요. 마찬가지로 요즘 아이들은 대중문화와 미디어에 노출되는 빈도가 상당히 높기 때문에 연예인을 꿈꾸는 경우가 많아지는 게 아닐까요?

■ 인터뷰 2011. 3. 18 ■ 사진 유성호

재미있게, 섹시하게, 화끈하게.
안 돼?

소통합이든 대통합이든 2012년 선거 국면에선 합쳐야 뭘 해볼 수 있지 않겠어요? 낮은 차원에서는 후보단일화고 높은 차원에서는 정당통합인데, 어떻게 결론 날지 알 순 없지만 어쨌든 국민들이 바라는 건 제발 이겨서 이 고통을 끝내달라는 거잖아요. 그걸 정치권이 제대로 알아주면 그걸로 '오케이'라는 거죠.

"아니 형, 더 섹시하게 해봐. 재미가 없잖아."

주룩주룩 비가 내리는 늦여름이었다. 경기도 일산의 한 커피숍에서 만났지만 자리가 없었다. 그 옆 스시 바 파라솔 밑에 옹기종기 앉았다. 영화배우 문성근과 '백만 송이 국민의 명령' 첫 인터뷰를 했던 2010년 8월 26일, 영화감독 여균동(@duddus58)은 마치 감독이 배우에게 좀 더 실감나는 연기를 주문하듯 문성근을 다그쳤다. 너무 진지하면 젊은이들이 함께하지 않을 거라면서 계속 '섹시하게', '샤방샤방'을 주문했다.

가뜩이나 정치, 정당, 공천 등 딱딱하고 재미없는 단어들이 등장하는데 '진지 모드'로 가서야 누가 참여하겠느냐고 따졌다. 문성근도 그의 제안이 그럴 듯했는지 주문대로 말을 바꿔 '샤방샤방 모드'로 말하려 노력했다. 진지해질라치면 "아, 형!", "어, 그래!", 또 진지해질라치면 "아, 형!", "어, 그래!"가 반복됐다. 여 감독이 다섯 살 터울 후배였지만 문 배우는 그의 말을 잘 들었다. 진짜 영화를 찍는 감독과 배우 같았다.

실제 두 사람은 2012년까지 한 편의 다큐멘터리를 찍는 심정으로 '국민의 명령 야권단일정당운동'을 시작한다고 했다. 2012년 12월 19일엔 딱 두 편의 영화가 무대에 오른다는 것이다. 하나는 한나라당영화사에서 찍는 박근혜 혹은 김문수 주연의 보수영화, 다른 하나는 민주진보영화사에서 찍는 옴니버스 영화란다. 이 영화의 주인공은 캐스팅되는 과정부터 흥미진진한 홍행몰이를 하게 될 거라는 예고도 덧붙였다.

왜 여 감독이 '국민의 명령'에 합류해 시민정치운동을 하고 있는 걸까 궁금했다. '영화가 잘 안 돼서'라고 한다면 뭐 그럴 수도 있겠다 싶었다. 하지만 '정치에 관심이 있어서'라고 한다면 약간 고개를 갸우뚱할 수밖에 없었다. 그러기엔 그가 진지하고 지루한 걸 잘 견디지 못하는 스타일 같았다. 인터뷰도 어떻게 하면 재밌게 할까 눈동자를 굴리며 궁리하는 그는 천생 코미디를 잘 소화하는 영화배우이자 영화감독이었다.

최근 그는 늘 점잖은 재킷 차림으로 진지하기 짝이 없는 정치토론 사회자로 등장한다. 그러나 그의 발을 보면 초록색 운동화를 앞세우며 자신이 영화인임을 꼭 상기시킨다. 진지한 얘기를 할 때도 늘 한구석에 코미디를 설정해 상황을 요리한다. 역시 타고난 예술인이다. 늘 자유롭게 상상하고 창의적으로 살고 싶은 욕망이 분출하는 것 같기도 하다.

■ 2010년 8월부터 '백만 송이 국민의 명령'에서 활동 중이시죠. 영화감독이 시민정치운동에 뛰어들어 보니 어때요?

일단 이게 한 번도 해본 적 없는 운동이잖아요. 솔직히 좀 낯설어요. 처음 시작은 이렇게 된 거예요. 6·2 지방선거 끝나고 문성근 선배가 여러 사람들한테 '제3지대 야권단일정당론'이라는 제안서를 돌렸어요. 그걸 밑줄 그어가며 읽다 어느 날 회의에 참석하게 됐어요. 그런데 그놈의 잘

난 척이 문젠 게, 이게 산으로 갈지 들로 갈지 답답하더라고요.

제일 답답한 건 문 선배의 컴퓨터였어요. 아주 오래된 구닥다리 컴퓨터라 자판도 잘 두들겨지지 않고 USB 꽂는 데는 먼지로 막혀 있는 거예요. 아휴, 그런 컴퓨터를 들고 앉아 밤새 제안서를 쓰고 그랬더라고요. 그래서 일단 문성근을 돕는 사무소가 되어야겠다 싶었어요. 그러니까 이 운동에 처음 동참한 사람들은 비단 정치 때문만이 아니라 그저 '답답해서' 모인 사람들이라고 봐도 돼요. (웃음)

저도 처음에는 그냥 문 선배를 뒤에서 돕는 사람이었는데 어느 날 보니까 기획팀을 맡고 있더라는 거죠. 하여간 그놈의 잘난 척이 문제예요. 가만히 있어야 하는데.

■ 그럼 '국민의 명령'에서 기획팀을 총괄하는 위치에 있는 거군요.

디자이너예요. 홈페이지 관리하고 잘 운영되는지 체크하는 거요. 처음 시작할 때 포토샵 다룰 사람이 없었다는 게 문제였죠. 그래서 제가 깊이 관여하게 된 건지도 몰라요. 하지만 썩 괜찮은 사이트는 아니에요. 토론이나 논의를 하기에는 굉장히 불친절한 사이트죠. 솔직히 난 싫증이 나서 죄다 바꾸고 싶은데 그게 쉽지 않더라고요. 하여간 소통이 잘되는 사이트가 됐으면 좋겠어요.

■ 미국 대선에 큰 영향을 끼친 '무브온(MoveOn)' 같은 역할을 하게 될 것이라는 기대도 있던데요.

저희 나름대로는 창의적인 시민정치운동을 해보자고 시작한 거예요. 2011년 봄까지 7만 명 이상이 회원으로 가입해주셨어요. 난 이게 기적 같아요. 참으로 감사한 일이죠. 이렇게 뜨거울 줄은 몰랐어요. 그나저나 미국 '무브온'(미국 오바마 대통령 당선에 결정적 영향을 준 유권자 시민운동 단체) 사이트 들어가면 참 깔끔하던데요. 재능 기부도 받고 이런 법안 어떻게 생각하느냐며 의견도 주고받고 아주 깔끔한 30초짜리 CF도 나오더라고요. 우린 좀 지저분하죠?

1000명이 모여 옐로카드 붙이면 어떨까요?

■ 그렇게 많은 사람들이 모였는데 운영에 대한 불만이나 문제제기는 없었나요?

왜 없겠습니까. (웃음) 문 선배와 나를 비롯한 몇몇을 제외하곤 그야말로 시민단체에서 잔뼈가 굵은 운동가들이 실무자로 참여하고 있어요. 그런데도 오해가 생기는 부분이 있더라고요. 이를테면 "왜 너희들끼리 알아서 하느냐", "독재 아니냐" 하는 식인 거죠. 그런데 사실 우린 다 재능 기부한 거예요. 정책위원이다 집행위원이다 이름 붙이니까 딱딱한 상명하복 조직 같은 느낌이 들 수도 있는데 사실은 굉장히 유연한 연성 조직입니다.

사실 직함 거는 것도 별것 아니에요. 대외활동을 해야 하는데 나가서 '국민의 명령 자원봉사자'라고 할 순 없잖아요. 상대편에서도 대표가 나오니까 우리도 대표 직함을 걸자는 거죠. 오해는 좀 풀었으면 좋겠어요. 물론 그것 말고 일하는 과정에서 생긴 잘못도 있을 거예요. 반성은 날마다 합니다. (웃음)

■ '백만 송이 국민의 명령', 단체명이 참 재밌어요. '유쾌한 백만 민란'이란 표현도요.

사실 나는 '민란'이라는 말을 붙이기 싫었어요. 성공한 민란이 없잖아요. 성공한 시민혁명으로 기록되려면 뭔가 더 산뜻하고 섹시한 제목이 필요한데 말이죠. 그런데 지금까지 참여한 분들 대부분이 '민란'이라고 부르시더라고요.

■ 회원들과 함께하는 '야당올레'를 계획하셨죠.

문 선배가 회원 가입 5만 명이 넘으면 야당 당사 앞에서 촛불집회를 연다고 했잖아요. 이번에 그걸 좀 더 크게 해보자고 기획한 거예요. 아주 따뜻한 봄날, 걷자, 이렇게 된 거죠. 즐겁게 걷고 즐겁게 놀고 모든 야당 당사에 옐로카드를 붙이면 어떨까 했어요. 어떤 사람은 레드카드도 붙일 수 있겠죠. 1000여 명의 사람들이 민주당사에 딱 들러붙어 일제히 옐로카드로 도배하면 그림은 되지 않을까요?
조그만 수첩 같은 노란 카드에 우리의 요구를 써서 당에 전달하는 퍼포먼스도 좋을 것 같아요. 더불어 당 소속 국회의원들에게 야권통합에 대한 그대들의 생각은 뭐냐고 물을 수도 있을 거고요. 그냥 이런 게 재밌

을 것 같다는 생각인 거예요.

상상력과 창의력이 없다면 세상을 바꿀 수 없죠

■ 국회 앞 1인 시위도 기획했죠?

예전에 저희가 국회의사당으로 쳐들어간다고 했잖아요. 그런데 막상 국회 앞에서는 집회를 할 수 없다는 거예요. 정말 언짢더라고요. 할 수 있는 게 없구나 싶었죠. 그런데 최민희 '국민의 명령' 집행위원장이 1인 시위를 하면 된다는 거예요. 각자 1인 시위자로 나서서 형형색색 서로 다른 요구를 하면 괜찮다고 했어요. 그래서 '집단적 1인 시위'를 하자고 한 거죠. 문성근이 1인 시위를 한다고 하면 구경 올 사람들도 많지 않을까 싶었어요. 모양새도 괜찮고 재밌을 것 같더라고요.

그런데 정말 재밌었던 게 뭔 줄 알아요? 그 유명한 어버이연합이 악역으로 출연해주셨다는 거예요. 될성부른 집회에는 늘 어버이연합이 출동한다면서요? 그런데 딱 나타나주셔서 너무 기분 좋더라고요.

더 재밌는 게 있어요. '국민의 명령'에도 어버이연합이 있다는 거예요. 그쪽도 굉장히 당황했을 것 같아요. 할아버님들 연세가 그쪽보다 더 많았거든요. 어쩌면 그분들이 이렇게 생각했을지도 모르죠. '국민의 명령은 새로운 어버이연합인가?' (웃음) 그쪽에서 "내가 군대에 가서 나라를 지켰어, 이 빨갱이 새끼들아!"라고 막말을 하면 "뭐? 이 자식들아, 친일인명사전이나 제대로 뒤져봐! 이 친일 부역자들!" 하고 맞섰죠.

■ 궁극적으로 야당더러 합치라고 요구하는 일인데 정작 야당의 반응은 어때 요?

사실 그들로선 꽃놀이패 받는 거죠. 자기들이 모아야 할 사람들을 국민들이 대신 모아주고 있잖아요. 이 국민적 힘은 어떤 식으로든 한국 정치의 힘으로 작용하게 될 테니 결과적으로는 정치권에 유리하지 않을까 생각해요.

소통합이든 대통합이든 2012년 선거 국면에서는 합쳐야 뭘 해볼 수 있지 않겠어요? 낮은 차원에서는 후보단일화고 높은 차원에서는 정당통합인데 어떻게 결론 날지 알 순 없지만 어쨌든 국민들이 바라는 건 제발 이겨서 이 고통을 끝내달라는 거잖아요. 그걸 정치권이 제대로 알아주면 그걸로 '오케이'라는 거죠.

■ 시민정치운동에 푹 빠져서 작품 활동은 아예 못 하는 것 아닌가요?

그래도 연극 〈아큐, 어느 독재자의 고백〉을 했어요. 성황리에 마감을 했죠. 생각보다 잘돼서 전국을 돌면 어떨까 했는데 함께 참여하신 분들의 생각이 달라서 그냥 접기로 했어요. (웃음) 그리고 지방에서 연극작품을 하면 주 중에 딴 일 하기가 어려워요. '국민의 명령' 활동도 해야 해서 일단 접은 거죠. 또 작품을 하려면 머리가 말랑말랑해야 하는데 여기 사정이 그렇지가 않아요. 전 작품을 하려면 최소 이틀은 술 먹고 놀아야 해요. 그래야 머리가 말랑말랑해지면서 작품 구상이 되거든요. 그런데 그럴 시간이 없어요.

■ 영화감독의 관점에서 한국 정치를 평가해볼 때 가장 먼저 바뀌어야 할 것은 뭘까요?

자유로운 상상력과 창의력 없이는 세상을 바꿀 수 없다는 게 제 생각이에요. 그러니 새로운 상상력과 창의력에 기초해서 정치를 바꾸려고 노력하면 안 될까 싶은 거죠. 그런데 한편으로 이런 생각이 들더라고요. 문 대표와 저는 영화 제작도 같이 해보고 출연도 같이 해보고 정말 안 해본 것 없이 같이 해왔는데 그 사람이라고 저와 다를까 싶어요.

처음엔 그도 저도 이 딱딱하고 먹기 힘든 빵을 잇몸 터져가며 부석부석 씹어 먹었다고 생각해요. 그러면서 몇 개월간 거리에 서 있던 거죠. 그새 수만 명을 만나 악수하며 고개 숙여 야권단일정당의 필요성을 호소한 거예요. 그러는 동안 그는 잇몸이 굉장히 강해졌어요. 정치적 직관능력이 발달했다고 해야 할까요? 사람이 저렇게도 변할 수 있구나, 날마다 느껴요.

■ 영화배우와는 다른 정치적 지도력이 생겼다는 뜻인가요?

아니, 지도력과는 상관없어요. (웃음) 그러니까 쉽게 말해 그는 지금 자기 장면 촬영에 너무 충실한 배우인 거죠. 지금 찍는 장면에 너무 충실하다 보니까 전 장면을 자꾸 까먹어서 웃기고 또 문제가 될 때도 있어요. 굉장히 똑똑한 배우가 자기 장면에 정말 충실한 상황이라고 보시면 돼요.

■ '백만 송이 국민의 명령'을 영화에 비유하자면 이제 전반부 촬영은 끝난 셈인가요?

영화는 시작하면 최소 1~2년 걸려요. 시나리오 쓰는 데만 6개월 정도 걸리죠. 시나리오 나오면 주변에 제작 여건도 알아보고 캐스팅도 하느라 엄청 바빠요. 영화에 비유하자면 이제 시나리오 단계에 있는 거예요. '제안서'라는 시나리오를 들고 이게 재밌겠느냐고 물어보며 돌아다니는 중이라고 봐야죠.

우리는 2012년에 관객 1500만 명이 볼 영화를 지금 찍고 있는 거예요. 관객 1500만 명이 들면 대박인 거고 아니면 지는 거죠. 2012년 12월 19일엔 딱 두 편의 영화가 극장에 걸리는 거예요. 하나는 한나라당영화사에서 찍는 보수영화죠. 주인공은 박근혜 혹은 김문수. 다른 하나는 민주진보영화사에서 만드는 옴니버스 영화예요. 이 영화의 주인공이 누가 될지 그 감동 리얼 스토리를 지금 찍고 있는 거라고 생각해요. (웃음)

어떤 영화가 더 재밌을까요? 관객은 기꺼이 자기 돈 지불하고 영화를 보는 거니까 당연히 더 재밌는 영화를 볼 거 아니에요. 그런데 전 확신해요. 우리 영화가 훨씬 재밌고 감동적일 거라고.

다시 말하지만 보수영화보다 민주진보영화가 재미없으면 지는 거예요. 그러니까 뭐든 재밌는 방식으로 해야 돼요. 공천제도도 바꾸고 하나하나 당선되는 전 과정을 국민적 감동으로 몰고 갔으면 좋겠어요. 주인공을 뽑는 과정도 대중과 함께 호흡하면서 말이에요.

■ 재밌는 영화를 찍을 조건은 마련돼 있나요?

이걸로는 좀 부족해요. 조명장치를 더 달아야 여자의 눈물이 더 감동적으로 확 살아날 텐데 그걸 마련할 돈이 없는 격이에요. 물론 없으면 없는 대로 찍어야 하지만 감독으로서는 좀 더 분위기 있게 찍고 싶은 욕심이 있는 거죠. 토론회만 열어도 300만~400만 원이 필요해요. 사람들이 이제는 주먹구구식으로 하는 걸 싫어해요. 제값 치러서 좋은 장소 섭외하길 바라고 자료집도 제대로 준비하길 바라죠.

제왕적 통치는 끝나야죠

■ 2004년 열린우리당에 입당한 적이 있잖아요. 예전부터 정치할 생각이 있었는지 궁금하네요.

이 코미디 같은 얘기를 제 입으로 해야겠죠? 2004년은 문화적으로 중국의 동북공정이 한창 심해질 때였어요. 저도 관심이 있어서 다른 사람들과 함께 연구하고 흥미롭게 지켜보다가 '고구려의 날'을 제정하면 어떨까 생각했어요. 그날만큼은 모든 사람들이 고구려인 복장을 하고 고구려 춤도 추는 상상을 해본 거죠. 이걸 축제 형식으로 하려면 적지 않은 비용이 드는데 어떻게 하면 그 돈을 구할 수 있을까 생각했어요. 그런데 누군가 국회의원이 되면 지원받을 수 있다고 하더라고요. 그래서 당시 함께 영화 준비하던 팀이 몽땅 선거본부를 꾸려서 해본 거예요. 충분한 숙의와 고민 없이 돈키호테처럼 난리를 치다가 석 달 만에 집에 돌아오는데 그제야 풍경이 보이는 거 있죠. 그때 느꼈어요. '정치하는 사람들은 사람이 사람으로 안 보이겠다. 모두 표로만 계산되겠지?' 그 순간 어쭙잖게 선각이 오더라고요. '내가 정말 잘못 접근했구나' 하고 깊이 반성했어요.

■ 서울대학교에서 철학을 전공했는데 어떻게 영화를 하게 됐나요?

전 대학을 졸업한 적이 없어요. 학교 자체를 다니지 않았거든요. 3학년 2학기까지 다니긴 했는데 학교에 간 날을 다 합쳐도 한 달 정도밖에 안 될 거예요. '헤겔 미학회' 같은 모임에서 우리끼리 공부하고 그랬어요. 마지막 등록금은 노동운동하러 가는 친구가 방 구하는 데 필요하다고 해서 줬어요. 그 뒤론 자연스럽게 학교에 안 갔죠 뭐.

■ 대학 때부터 지금까지 직장생활 한 적 없어요?

제가 '창작과 비평'을 2년 다녔어요. 임재경 선생님 등이 추천해서 갔는데 조건이 2년 다니는 거였어요. 그래서 2년 되는 날 사표 썼죠. 또 〈마당〉 기자도 했는데 딱 석 달 다녔어요. (웃음) 만날 술 먹고 계단에서 잠자다가 관뒀는데 그때 저랑 같이 기자 생활했던 후배가 〈뷰스앤뉴스〉의 박태견 국장이에요. 그 친구는 기사를 그냥 막 써요. 무슨 기삿거리가 있으면 앉아서 쭉쭉 쓰는 거죠. 전 그게 안 되더라고요. 그래서 포기했죠. 사실 전 뜬금없는 소리를 많이 해서 기사 쓰는 거랑 잘 안 맞았어요. 이게 저의 직장 수난사예요.

■ 2012년 정권 교체할 때까지는 정말 상업영화 안 할 생각이에요?

음악영화를 구상하고 있어요. 또 용산 문제를 영화로 만들고 싶었는데 그건 누가 한대요. 잘됐죠. 음악영화로 굉장히 대중적이고 편안한 이야기를 하고 싶은데, 문제는 영화판에 대체로 정설이 있다는 거예요. 음악영화, 동물영화, 이런 건 망한다는 거죠. (웃음) 〈원스(Once)〉(2006) 같은 영화는 의외로 성공했지만 대개 음악영화는 흥행이 잘 안 돼요.

■ 요즘 한국 영화는 어떻게 평가하세요?

자본독재에 심각하게 휘둘리고 있다고 생각해요. 전 판타지 리얼리즘 영화를 좋아하는데 그런 영화적 상상력이 자본독재에 눌려 있는 게 아닌가 싶어요. 영화진흥위원회가 과연 창작을 고취하는 방향에서 제도적 고민을 하고 있는 건지 모르겠어요. 이명박 정부 이후 한국 영화는 주소지를 잃고 배회하는 섬과 같은 존재가 된 건 아닐까 싶어요.

■ 생활고에 시달리다 사망한 작가 '최고은 사건'은 어떻게 보나요?

영화 생산인력 구조의 현실이죠. 비정규직이 너무 많고 임금은 턱없이 낮아요. 하지만 전 이 문제를 국가적 지원의 측면보다는 한국에서 여성 영화인으로 살아가는 것이 얼마나 어려운 일인지의 관점에서 접근하고 싶어요. 대학에서 영화학을 전공한 여자들이 과반을 넘지만 성공한 여성 영화인은 드물거든요. 똑똑하고 창의력 있는 여성 영화인이 아무리 많아도 1년 동안 생산되는 한국 영화에서 여성 감독 비율은 굉장히 낮아요. 1퍼센트나 될까요? 여성 감독이 입봉하기 참 어려운 조건이에요. 그래서 전 이런 주장을 해요. 한국의 영화제작사에서 여성 감독에 대한 투자 비율 최소치를 20퍼센트 두라는 거죠. 한국 영화계에서 여성은 분명 사회적 약자로 존재하기 때문이에요. 그런데 누가 제 말을 들어야 말이죠.

■ 이명박 대통령에게 하고 싶은 말은 없나요?

이명박 대통령이 집권한 지 불과 몇 년 지났는데 수십 년은 된 것 같아요. (웃음) 한편으론 한나라당이 재집권해서는 안 된다는 걸 확실히 알려줘서 고맙긴 해요. 정말 끔찍한 현실이긴 한데 그래도 제왕적 통치자의 종말을 가져다준 분으로 기록될 것 같아요. 종결자로서 화끈하게 마침표를 찍어주지 않을까 싶죠.

이젠 그 누구도 제왕적 통치자를 원하지 않거든요. 그 점에서 박근혜 한나라당 의원은 불리해요. 그는 아버지에게 물려받은 유산이 있기 때문에 제왕적 통치의 길을 걷지 않을 수 없거든요. 그녀의 입만 바라보면서 거울에 비친 그녀의 얼굴만 보는 현실, 어때요? 전 너무 끔찍할 것 같아요.

■ 그래도 현실적으로는 박근혜 의원이 유력한 대선주자잖아요. 야권에는 인물이 없다고들 하고요.

그놈의 인물 얘긴 이제 그만했으면 좋겠어요. 제 생각은 이래요. '국민의 명령을 받들고 연립정부를 수립하겠다면 그 누구라도 좋다! 국민은 그를 지지할 것이다!' 연대와 연합만이 2012년 민주진보가 이길 수 있는 최선의 방법 아니겠어요? 더 이상 '제2의 최고은'을 만들어내지 않으려면 뭐라도 해야 하는 거 아니에요?

어쩌면 이걸 정치의 'ㅈ'자도 모르는 영화감독의 무식한 소리라고 할지도 모르죠. 그런데 우리는 새로운 사람을 원하는 게 아니에요. 누가 되든 연합해서 새로운 정치질서를 만들어내는 데 혼신의 힘을 다해달라는 거죠. 그러니까 정확히 말해서 인물을 찾는 게 아니라 역할을 찾는 거예요. 20대와 30대가 진보와 자유주의에 매력을 느낄 수 있도록 노력해줬으면 좋겠어요. 제발 부탁입니다.

■**인터뷰** 2011. 3. 3 ■**사진** 유성호

에필로그

2010년 8월 깃발을 든 '국민의 명령'은 1년 새 18만 명으로 회원이 늘어났다. 2012년 총선과 대선을 앞둔 마당에 그 숫자가 얼마나 더 많이 늘어날지는 알 수 없지만 그들이 열정과 노력을 바친 결과다.

그런데 한동안 여균동 감독과 연락두절이 됐다. 그저 트위터 정도로 생사를 확인했다고나 할까. 그러던 어느 날, 그에게서 전화가 왔다. 최근 야권통합운동이 어찌 돼가느냐고 묻는 것이었다. 깜짝 놀랐다. 야권통합운동의 핵심 인물이 기자에

게 최근 상황을 묻는 통에 당황했다. 이런 답이 날아왔다.

"나 제주도야."

'길 위의 신부' 문정현 신부님과 제주 강정마을에 눌러앉아 해군기지 반대운동을 하고 있었던 게다. 왜 거기 가 있느냐고 물었더니 "평화가 밥"이라고 했다. 해군기지가 제주의 그 맑은 물을 점령하도록 놔둬서야 되겠느냐는 비분강개도 이어졌다.

영화 속에서는 한량 같고 일상에서도 최대한 자유로운 영혼이었지만 제주 그 맑은 물이 군사기지로 무장되는 것만은 도저히 참을 수 없는 모양이었다.

그가 야권통합운동에 열을 올렸던 것도 기실 따지고 보면 우리네 삶과 연관된 평화와 사람과 자연을 지키기 위한 투쟁이었다는 것을 가슴으로 느낄 수 있었다.

문화예술인의 시민정치운동. 고깝게 보는 시선 또한 존재하는 게 사실이지만 여균동 감독은 별 대꾸 안 하고 갈 길을 간다.

노래하며 저항하는
나비로 살아가다

사회적 활동 안 하는 연예인이 어디 있나요? 그런 면에서 보자면 모두 소셜테이너죠. 정치·사회적 이슈가 되는 얘기를 한다고 해서 소셜테이너가 되는 건 아니라고 생각해요. 단지 저희가 생각하고 경험한 바를 여과 없이 음악으로 표현하고 싶은 것뿐인데 특정 개념으로 YB를 한정시키지 말았으면 좋겠네요.

가수 윤도현

'씹고 뜯고 즐기고'가 아니라 '묻고 답하고 즐기는' 도구가 생겼다. 트
위터다. 누가 어떤 '말 발자국'을 남겼는지 자꾸 들여다보게 된다. 눈의
피로, 육체 피로를 호소하면서도 남의 글을 읽고 내 글을 남긴다. 일종
의 마약이다. 한 번 빠지면 헤어 나오기 어렵다.

가수 윤도현(@ybrocks)도 푹 빠졌다. 트위터로 노랫말도 지었다. 콘서트
가 끝난 뒤 그날 공연에 대해 후일담도 늘어놓고 '번개' 채팅도 즐긴다.
소셜미디어를 통해 대중과 직접 소통에 나선 윤도현은 대표적인 '사회
적 가수'다. 시민단체, 여성단체, 환경단체, 통일운동단체 등 도움이 필
요한 곳은 어디든 간다. 사회 문제에 날카롭게 날을 세우는 것은 아니지
만 큰 틀에서 우리 사회가 어디로 가야 하는가를 고민하는 가수다.

한국의 대표적 소셜테이너로 불리면서도 소셜테이너라는 틀에 갇히고
싶어 하지 않는 로커 윤도현. 그는 양심수 석방을 위한 콘서트, 일본군
위안부 할머니들을 위로하는 자리, 기부문화 활성화를 위한 시민단체
공연, 통일을 위한 활동 등 자신이 필요한 곳이라 생각하면 곧바로 움직
인다. 그런 그를 진보나 보수라는 틀로 가두려는 것은 그야말로 자유롭
게 하늘을 날아다니는 나비를 가두는 꼴과 같다는 생각이 들었다.

■ 프로젝트 미니앨범 'YB vs RRM'을 새로 냈는데요. 무엇을 특징으로 한 앨범인가요?

솔로가 아닌 YB로 프로젝트 앨범을 낸 건 처음이에요. 이번에는 기존의 YB에서 탈피하려고 노력했어요. 언더그라운드 그룹과 공동 작업도 했고 일렉트로닉과 록이 결합되는 형식도 시도했습니다. 그렇다고 해서 우리가 시류에 편승한 노래를 만들기는 어렵고……. 다만 기존 YB 색깔에 좀 더 다채로운 면모를 섞어보려고 노력했다고나 할까요.

■ 솔직히 이번 앨범은 약간 어려운 느낌도 들었어요.

선택의 폭을 넓혀드리고 싶었어요. 어렵게 들릴 수도 있으나 이런 음악도 YB가 좋아한다는 걸 함께하고 싶었습니다. 좀 더 폭넓은 음악을 들어보셨으면 하는 의도가 있는 앨범이라고 생각해주시면 좋겠어요.

■ 〈스니커즈〉는 트위터로 만들어 화제가 됐는데요.

연습실에서 곡을 쓰다가 트위터에 'YB에게 어떤 스타일의 곡을 원하느냐'는 글을 올렸어요. 가령, 희망적이고 활기찬 곡이 좋은지, 차분한 곡이 좋은지……. 대개 희망적인 곡을 발표해달라는 의견이 많았어요. 그렇게 소통을 시작했죠.
'스니커즈'라는 곡을 써야겠다고 생각한 뒤, 이 단어를 들었을 때 연상되는 단어를 올려달라고 글을 남겼죠. 그랬더니 다양한 의견이 올라왔어요. 그걸로 가사를 만들었죠. 저는 '스니커즈' 하면 너바나의 커트 코베인이 생각나요. 여기에다 트위터에 올라온 다양한 의견들을 보탰죠. '운동장' 등 여러 단어들을 노트에 적었고 그다음엔 스토리를 구성했어요. 영화를 만들 듯이 시나리오를 썼습니다. 작업 시간은 약 하루 정도 걸렸어요. 초안은 하루 만에 거의 다 썼지만 수정 작업은 꽤 오래 걸렸습니다.

대략 이런 거예요. 가정 형편이 어려운 한 어린 친구가 있는데, 늘 스니커즈를 신고 다니는 이 친구는 록 스타가 되는 꿈을 꾸죠. 그런데 록 스타를 꿈꾸기 때문에 주변에서 손가락질을 해요. 하지만 결국 그 꿈을 이뤄내고 모든 상황이 변하죠. 그런데 유독 변하지 않고 곁에 남아 있는 게 있으니 그게 바로 너덜너덜해진 한 켤레의 스니커즈예요. 힘들고 소외되고 외로운 세월을 함께해준 건 그 스니커즈였다, 뭐 이런 내용이죠.

이걸 함축적인 가사에 다 표현하기는 어려워요. 그래서 가사가 100퍼센트 마음에 드는 건 아니에요. 그 때문에 실은 비디오가 중요해요. 뮤직비디오의 영상에는 이 스토리가 모두 담겨 있습니다. 사실 참 쉬운 얘기거든요. 사람들이 이 노래를 듣고 꿈을 이루기 위해 좀 더 힘을 낼 수 있으면 좋겠어요. 뭔가를 실현하기 위한 여정에서 비록 좌절하더라도 희망을 잃지 않는 삶이기를 바라는 거죠. 구태의연하게 들릴지 모르겠지만 저는 개인적으로 꿈이 굉장히 중요하다고 생각하는 편이에요.

■ **개인적인 경험도 담긴 얘기인가요?**

사실은 저도 그런 경험이 있어요. (웃음) 음악을 하겠다고 하면 주변에서 대개 그러거든요. 어떤 꿈을 갖고 있는 건데 그 꿈을 실현하라고 독려해주기보다는 허무맹랑한 생각이라면서 놀리죠. '그게 되겠어?' 하는 식이에요. 제가 록 스타가 되겠다고 했을 때 아버지는 차라리 기술 배워라, 대학에 가서 공부해라, 그러셨어요. 예술을 선택하겠다고 하면 집안에서 반대하는 경우가 많지 않나요?

■ **윤도현 씨는 그 꿈을 이룬 거죠?**

음악을 한다는 측면에서는 꿈을 이뤘다고 봐요. 요즘에는 좋은 작품을 만드는 게 꿈이지만요. 해외 공연도 많이 하지만 해외에 진출하기 위한 것이라기보다는 좋은 작품을 통해 지구라는 땅덩어리 안에서 소통하고 싶어서예요. 지구를 벗어나 우주까지 가면 좋겠지만 저 죽기 전에는 안 될 것 같아요. (웃음)

트위터 '강추'합니다

■ **프로젝트 앨범에 영어 곡들이 들어간 것도 소통의 일환인가요?**

이 앨범이 나오면서 아이튠즈로 월드와이드 유통을 하기 시작했어요. 전 세계 유통이 시작된 거죠. 여러 나라로 우리 작품이 공개되고 있으니까요. 사실 YB 노래 중 영어 곡이 많은데 제대로 유통된 적은 없어요. 그런데 이 곡들은 한국에서 내봤자 의미가 없더라고요. 그래서 이번 앨

범은 갖고 있는 콘텐츠 가운데 거의 10년간 잠재워놓고 있던 걸 풀어놓은 것이기도 합니다.

■ 곡을 만들고 유통하는 과정에서 소셜미디어를 잘 활용하는 것 같아요.

적극 활용하려고 합니다. 홈페이지도 새로 만들었어요. 맥 컴퓨터로도 볼 수 있고 윈도, 모바일로도 볼 수 있는 사이트(www.ybrocks.kr)예요. 이 사이트에 뭘 올리면 트위터, 페이스북, 유튜브, 아이튠즈와 다 연결이 돼요. 우리는 소셜미디어를 적극적으로 활용해서 급변하는 사회에 적응하려고 합니다. (웃음)

■ SNS를 활용해보니 어떤 점이 좋고 또 어떤 점이 나쁜 것 같아요?

저는 장점만 느끼는데요. 굳이 단점을 말하자면 지속적으로 관리하는 일이 피곤하다는 거죠. 트위터도 계속 공부를 해야 하니까 좀 피곤한 면이 있어요. 그냥 다음으로 미뤄도 좋으련만 성격상 그런 게 잘 안 돼요. 해결을 못 하고 자리에 누우면 꿈에서 화살표가 자꾸 절 찌르거든요.

■ 트위터가 가사 쓰는 데 도움이 많이 됐나요?

팬들이 어떤 음악을 원하는지 소통하고 싶을 땐 트위터가 안성맞춤인 것 같아요. 대중들이 원하는 게 어떤 건지 근접해서 의견을 들을 수 있기 때문이죠. 도움이 많이 돼요. 냉정한 평가를 들을 수 있을 때 굉장히 좋습니다.

물론 신비롭게 활동하는 연예인이라면 큰 도움이 안 되겠지만 YB처럼 대중과 어울리고 싶어 하는 연예인이라면 '강추'예요. 또 트위터는 글로벌하다 보니까 해외 팬들도 많이 늘게 되더군요. 제가 처음 트위터를 하게 된 것은 타이거JK 때문인데 결국 그 덕에 브라질 팬클럽까지 생겼어요. 그들과 맞팔로잉도 했고요. 저희 기사가 나오면 브라질의 케이팝 매거진에 포르투갈어로 번역해 전해주기도 해요. 게다가 유명인들과도 연결되니 정말 재밌어요.

■ 어떤 사람들을 주로 팔로잉하나요?

200명 정도 팔로잉하고 있는데요. 미국의 헤비메탈 음악가 톰 모렐로, 달라이 라마, 이외수 선생님 등등. 정보 차원에서는 기자들도 조금 팔로잉하죠. 트위터를 통해 외국 뮤지션들이 같이 작업하고 싶다는 연락도 해옵니다.

YB를 특정 개념으로 한정시키지 말았으면……

■ 사회적 소통을 늘 강조하고 즐기는 편이잖아요. 사회적 활동을 적극적으로 하는 연예인을 일컬어 '소셜테이너'라 부르기도 하는데 이런 별칭, 어떤가요?

사회적 활동 안 하는 연예인이 어디 있나요? 그런 면에서 보자면 모두 소셜테이너죠. 정치·사회적 이슈가 되는 얘기를 한다고 해서 소셜테이너가 되는 건 아니라고 생각해요.

YB 스타일의 음악을 하는 그룹이 많지 않기 때문에 저희를 간혹 '정치적 밴드'라고 부르는 분들이 있는데 그보다는 '사회적 밴드'에 가깝다고 생각해요. 그나저나 저는 그런 단어를 별로 좋아하지 않아요. '이 사람은 소셜테이너', '저 사람은 폴리테이너' 하는 식으로 규정하는 게 싫거든요. 어떤 굴레를 씌워놓는 것 같아요. 단지 저희가 생각하고 경험한 바를 여과 없이 음악으로 표현하고 싶은 것뿐입니다. 특정 호칭이나 개념으로 한정시키지 말았으면 좋겠어요.

재미있는 사실이 하나 있는데요. 저도 나이가 들면서 점점 유해진다는 겁니다. 예전과 달리 말도 삼가게 돼요. 자식도 있는데 날 세우지 말고 살아야죠. (웃음) 그런데 유독 음악만큼은 점점 날이 서요. 희한하죠? 그런데 전 그 점이 좋아요. 음악만큼은 냉정하고 까칠하게 하고 싶거든요.

■ 예전에는 기부 문화 활성화를 위한 사회적 콘서트에도 자주 출연했잖아요. 요즘도 그런 사회적 활동을 적극적으로 하나요?

좋아하는 음악을 하면서 먹고살 수 있다는 게 저는 너무 행복해요. 그래서 제가 이렇게 살 수 있도록 해준 대중에게 뭔가 보답해야 할 것 같다는 생각이 들었어요. 너무 감사하니까요. 받았으니 돌려드려야 한다고 생각한 거죠. 음악을 통해서 뭔가 할 게 있고 도울 만한 것이 있다면 계속하고 싶어요. 그래서 행사에 많이 서게 됐습니다.

그렇다고 해서 이 사회를 바꿔야 한다든가 뭔가를 의무적으로 해야 한

다는 생각을 가지고 한 건 아니에요. 그냥 자연스럽게 한 거죠. 이를테면 위안부 할머니들을 위로하는 공연은 언제든지 할 수 있어요. 이 공연에 관객이 셋이든 넷이든 그건 상관없어요. 보람이 있으면 음악에 대한 열정은 더 타오르거든요. 양심수 석방을 위한 공연도 같은 생각으로 가서 한 거죠.

■ 요즘도 같은 생각인가요?

생각이 좀 바뀌었어요. 어떤 행사인지 꼼꼼히 따져봅니다. 행사의 성격을 알고 가면 진정성이 더 나오죠. 6·15공동선언 10주년 기념 공연도 그래서 했어요. 2010년이 6·15공동선언 10주년이었거든요. 그런데 전반적으로 굉장히 조용히 지나갔어요. 게다가 신기하게도 10주년 기념 행사를 울산에서 했어요. 보통 그런 큰 행사는 서울에서 하기 마련인데 말이죠.

그런데 이런 생각이 들었어요. (천안함 문제 등으로) 남북 간 분위기도 썰렁한데 이렇게 화합하려는 이들이 있구나! 감동적이었습니다. 6·15공동선언 10주년을 즈음해서 남북 화합 분위기가 조성됐으면 좋았을 텐데 그러기는커녕 대립관계로 치닫는 상황이 답답하던 차에 잘됐다 싶어 멀지만 내려갔죠. 행사는 정말 만족스러웠습니다.

이런 행사를 열어줬다는 것만으로도 고마웠죠. 저는 남북관계와 관련된 전문지식이 없기 때문에 딱딱한 이야기는 못하겠어서 인간적인 얘기만 했습니다. 우리 부모님 모두 고향이 북쪽이에요. 세월이 흐르면서 이산가족으로 살아온 분들이 하나둘 이 세상을 떠나고 있는데 더 늦기 전에

서로 만나 얼굴 어루만지며 눈물이라도 흘릴 수 있어야 하는 것 아닌가 하는 생각이 듭니다.

■ **연예인이지만 생활인이기도 합니다. 생활인의 눈높이에서 부딪히는 사회 문제는 주로 어떤 것들이 있나요?**

제게 닥친 문제는 교육 문제예요. 여섯 살배기 딸아이가 유치원을 다니는데 걱정이 태산입니다. 이제 곧 학교를 가야 하기 때문이에요. 초등학교는 담임선생님이 중요하다는데 어떤 선생님을 만날지 걱정이 돼요.

사회적으로는 지나친 경쟁이 문제라고 봐요. 젊은 세대들을 보면 경쟁이 심하다 보니 심지어는 가까운 친구들끼리도 경쟁을 하더군요. 경쟁 없이 살 수는 없을까요? 물론 긍정적인 에너지를 주고받는 선의의 경쟁까지 나쁘다는 건 아닙니다. 하지만 경쟁이 지나치면 서로에 대한 불신과 증오가 자라나게 되니까 그 점이 안타깝다는 겁니다.

이번 앨범을 통해 젊은 세대들에게 말하고 싶은 건 꿈을 놓지 말았으면 좋겠다는 거예요. 그게 무엇이든 각자 하나씩 꿈을 갖고 있으면 현실이 아무리 고단해도 견뎌낼 수 있지 않을까요? 각자의 가슴에 작은 꿈 하나 간직하고 살았으면 좋겠는데 그들이 직면한 삶 속에서는 그런 꿈조차 꾸기 어렵죠. 참으로 각박한 현실에 처해 있는 것 같습니다.

■**인터뷰** 2010. 8. 4. ■**사진** 권우성

에필로그

그와 만난 뒤 간혹 MBC 〈두 시의 데이트〉를 듣게 됐다. 그의 라디오 방송은 오후 시간대의 피로회복제였고 행복 비타민이었다. 그러던 2011년 9월 27일, 그가 MBC 라디오 마이크 앞을 떠나게 됐다. 동료였던 김미화, 이문세는 "훌륭한 인재를 놓쳐버린 MBC"를 개탄했다. 윤도현 소속사는 "MBC 측이 새로운 DJ가 내정됐으니 윤도현은 다른 프로그램으로 자리를 옮겨 맡아달라고 요청했다"며 "흔히 말하는 달면 삼키고 쓰면 뱉는다가 지금인 것 같다"고 반발했다.

그러나 그는 담담했다. 마지막 날의 오프닝에서 그는 "헬렌 켈러가 '햇빛을 향해 있으면 그림자를 볼 수 없다'고 말했는데, 오늘은 그림자를 보지 말고 나를 봐달라"며 "오늘도 두 시간 신 나게 달려가 보자"고 말했다. 로큰롤 가이답게 '쿨' 했다. 늘 젊은 피가 끓어오르는 듯한 그이지만 세상을 바라보는 시선은 깊다. 때로는 불합리한 일을 겪기도 하지만, 당장의 해결책이 없다 하더라도 서로 손잡고 함께 고민할 때 새로운 사회적 해법을 찾을 수 있다고 그는 믿는다. 그런 믿음과 희망을 담아 노래를 부른다.

2040세대의 문화를
살찌우고 싶다

가슴골 노출은 안 된다고 말하는 사람들은 기성세대겠죠? 걸그룹을 좋아하는 것은 10대일 테고. 기
성세대와 10대 사이에 끼어 있는 중간세대들이 목소리를 내야 하지 않을까 싶어요. 30~40대는 왜
아무 소리 안 하고 사는 건지 모르겠어요. 너무 조용하지 않나요?

소셜테이너 인터뷰 · 14

가수 이상은

1988년 어느 가을날, 학력고사 100일을 앞둔 고 3 여고생들이 학창 시절 마지막 가을소풍을 떠나는 버스 안이었다. 관광버스 통로에 걸터앉은 반장이 통기타를 매고 선창한다.

"담다디 담다디 담다디담 담다디다담 담다디담~"

곧 닥칠 큰 시험을 앞둔 터라 무릎 위에서 단어장을 놓지 못했던 단발머리 여고생들은 어느덧 한 목소리로 버스가 떠내려가라 악을 쓰며 노랠 부른다. 세 시간 자면 붙고 네 시간 자면 떨어진다는 3당 4락의 공포 속에서 나 아니면 모두 경쟁자요 적이었지만 이상은의 〈담다디〉를 함께 부를 땐 친구였고 동지였다.

이상은은 말 그대로 '80년대의 아이돌 가수'다. 시쳇말로 잘나갔다. 하지만 가장 잘나갈 때 갑자기 훌쩍 떠났다. 공부하고 싶다는 게 이유였다. 대중은 그의 목소리를 간절히 원했지만 그는 자유를 찾아 훨훨 날아갔다.

노래를 쉬는 동안 그는 글을 쓰고 그림도 그렸다. 일본, 뉴욕, 런던 등 세계 각지를 여행하며 자유인이 된 것이다. 그가 세계 여러 나라의 문화 예술을 향유하며 국내에 전파하는 동안 같은 세대 대부분의 여성들은 세월을 건너 어느덧 중년이 되었다. 결혼해 아이를 낳아 키우고 직업인으로 살아가는, 말 그대로 '평범한' 아줌마가 된 것이다. 가끔 여고시절이 생각날 땐 〈담다디〉를 흥얼거리며……. 그래서일까? 그를 만나러 가는 길이 설레었다. 만나면 가장 먼저 무슨 이야기를 할까. 가슴이 두근두근 뛰었다.

예나 지금이나 몸매는 여전했고 목소리는 '쿨' 했으며 성격도 시원시원했다. 처음부터 그는 동갑내기란 걸 직감한 듯 말했다. "나보다 한두 살 아래신가요?" 살짝 기분이 좋았다. 두개골 뒤편에 빼곡히 자리 잡은 내 흰 머리칼을 못 본 게 확실했다.

■ 매일 오전 MBC 라디오 〈이상은의 골든디스크〉로 청취자들과 만나고 있는데, 어떠세요?

처음 시작한 게 2010년 봄이에요. 김기덕 선배에게 배턴을 이어받고서는 솔직히 부담스러웠어요. 특히 MBC FM 라디오를 항상 틀어놓고 있는 불특정 다수 청취자가 있기 때문에 어디에 초점을 맞춰야 하나 초기에 고민이 많았습니다. 그때까지, 말하자면 '재야인사'로 살았는데 라디오를 통해 메인 스트림에 딱 던져진 느낌이랄까. 석 달간 잠을 제대로 못 잤어요. 눈물로 지새운 밤도 많았답니다. (웃음) 그래도 지금은, 약간 어려운 맛은 있어도 다른 데서 좀체 듣기 힘든 좋은 음악을 틀어주는 방송으로 자리 잡고 있어요.

■ 라디오라는 매체가 갖는 장점이 있는 것 같아요. TV보다 훨씬 정감 있는 것 같고요.

일본에서 10년 가까이 살았을 때 느낀 건데 어딜 가나 라디오에서 좋은 음악이 나왔어요. 그때 참 행복했죠. 요즘은 일본의 라디오 방송이 황폐해졌다고들 하는데 제가 살 땐 괜찮았습니다. 요샌 토크쇼에 만담이 주류지만요.

사실 처음에는 〈골든디스크〉를 맡을까 말까 고민했어요. 전 만담에 능한 사람이 아니니까. 그러나 좋은 음악을 소개하는 프로그램이라면 맡아보겠다고 했죠. 점차 황무지로 변해가는 음악시장에 뭔가 좋은 음악을 소개한다면 그 사명감을 가지고 해볼 수 있겠다 싶었어요. 〈골든디스크〉를 맡은 국장님(PD)께서 '음악방송의 부활'을 꿈꾼다고 해서 시작하게 됐습니다. 그런데 막상 시작하고 보니 음악방송의 부활은 멀고도 험한 길이네요. (웃음)

좋은 음악을 알리기 위한 실험이 부드러운 혁명으로 이어지려면 하루 이틀 갖고 될 일은 아닌 것 같아요. 지금 제가 진행하는 음악 프로그램이 선순환하면서 음악시장의 활성화까지 이어질지는 알 수 없지만 뭔가 시도하려는 자세는 의미 있는 것 같아요. 일본이나 우리나 지금은 음악시장 자체가 무너졌으니까요. 마치 환경이 파괴된 다음에 어떻게든 예전의 환경을 살려보려고 노력하는, 그런 마음 같죠? (웃음)

■ 거의 '대세'라고 할 만큼 많은 걸그룹들이 양산되고 있습니다. 그러다 보니 선정성 논란도 많은 게 사실입니다. 방송사의 '걸그룹 가슴 단속'으로 논란이

된 적도 있죠. 이런 문화에 대해 어떻게 생각하세요?

'멋'이라는 게 결국 문화를 이끌어가는 힘이라고 보는데요. 아날로그적으로 라디오에서 나오는 음악이 멋있다고 생각하는 사람들도 있을 것이고 걸그룹이 섹시한 옷을 입고 춤추는 걸 멋이라고 생각하는 사람들도 있을 거예요.

제 생각에 한국에는 멋의 종류가 너무 적은 게 아닌가 싶어요. 일단 뭐가 멋있는지 그 맛을 알아야 하는데 우리 사회에는 그걸 맛볼 멋의 종류가 많지 않아요. 기성세대가 새로운 세대들에게 그걸 허락하지도 않았고요. 저는 '펑크'를 굉장히 멋있다고 생각해요. 그게 다 외국에 나가서 펑크 문화의 맛을 봤기 때문입니다.

그동안 한국의 기성세대는 멋에도 여러 포인트가 있다는 걸 보여주지 않았어요. 규격화된 것만 보여주면서 그게 멋있는 거라고 주입해왔죠. 그러니 새로운 세대와 아이들은 그걸 거부하면서 일종의 전쟁을 치르는 격 아닐까요. 하지만 진정한 대화나 소통이 없는 한 별로 의미 없는 싸움이겠죠.

문제의 핵심은 멋에도 다양성이 있다는 걸 표현하지 못한다는 겁니다. 현재로서는 모 아니면 도예요. 하지만 선택지가 둘밖에 없는 건 별로 멋지지 않잖아요. 이럴 바에야 언젠가 둘이 쾅 부딪쳐 산산조각 나는 건 어떨까요. (웃음) 시장을 장악하려는 쓸데없는 생각은 버리고 다양한 멋의 맛을 알게 해주는 단계로 문화 수준이 넘어갔으면 좋겠어요. 문화다양성을 추구해야 한다고 생각해요.

제 나이에서는 그런 것들이 모두 유감이죠. 결국 문화다양성이 없기 때문에 그런 게 아닌가 싶어요. 즐길 수 있는 게 그것밖에 없는 거예요. 즐길 문화가 없다 보니까 말도 안 되는, '가슴골' 운운하는 추하고 창피한 형태가 나타나는 거라고 봅니다. 창피한 줄 알아야죠.

중간세대의 목소리를 듣고 싶습니다

■ 3년 만에 14집 앨범을 냈는데요. 이 앨범을 통해 말하고 싶은 건 무엇인가요?

아무리 바빠도 시간이 나면 책을 읽으려고 하고, 문화선진국들은 어떻게 하고 있는지 관심을 갖고 살펴보면서 그 좋은 면을 배우려는 사람들이 있다는 점이 반가워요. 저는 그 무리에 속한 사람이라고 봅니다. 그들도 저도 서로 새로운 문화를 주고받는 거죠.

기성세대와 10대 문화 외에 재미있으면서도 뭔가 새로운 대안을 찾는 제3의 문화가 있다는 걸 알려가는 과정에 있다고 보시면 돼요. 제가 진행하는 라디오 프로그램에서도 팝이나 가요가 아닌 제3의 음악을 간혹 틀어요. 새로운 문화가 대중들에게 좀 더 매력을 발산할 수 있는 기회가 생겼으면 좋겠다고 생각하기 때문이죠.

■ 제3의 문화는 어떤 문화를 말하는 거죠?

가슴골 노출은 안 된다고 말하는 사람들은 기성세대겠죠? 걸그룹을 좋아하는 것은 10대일 테고. 기성세대와 10대 사이에 끼어 있는 중간세대들이 목소리를 내야 하지 않을까 싶어요. 30~40대는 왜 아무 소리도 안 하고 사는 건지 모르겠어요. 너무 조용하지 않나요? 자신감을 갖고 무엇을 원하는지 혹은 무엇에 질려버렸는지 얘기했으면 좋겠어요. 문화선진국은 주로 30대의 입김이 센데 우리나라는 10대와 50대 이상의 입김이 세요. 젊은 사람들이 맥을 못 추는 나라랄까? 한 국가의 중추세대가 아무 소리 못 하는 이유가 뭘까요. 아무 생각이 없는 건가요, 관망하는 건가요, 아니면 때를 기다리는 건가요. 2040세대가 아무 말 없이 지내는 게 큰 문제 같아요.

■ 3040세대는 '이상은' 하면 가장 먼저 〈담다디〉를 떠올립니다. 성공가도를 달리는 스타였는데 돌연 그 판을 떠났어요. 왜 그랬나요?

〈담다디〉를 부를 때 제 나이가 열아홉 살이었어요. 사람들 눈에는 빛나고 신 나는 자리로 보였겠지만 정말 힘들었어요. 지금 생각하면 그 나이에 제가 그걸 어떻게 견뎠나 싶어요. 지금이야 40대가 되고 보니 나름 어려움을 헤쳐가는 지혜도 생겼지만 그땐 정말 힘들었습니다. 말 그대로 지금 아이돌 가수들처럼 녹화에 인터뷰에 공연에 하루하루 정신을 차릴 수 없을 만큼 바쁘고 힘들었어요. 훌쩍 그 판을 떠난 건 참 잘한 결정이었다고 생각합니다.

현실을 억지로 견디다가 어딘가 망가지거나 정신적으로 감당을 못해 무너지는 것보다는 훨씬 나은 선택이 아니었나 싶어요. 솔직히 그때 행복하지 않았습니다. 사람에게 행복이 제일 중요한 가치 아닌가요? 저처럼 자유로운 기질을 지닌 사람은 행복하지 않으면 억만금을 준다 해도 억지로 일을 하지 못해요. 그렇게 훌쩍 떠난 뉴욕에서의 생활은 무척 행복했어요. 돈을 무지 많이 벌지는 못했지만 재미있고 행복했기 때문에 보람도 있었죠. 게다가 한동안 밖에 있다가 돌아오니 사람들이 조금씩 다시 알아주고 벌이도 조금씩 나아지는 기쁨이 있던데요. (웃음)

10대들은 스타가 되면 솜사탕처럼 달콤한 일만 있을 거라고 상상하지만 현실은 전혀 그렇지 않아요. 아무리 달콤한 꿈을 꿔도 세상은 냉혹하다는 걸 전 어린 나이에 일찍 깨달은 거죠.

■ 오래도록 사랑받는 대중스타로 살겠다는 욕심은 없었나요?

제가 우리 국장님께 이런 말을 한 적이 있어요. 〈골든디스크〉 듣고 대기업이 투자를 해서 음악 전문 방송사를 하나 만들어줬으면 좋겠다고. 그랬더니 자유로운 영혼들에게 대기업은 견디기 힘든 곳이라고 말씀하시더군요. 비인간적인데다가 뭐든 수익을 얼마나 가져다주느냐로 계산한다는 거죠. 만일 제가 대기업에 들어간다면 절대 못 견딜 것 같아요. 그러니까 〈담다디〉의 대성공은 제가 대기업에 입사한 것으로 비유할 수 있어요. 정말 너무하다 싶을 정도로 바쁜데, 만약 그 일정에서 살아남는다면 스타 반열에 올라서 수억 원씩 벌어들이겠죠. 그런데 뭐 저는 실력도 부족하고 워낙 자유로운 기질인데다 솔직히 재미도 없었어요. 스타로 사는 게 재미있는 사람이 몇 명이나 될까 싶은데 진짜 강한 사람이 아니면 힘들 거예요. 그런 초상업적 상황을 견딜 수 있는 사람은 상위 1퍼센트밖에 없다고 생각합니다. (웃음)

■ 빅 스타의 자리를 스스로 내려놓은 뒤 인디문화로 새롭게 만나는 대중은 어때요?

예전에는 어린 친구들이 종이로 접은 학알과 뻥튀기를 보내줬죠. 물론 인디문화로 만나는 친구들은 그런 것 안 줍니다. (웃음) 그렇지만 어떤 새로운 문화를 이끌어가는 사람으로 인정받고 그들과 한 팀이라는 소속감을 느껴요. 만족감이 크고 아주 행복합니다.

그들은 제가 뭘 원하는지 알아요. 그러니까 라디오 프로그램에서도 그 방향으로 '펌프질'을 해주는 거예요. 좋은 음악을 던져주고 훌륭한 글을 직접 남겨주는 거죠. 뭐랄까, 톡톡 쳐서 그 방향으로 가게 만든다고 해야 할까요? 그런 게 있어요.

한국의 저항 뮤지션도 U2가 될 수 있었죠

■ 책도 쓰셨어요. 《뉴욕에서》는 어떤 책인가요?

오바마가 대통령이 된 뒤의 뉴욕이 너무 궁금했어요. 사실 제가 부시 집권 때는 관심이 없었습니다. 그런데 오바마 취임식 때 눈물이 나려고 하는 거예요. 대통령 취임식이 감동적이었던 건 처음이었죠. 서점에 가면 오바마가 좋아하는 책에 손이 갔고 읽어보면 감동적이었어요. 또 어떤 백인이 흑인 분장을 하고 미국 전역을 돌아다니며 쓴 책《블랙 라이크 미(Black like me)》도 굉장히 찡했습니다.

지금의 뉴욕엔 인디문화가 황홀하게 꽃피고 있어요. 오바마의 영향이죠. 뉴욕이 가진 양면성이 있잖아요. 드라마〈섹스 앤 더 시티(Sex and the City)〉에서처럼 부와 패션을 상징하는 뉴욕이 있는가 하면 바스키아의 그림이나 벨벳 언더그라운드, 앤디 워홀, 존 레논, 오노 요코, 윌리엄 스버그의 가난한 예술가들을 상징하는 뉴욕이 있죠.

공화당이 집권했느냐 민주당이 집권했느냐에 따라 문화도 달라지게 마련인데 지금 뉴욕은 인디의 전성시대예요. 첼시에 있는 갤러리들 가운데도 인도네시아, 말레이시아, 인도 같은 제3세계 아티스트들을 발굴하는 곳이 많더군요. 그게 너무 재미있어서 책에 적어놓고 싶었어요.

■ 한국의 민주정부 10년과 이명박 정부의 인디문화를 비교한다면.

정권이 바뀌면 문화의 취향도 바뀌는 건 우리만 그런 게 아닌 것 같아요. 당연하게 받아들여야 하고 그게 성숙한 태도죠. 그저 우리나라의 인디문화에 대해 답답한 게 있다면, 지금 뉴욕에 너무나 재밌는 게 많으니까 다들 꼭 가보라고 말하고 싶어요.

■ 같은 세대가 관심 있어 할 대안적 문화를 소개하고 싶었다고 했는데.

제가 10대와 소통하는 건 아니잖아요. 50대도 아닌 것 같고. 마치 30대의 대변인처럼 돼버렸는데…… 물론 저는 X세대죠. 어마어마한 반항아였고 안 보이지만 지금도 품고 있는 반항적인 기질이 있죠. 너바나 세대였고 탈상업주의 세대였습니다. 다시 한 번 그런 문화혁명이 일어나면 좋으련만…….

■ 이상은 씨와 같은 세대는 거리에서 화염병 투척하는 이들이 많았잖아요. 그들과 비교하자면 이상은 씨는 제도권 안에서 좀 다른 생활을 했던 것 아닌가요.

우선 저는 데모가 재미없다고 생각했어요. 일본과 미국의 학생운동 세대는 재미있는 문화를 남겼는데 우리는 그 부분에서 실패한 것 아닌가 싶어요. 존 레논, 아일랜드 출신 록그룹 U2, 아이티 지진 피해를 돕기 위해 앨범을 냈다가 영국 싱글차트에서 1위를 한 유명 록밴드 R.E.M이 그 꽃들이죠.

학생운동에서 끝나는 게 아니라 세계를 상대로 메시지를 전달하고 그게 상업적으로 돈도 되며 그 세대를 상징하는 문화로도 성장하는…… 서양의 경우에는 그랬던 것 같아요. 그러나 우리는 어디선가 멈춰버린 느낌이랄까요. 물론 우리 문화도 성장하고 있지만 앞서 언급한 외국의 사례와는 비교가 되지 않죠. 예를 들어 U2 같은 경우는 정말 영향력 있는 문화 비즈니스가 되고 있잖아요.

U2는 초기에 포스트 펑크 장르를 주로 했지만 시간이 지날수록 여러 대중음악 장르를 융합했고 또 노래 가사도 정치적 · 이념적 · 종교적 내

용을 담았어요. 지금까지 12장의 앨범을 낸 U2는 그래미상을 22번 수상했고 로큰롤 명예의 전당에 입성하기도 했죠. 인권운동에 적극 참여하면서 다양한 캠페인도 벌이는 모습을 보면서 우리도 이런 노력을 하는 뮤지션들이 필요하다고 생각했어요.

■ 우리의 경우에는 어디서 멈췄다고 보시나요?

게임이 '더티(dirty)' 했다고 생각해요. 예를 들어 음악을 통해 정치사회적 메시지를 꾸준히 전해온 U2가 보컬인 보노 혼자 똑똑해서 그런 위치에 오른 건 아니리라고 생각해요. 저들은 해치지 말아야겠다는 공감대 같은 것이 그들 사회에 형성됐던 건 아닐까요?

반면 우리나라는 너무 많은 아티스트들을 해쳐왔어요. 음악을 하는 순결한 영혼을 해치는 건 페어플레이가 아니잖아요. 아무리 해치고 싶어도 한국 문화의 까치밥 차원에서 좀 남겨놨어야 하는 것 아닌가 싶습니다. '들국화'도 U2가 될 수 있었고, '어떤 날(조동익, 이병우)'도 R.E.M이 될 수 있지 않았을까 싶어요. 사실 우린 굉장히 폭력적인 시대를 지나온 셈입니다.

꿈을 꾸는 당신이여, 떠나라!

■ 영국 런던의 문화예술과 인디문화에 관한 여행서도 냈죠.

《이상은, London Voice》라는 책인데요. 이 책은 홍대 근처 옥탑방에 작업실을 꾸미고 살면서 인디문화의 꿈을 키워가는 젊은 친구들을 런던에 데리고 가서 겪은 화학적 변화를 기록한 책이에요. 그냥 그들의 변화를 관찰하고 싶었어요. 함께 영국에 갔던 이 가운데는 지금 베를린에 사는 친구도 있어요. 가난하지만 꿈을 꾸는 친구들 모두에게 이렇게 말하고 싶네요. 떠나라!

■ 우리는 왜 뉴욕처럼 인디문화가 활짝 꽃피지 못했을까요?

일단 인디문화에 대한 정보를 얻을 수 있는 매체가 발달하지 않았어요. 문화 정보를 담은 종이신문의 형태든 온라인 사이트의 형태든 말입니다. 요즘은 인터넷 시대니까 인디 정보를 알려면 어디로 가면 된다는 식으로 포털에 정리가 되어 있다면 좋을 텐데…….

영국에는 〈NME(New Musical Express)〉라는 음악잡지가 있어요. 〈가디언(The Guardian)〉과 연계돼 있는데 음악상도 줘요. 인디음악과 록음악을 활성화하는 데 상당히 큰 도움을 주는 매체죠. 핑크 플로이드부터 최근 인디밴드들까지 총망라해서 소개하고 분석하는데, 대중음악이 집대성돼 기록되어 있다고 볼 수 있습니다. 형식은 대형 마트인데 내용은 인디문화인 매체죠. 이제 우리도 슬슬 이런 작업이 이루어질 때가 됐는데 아직은 잘 안 되는 것 같아요.

■ 대중음악과 인디문화 발전에 매체의 역할이 중요하다는 얘긴가요?

언론의 역할은 대단히 크죠. 물론 우리 음악을 영국 같은 유럽식으로 볼 것인지 미국식으로 볼 것인지 선택이 필요하긴 한데, 분명한 건 미국의 그래미상과 달리 우리도 영국처럼 얼터너티브 음악에 대해 언론이 상을 주는 것을 고려해볼 필요가 있다는 겁니다.

〈NME〉는 유럽권에서 얼터너티브 음악을 다루는 아주 권위 있는 매체거든요. 롤링스톤스, 밥 딜런 같은 전설적 뮤지션의 계보는 물론이고 비교적 최근에 등장한 블록 파티 같은 친구들까지 아주 다양하게 다뤄줘요. 어딜 가든 항상 우리도 음악신문을 만들어야 한다고 말하고 다니긴 하는데 현실화화는 건 쉽지 않네요.

눈물이 날 때 움직이게 돼요

■ 2009년 용산참사 유가족 돕기 콘서트 무대에 올라 큰 박수를 받았어요.

음, 아무 때나 얘기하고 싶지는 않아요. 몸을 사리는 게 아니라 제 차례가 돌아올 때 말하는 것이 어른스러운 태도가 아닌가 싶습니다. 세상에서 저에게만 발언권이 있는 것은 아니니까요. 기회가 오면 그때 말해도 된다고 생각해요. 누구에게나 발언권이 있는 시대니까 경청해주는 것도 좋지 않을까 생각해요. 무슨 얘기를 하려는 건지 일단 듣는 것도 좋은 태도 아닐까요? 지금까지는 계속 듣고 있는 중이에요.

■ 이명박 정부 이후 600명의 음악인이 함께하는 '탐욕과 통제의 시대를 거

스르는 대한민국 음악인 선언'에도 참여하셨죠.

제가 진짜 도움이 된다고 생각할 때, 제 양심에 비춰보고 '누가 봐도 이건 좀 아닌 것 같아, 이건 잘못됐어, 이건 너무해' 이럴 때 움직이죠. '자동인형'처럼 되는 건 싫어요. 소위 좌파라는 쪽에서도 너무 기계처럼 똑같은 얘기를 반복하는 것 아닌가 하는 생각이 들 때도 있거든요. 솔직히 답이 정해진 것에 대해서는 말하고 싶지 않습니다. 좌우로 편 가르기를 하기보다는 양심에 비춰 스스로 눈물이 날 정도로 문제가 있다고 생각하면 움직입니다.

■ 한국은 민족주의를 강조하는 경향이 있는데 이상은 씨는 세계시민주의자로 보면 되나요?

제 삶의 기준을 한국이나 현세대에 맞출 생각은 전혀 없어요. 언젠가 마르크스의 《자본론》을 쉽게 풀어 쓴 해설서에 대한 추천사를 써달라는 부탁을 받고는 냉큼 쓴 적이 있어요. 제가 그 책에 추천사를 쓰면 최소한 이상한 이념 서적으로 분류되지는 않겠지 하는 생각이 들었어요. 그러니까 제가 재미있다고 하면 사람들도 그냥 편견 갖지 않고 재미있게 받아들일 수 있겠거니 했던 거죠. (웃음) 한편으로는 문화예술이 발달한 외국에 갈 때마다 눈물이 철철 흐르도록 생기던 질투심과 자괴감을 조금이라도 상쇄시킬 수 있지 않을까 하는 마음도 들었어요. 무슨 말인고 하니 만일 파리에서였다면 한 싱어송라이터가 《자본론》의 추천사 정도 쓰는 건 일도 아니었을 거라는 생각이 든 거죠. 비록 그가 상당히 패셔

너블할지라도 말이에요. 그냥 문화예술인으로서 멋있다고 생각할 거예요. 그런 수준으로 한국의 문화가 발전하기를 바랍니다. 외국에 나가서 느꼈던 한 맺힘을 풀고 싶은 거죠. 그러면 깊은 슬픔이 사라질 테니까……. 아직은 걸그룹의 가슴골 얘기나 하는 수준이지만 더 나은 길로 나아가리라고 믿어요. 거기에 벽돌 한 장 놓는 느낌으로 살고 있습니다.

■**인터뷰** 2010. 9. 4 ■**사진** 유성호

에필로그

인터뷰 내내 혼신의 힘을 다해 대중음악과 인디문화에 대해 쏟아낸 그는 진이 빠져 보였다. 사력을 다해 얘기하고 사력을 다해 노래하는 그는 진짜 뮤지션이었다.

수수한 옷차림에 천으로 만든 시장바구니 같은 가방을 든 그는 여염집 처자처럼 수줍게 웃었다. 엘리베이터 안에서 서로의 외모를 칭찬하며 껄껄 웃던 모습이 잊히지 않는 건 아마도 같은 세대로서의 공감대 같은 것이 흐르고 있었기 때문이리라.

인터뷰를 끝내고 한동안 라디오로만 그를 만났다. 여전히 좋은 음악과 함께 실려 오는 그의 털털한 목소리는 정서적 공감을 이끌어냈다.

2011년 5월, 노무현 대통령 서거 2주기 추모 콘서트 '파워 투 더 피플' 무대에 선 그를 먼발치에서 보았다. 그는 열창했고 대중은 환호했다. 대중에 대한 그의 영향력은 강력했다. 그 영향력을 그는 '부천 여성의 전화 나눔 콘서트' 같은 데 쓴

다. 자신의 말처럼 마음이 통하는 곳이라면 그 무대가 어디든 함께한다는 게 사실이었다. 실천은 곳곳에서 이뤄지고 있었다.

전쟁을 반대하고 평화를 사랑하며 주류이기보다는 인디이기를 자처하는 가수 이상은. 그는 아직도 내 곁에서 '그 밖의 모든 것과 더불어 행복하게'를 외치는 것 같다.

| 이상은

슬픔 속에 얻은
새 삶의 씨앗을 나누다

학교를 세우고 그동안 노력해준 작가들의 이름을 동판에 새겨 학교 한편에 놓고 싶었어요. 나눔이 감동의 씨앗이 되어 멀리 퍼지면 또 다른 나눔을 낳게 되니까요. 작은 밀알이 커다란 열매를 맺듯 그렇게 하고 싶어요.

많이 울었다. 두 눈 가득 눈물이 고였고 곧이어 닭똥 같은 눈물이 뺨을 타고 흘렀다. 흐르는 눈물을 멈춰볼 요량으로 입술은 애써 스마일 포즈를 취했지만 가슴에서부터 역류해 눈 밖으로 콸콸 쏟아지는 눈물을 막아낼 방법은 없어 보였다.

자식을 가슴에 묻은 이 사람. 그는 2009년 가을 생때같은 아들을 신종 플루로 잃은 탤런트 이광기(@lee_kwanggi)다. 멀쩡하던 아이가 하루 만에 먼 길 떠났으니 세상에 남겨진 아비는 억장이 무너졌다. 그래도 이 사람, 고통과 슬픔을 사랑과 봉사 그리고 웃음으로 승화하고 있다. 본인 말로, 인생이 180도 바뀌었단다.

고교 시절 친구 따라 탤런트 시험 보러 갔다 합격해 아역 탤런트의 길을 걸었고 군 제대 후엔 록카페에서 8개월간 도박에 빠졌으며, 서울 방배동 포장마차 운영 땐 인생의 쓴맛을 보며 돈을 벌었고 드라마 〈태조 왕건〉(2000~2002)으로 늦깎이 신인상도 받았다.

개그맨보다 더 웃겨 '탤개맨'으로까지 불린 그는 KBS 〈쟁반 노래방〉에서 예능감을 살리더니 미친 듯이 예능 프로그램에 출연하며 잘나가는 방송인으로 자리 잡았다. 그러다 별안간 세상에서 가장 소중한 자식을 잃게 됐다.

포털 사이트에서 '이광기'를 검색하면 네 가지로 그의 인생이 분류된
다. 연기자, 예능과 노래, 아들의 갑작스러운 죽음 그리고 사회봉사.
2009년 아들이 세상을 떠난 뒤로 그는 그 어떤 연예인보다 사회봉사에
앞장서고 있다. 대지진을 겪은 아이티에 봉사활동을 다녀왔고 월드비전
홍보대사도 맡았다. 어린이들을 돕기 위한 자선 미술경매와 전시는 벌
써 수차례 진행했다.

스스로 예전의 이광기는 죽었고 다시 태어난 이광기는 앞으로 '일과 봉
사'로 살겠다고 다짐했다. 독실한 크리스천인 그는 하나님께도 그렇게
기도를 올렸다고 했다.

그런데 이 남자, 확실히 예능의 끼는 대단하다. 울다가도 웃는다. 반드
시 말끝에 웃음 포인트가 있다. 하나님 얘기를 하다가도 개그를 할 정도
다. 언젠가 대중에게 큰 웃음 줄 날이 꼭 올 거라는 확신이 든다.

그는 많이 울었고 많이 웃었다. 재밌는 이야기를 하다가도 어느덧 매듭
은 아이 이야기로 귀결됐다. 이 시대를 살아가는 한 아버지이자 만능 엔
터테이너인 이광기의 사는 이야기, 들을수록 공감 가는 얘기가 많아 덩
달아 울고 웃었다.

■ KBS 아침 드라마 〈사랑하길 잘했어〉(2010~2011)에 출연하셨죠. 〈하노이
신부〉(2005) 이후 5년 만의 드라마 출연 아니었나요?

〈하노이 신부〉는 단막극이었으니 연속극으로 치면 9년 만이었어요. 정

통 드라마로는 〈야인시대〉(2002~2003) 이후 처음이었고요. 〈사랑하길 잘했어〉 촬영 시작하기 전에 아내와 함께 기도원에 들어갔어요. 추석 때였나? 사실 추석 같은 명절에 가족들끼리 모이면 아이의 '빈자리'가 너무 확연하게 느껴질 것 같고 아내도 너무 힘들어해서 기도원에 갔죠. 그때 '일과 봉사'로 살게 해달라고 기도했는데 기도 끝나고 20분 만에 '나눔에 관한 강연' 봉사가 딱 들어와 있더라고요. (웃음) 역시 하나님도 일보다는 봉사 쪽을 선호하는 모양이에요.

■ 원래 독실한 크리스천인가요?

저희 부모님은 불자세요. 열심히 절에 다니시죠. 집안 분위기가 그러니까 아내는 저 몰래 혼자 교회에 다녔어요. 저는 그저 '솥뚜껑 신앙인'이었고요. 잠깐 뜨거웠다가 푹 식어버리는 거죠. 그런데 우리 아이 때문에 다시 교회에 열심히 나가게 됐고 몇 군데 간증도 다녔어요.

■ 신종 플루로 아들을 잃었을 때 전 국민이 애도했던 기억이 납니다.

아는 선배가 병원 원장인데 우리 아이더러 천사라는 거예요. 무슨 말인가 했더니, 신종 플루에 대한 경각심을 주고 떠났다는 거죠. 많은 생명을 구하지 않았느냐고 하더군요. 이전에는 하루 200~300명 정도 응급실을 찾았는데 우리 애가 그렇게 된 뒤로는 2000~3000명이 찾아왔다는 거죠. 하지만 전 하필 왜 그게 우리 애가 됐어야 하나, 원망도 많이 했어요.

■ 2009년 세미 트로트 〈웃자 웃자〉로 가수 데뷔도 하셨잖아요. 그 음반 잘 됐나요?

이 세상 살아가는 아빠들의 이야기를 음반으로 냈는데요. 아쉬움이 많았습니다. 지금 제가 그 노래를 부를 순 없지만 온라인에서나마 많이 들었으면 좋겠어요.

김태원 형이 준 곡은 차마 못 불렀어요

■ 〈웃자 웃자〉 이후 음반을 하나 더 계획했었다는 얘기도 들었는데요.

부활의 김태원 형이 발라드 곡을 하나 줬는데 안 불렀어요. 너무 슬픈 내용이라 끝까지 못 부를 것 같더라고요. 〈흑백영화〉라는 노래인데 어떤 아픔에 대한 이야기랍니다. 사실 우리 부부가 석규 그렇게 된 뒤로 부활의 〈생각이 나〉를 들으면서 많이 울었죠. 그 일 있고 난 뒤, 태원이 형이 미안하다고 하더군요. 괜히 그런 곡을 줘서 상처만 준 것 같다고. 그런 건 아니었는데 형은 공연히 그런 생각이 들었나 봐요. 그래서 그냥 형더러 부르라고 했어요. 제가 할 노래는 아닌 것 같았어요.

■ 고등학교 때 친구 따라 탤런트 시험 보러 갔다가 우연히 합격된 거라 들었어요.

친구 녀석이 방송사에 탤런트 시험 보러 가는데 같이 가자기에 따라갔다가 붙었어요. 그런데 나중에 알고 보니 방송사가 아니고 한국방송문화예술학원이었던 거예요. (웃음) TV에서 많이 보던 연기자 분들이 심사위원으로 있으니까 당연히 방송사일 거라고 생각했는데 그게 아니었던 거죠.

■ 그러면 실제 탤런트 데뷔는 언제 하게 된 거죠? 연기학원은 다닐 만했나요?

학원비 날리면 안 된다는 생각에 열심히 다녔습니다. 알지도 못하던 셰익스피어에다 대학생들이 읽는 연기 관련 교재를 수십 번 읽었어요. 제가 나름대로 열심히 하니까 원장님이 오디션을 보게 해준다는 거예요. 당시 KBS 〈보통사람들〉(1982~1984)이라는 드라마로 인기를 끌었던 최상식 감독님 앞에서 오디션을 봤죠. 그런데 감독님이 원하는 건 중학생 정도인데 너무 나이 들어 보여 안 되겠다고 하더라고요. 무거운 마음으로 엘리베이터를 타고 내려가다가 감독님에게 "저 머리 자르면 어려 보여요" 그랬죠. 그랬더니 그럼 내일 한번 와보라고 하시더라고요. 다음 날 진짜로 머리 깎고 찾아갔더니 눈이 동그래지시면서 대본을 주셨어요. 그렇게 해서 KBS 일요아침드라마 〈고향〉(1985)으로 데뷔하게 됐죠. 그런데 그 드라마가 4개월 만에 조기 종영했어요. (웃음)

■ 군대 제대하고 방배동에서 포장마차도 했다면서요. 연기생활 그만두려고 하신 건가요?

1992년 5월 제대를 했는데 저하고 같이 탤런트 시험 보러 갔던 친구가 명지대학교 앞에서 록카페를 했어요. 그때 거기서 주방 아르바이트를 했죠. 방송 일이 없으니 뭐라도 해야겠더라고요. 그런데 그 녀석이 제가 중간에 일 그만둘까 봐 꼭 인건비를 하루치씩 적게 주더라고요. (웃음) 그래서 울며 겨자 먹기로 일했는데 그때 지금의 아내를 만났죠.

문제는 록카페에서 일할 때 제가 카드를 배웠다는 거예요. 도박에 완전히 미쳤죠. 눈 뜨면 카드만 했어요. 그런데 자꾸 현금서비스 받아 도박을 하니 빚이 150만 원까지 쌓이더라고요. 당시 제겐 1억 5000만 원만큼이나 큰돈이었거든요. 그때 어머니가 어디 가서 기죽지 말라고 중고차 한 대를 사줬는데 그 차 팔아서 도박 빚 막고 그랬죠. 도박에 미쳐서 아내와도 한때 헤어졌답니다. 그러고 나니까 정신이 번쩍 들더군요. 이렇게 살아서는 안 되겠다 싶더라고요. 아내가 참 은인이죠.

여하튼 그 생활 청산하고 연예인축구단 총무를 맡으면서 아침형 인간으로 바뀌었어요. 성실하게 사니 아내에게서 다시 전화가 오더군요. 다시 만나 청혼하고 결혼에 골인하려는데 처가에서 반대한다는 거예요. 그때 그 사람은 대학원에 다녔는데 사윗감이 백수면 좀 그렇지 않느냐는 거죠. 그래서 어머니 집을 담보로 2000만 원 대출 받아 장사를 시작했어요. 뭘 할까 고민하다 포장마차밖에 없다는 결론을 내렸죠.

방배동 포장마차 골목을 돌아다니는데 마침 망한 가게가 있다는 거예요. 그런데 너무 구석에 있어서 통로를 찾을 수 없을 지경이었어요. (웃음) 그래도 공간이 넓은 게 마음에 들어서 1995년 말 보증금 1500만 원에 월세 40만 원 주고 계약을 했어요. 다음 해 초에 가게 문을 딱 열었는데 웬걸, 하루 매상이 겨우 5만 원이었어요. 사람들이 가게를 못 찾아

| 소셜테이너

들어오니까 매상이 엉망인 거죠.

자칫 잘못하다간 어머니 집마저 날리겠다 싶어서 작전을 짰어요. 양복 입고 왕의 복장을 한 사진을 넣은 A4 전단지를 돌렸어요. 거기 뭐라고 쓴 줄 아세요? "주인 이광기. 전직 탤런트. 힘들어 가게 열었으니 도와주세요."

포장마차 전단지 끼고 '삐끼'처럼 살았죠

■ 탤런트 출신인데 남들 앞에 그렇게 선다는 게 쉽진 않았을 것 같아요.

그렇죠. 제가 무슨 '삐끼'처럼 다녔으니까요. 그러나 돈을 벌겠단 생각밖에 없었어요. 새벽까지 장사하고 수산시장 가서 재료 사오고 아침 7시에 잠들어 오전 11시쯤 일어나 점심시간에 오피스텔 단지를 그러고 돌아다니는 거예요. 서류가방에 사탕하고 전단지 잔뜩 넣고. (웃음) 마치 영업사원처럼 포장마차를 광고하고 다니니까 애정을 갖고 찾아와주시는 분들이 생겼어요. 장사 잘됐습니다. 하루 평균 매상 80만 원에 최고 150만 원까지 올려봤어요. 주방 아줌마와 저 그리고 아르바이트생, 딱 셋뿐이니까 하루 12시간 동안 정신없이 일했어요. 1998년까지 거의 3년 정도 열심히 일했습니다. 그때 번 돈으로 어머니 빚 갚고 결혼자금도 마련했죠.

■ 기억에 남는 손님은 없으세요?

주방 아줌마가 쉬는 날이었어요. 정신없이 일하는데 김종선 감독님이 오신 거예요. 어떻게 사는지 궁금해서 오셨다고. 그러고는 대하드라마 〈왕과 비〉(1998~2000)에서 도원군 역할을 주셨어요.

이 드라마 끝나고 칭찬 많이 받았는데 후속작이 없는 거예요. 얼마나 불안하겠어요. '아, 역시 이 일은 내 길이 아닌가 보다' 했어요. 어떤 선배가 연기는 마약과 같다 그러셨는데 꼭 그런 기분이었어요. '끊어야 되는 건가' 하는 생각이 드는 거죠.

사실 배우라는 게 누군가 불러주지 않으면 더 이상 일을 할 수 없는 직업이잖아요. 그래서 숱한 선후배들이 이 업계를 떠났다가 다시 부름을 받으면 돌아오기를 반복하곤 해요. 그렇게 살다 보면 20~30년 훅 가거든요. 그러다 보면 세월은 가는데 아무도 알아봐주지 않는 무명 탤런트로 남지 않을까 하는 두려움이 드는 거죠. 포장마차 같은 것도 그래서 한 거죠.

예능도 좋지만 제대로 된 연기 하고 싶어요

■ 그럼 계속 포장마차를 운영한 거예요?

아뇨. 접고 사촌형님 도움으로 매니지먼트 회사를 차렸어요. 조안, 장신영 씨가 저희 회사 소속이었죠. 연기 레슨도 열심히 했고 결국 둘 다 중앙대학교 연극영화과에 입학했어요. 기뻤습니다. 그런데 매니지먼트라는 게 전문경영인이 해야 할 일이더라고요. 마음이 독하지 않으면 해내기가 참 힘든데 저는 굉장히 감성적이라서 이리저리 많이 흔들렸어요. 그러다가 마침 〈태조 왕건〉에 캐스팅이 돼서 연기에 매진했습니다.

〈태조 왕건〉에서 백제 견훤의 아들 신검 역을 맡았는데 그걸로 2001년 신인상을 받았죠. 사실 신인도 아니었지만 기쁘게 받았어요. 대중이 제 이름을 인식하기 시작한 그때가 신인이라는 감독님 말씀에 동의가 되더 군요.

그때 제가 드라마 홍보 때문에 〈쟁반 노래방〉에 나갔는데 이게 또 반응이 괜찮았어요. (웃음) 이홍렬 형이 집에서 그거 보며 웃다가 소파에서 굴러 떨어졌다고 하시더라고요. 그러면서 슬슬 예능 프로그램 섭외가 들어오기 시작한 거예요.

■ 그때 탈개맨이라는 별칭도 생겼잖아요.

맞아요. 그런데 주변에서 애정을 갖고 지켜봐주시는 선배들이 연기자는 연기만 해야지 왜 예능을 하냐고 조언해주시더라고요. 그러나 대중들은 무거운 사극에서 저를 만나다가 〈쟁반 노래방〉에서 웃긴 모습을 보여주 니까 신선하게 다가왔던 모양이에요. 실은 저도 즐겁고 유쾌했어요.

■ 드라마 〈해신〉(2004~2005)에서 섭외가 들어왔는데 잡혀 있던 고정 예능 프로그램이 7개나 되는 바람에 못했다고 들었어요.

만일 제가 혼자 살았다면 다 팽개치고 〈해신〉에 합류했을 거예요. 그런 데 처자식을 생각하니 그게 쉽지 않더라고요. 촬영 때문에 3개월 동안 중국에 가야 한다는 것도 그렇고 고정 프로그램 7개면 출연료가 만만치 않거든요. (웃음) 짧은 생각이었는지 모르지만 당시로서는 현실적으로 뛰자고 생각했죠. 지금 와서 가타부타 말할 수는 없지만 스스로 위안하자면 당시에는 제게 주어진 대로, 물 흐르는 대로 일을 하자고 생각했던 것 같아요. 석규 그렇게 되기 전까지는 일을 많이 했죠.

■ 만능 엔터테이너시잖아요. 노래, 연기, 예능 못하는 게 없는데 그중 제일 애착이 가는 영역을 꼽는다면.

어느 것 하나 소중하지 않은 건 없어요. 다만 지금은 다시 출발하는 기분으로 일하고 싶어요. 예능도 했고 버라이어티도 했지만 제가 처음 드라마로 시작했기 때문에 초심으로 돌아가고 싶을 뿐이죠. 사실 우리 석규는 아빠가 탤런트라는 걸 몰랐어요. 그냥 방송에 나가 재밌게 얘기하는 사람 정도로 알고 있었어요. 제가 연기하는 모습을 못 봤거든요. 그래도 전 하늘에서나마 석규가 지켜보고 있을 거라고 믿기 때문에 제대로 연기를 하고 싶어요.

■ 배우들은 꼭 한 번 제대로 된 악역을 해보고 싶다고들 하잖아요. 이광기 씨는 어떤가요? 워낙 사회봉사를 많이 하니까 그런 이미지를 드러내면 좀 그런가요?

아뇨. 요즘 사람들이 배우가 악역 맡았다고 해서 진짜 나쁜 놈이라고 생각하진 않잖아요. 그저 단순히 배역일 뿐이라고 생각하죠. 사회적 타당

성과 도덕성을 갖고 있으면서 인간미가 있는 악역이라면 한 번 해보고 싶어요. 〈태조 왕건〉에서 제가 맡았던 신검도 악역이었지만 연민의 정을 갖고 보셨던 것 같아요. 또 제대로 아픈 연기도 해보고 싶어요. 저처럼 마음의 상처가 깊은 역할, 그래서 시청자가 감동할 수 있는 연기를 해보고 싶어요.

감동의 씨앗이 퍼져 나눔을 낳게 되는 거죠

■ 2010년에 소외된 아동들을 위한 자선미술전시회를 열었죠. 주로 어떤 분들이 참여했나요.?

일산 원마운트 전시관에서 열었어요. 수익금은 전액 월드비전에 기부했죠. 아이들을 초청해 그림 구경도 같이 하고 맛있는 음식도 나눠 먹는 행사였어요.

찰리 한, 지용호, 지호준, 이지현, 이길래, 임안나, 배수영, 김범수, 이재욱, 백종기 등 미술계에서 왕성하게 활동하는 젊은 작가들이 함께했어요. 동으로 만든 호랑이와 사자 조각, LED, 깡통로봇, 동으로 만든 소나무, 붉은색 계열의 사진 등 재밌는 작품을 많이 선보였어요.

전시관도 기존 갤러리를 탈피해서 일반 대중들이 무료로 쉽게 찾아올 수 있는 공간을 택했죠. 작품 경매는 안 했어요. 판매가 목적인 행사는 아니었거든요.

■ 키스 해링(스와치 시계를 디자인한 팝아트 작가) 좋아하세요? 뉴욕에 갔을 때도 키스 해링 전시회에 다녀오셨다고 들었어요. 그는 문맹퇴치, 반핵, 공공서비스 캠페인에 적극적이어서 어찌 보면 이광기 씨와 닮은 면도 있지 않나 싶은데요.

키스 해링을 좋아하는 건 아니에요. 그냥 재밌고 존경할 만한 작가라고 생각해요. 좋은 일도 많이 했고. 자신의 재능을 어려운 학교에 기부했고 그게 어마어마한 금액이 됐으니 참 좋은 일이죠. 예쁜 그림으로 아이들에게 기쁨과 행복을 줬으니까 그 또한 감사한 일이고. 무엇보다 사회 공헌은 너무나 존경스러운 수준이죠.

■ 언젠가 예술가가 존재하는 이유 중 하나는 밝은 세상을 만드는 데 있다고 언급하셨던데 그렇게 생각하는 특별한 이유라도 있나요?

제가 요즘 작가들을 많이 부추기고 있습니다. (웃음) 고아원이나 양로원 같은 데 가서 예쁜 벽화 좀 그리고 오자. 삭막한 담벼락에 아름다운 벽화를 그리면 얼마나 보람 있겠냐, 아이는 아이대로 노인은 노인대로 예쁜 그림들을 보며 그것만으로도 삶의 안정감과 편안함을 느끼지 않겠냐고 말이죠. 순수예술 쪽은 대중문화예술과 달라서 약간 폐쇄적이고 자기중심적인데다가 작가주의를 강조하는 경향이 있어요. 그러나 제 생각에 이제 그런 시대는 끝난 것 같아요. 주변 환경에 관심을 갖고 나눔을 실천해야 하는 시대죠. 그래서 '시대의 조류와 동떨어지지 말자'며 친한 작가들을 계속 꼽니다. 재능 기부 좀 하라고 말이죠. 공공미술, 얼마나 아름다워요. 어느 양로원에 가면 피카소 그림도 있고 또 기타 등등 유명 작가의 그림이 있다고 하면 얼마나 좋아요.

■ **2010년 5월에는 아이티 어린이들을 위한 자선경매를 해서 1억 원을 모으셨죠.**

월드비전을 통해 크리스천 학교를 지을 생각이었어요. 그 돈이면 되거든요. 학교가 다 무너져서 애들이 학교를 못 가니까요. 엄청나게 좋은 시설은 아니어도 그럭저럭 학교는 지을 수 있어요. 그런데 워낙 관세가 많이 붙고 또 중간에서 이익을 가로채는 사람들이 많아서 아직까진 그냥 두고 있는 상태예요. 꼭 이렇게 어려울 때 중간에서 가로채고 위기를 이용해 돈을 벌려는 사람들이 있잖아요. 그런 사람들이 아이티에도 있더군요. 그래서 좀 고민이에요. 사실 학교를 세우고 그동안 노력해준 작가들의 이름을 동판에 새겨 학교 한편에 놓고 싶었어요. 나눔이 감동의 씨앗이 되어 멀리 퍼지면 또 다른 나눔을 낳게 되니까요. 작은 밀알이 커다란 열매를 맺듯 그렇게 하고 싶어요.

■ **아이티 지진 현장에도 직접 다녀왔잖아요. 뭐가 제일 안타까웠나요?**

힘 없는 어린이와 남편 잃은 여성들이죠. 워낙 어려운 나라인데 배급마저 원활하지 않으니까 자칫 잘못하면 금세 폭동이 일어나요. 우린 상상도 못할 일이지만 먹을 것 하나 때문에 사람 죽는 일이 발생한다니까요. 잘못 나눠주면 칼부림도 일어나죠. 그래서 반드시 UN군이 있을 때 배급하곤 했어요.

요즘은 그나마 안정을 찾았다고 하지만, 어느 나라든 기득권자가 더 문제더군요. 있는 사람들이 NGO 상대로 장사하며 잇속을 챙기더라고요. 아이티 기금을 쉽게 갖고 들어가지 못하는 이유가 바로 거기 있어요. 숙소를 빌릴 때도 보면, 정말 허름한데 비용은 유명 호텔 수준이에요. 워낙 다 무너졌으니까요.

아빠 헛되이 살지 않았다고 말하고 싶어요

■ 아이티에서 새로 얻은 아들이 총을 맞았다는 보도를 봤습니다.

석규가 살았다면 '세손'과 같은 나이에요. 아이티 고아원에 갔는데 그곳에는 지진으로 갑자기 부모를 잃게 된 아이들이 많았어요. 강연을 하는데, 뭐 애들이 집중하나요? 다 떠들고 난리인데 애는 딱 앉아서 듣는 거예요.

그래서 우리 애가 한두 번 입은 여름옷들을 다 주고 왔는데 어른들이 배급 때문에 싸우다가 잘못해서 세손이 총에 맞았다는 거예요. 정말 눈물밖에 안 나오더군요. 그래서 하나님을 원망하기도 했어요……. 거기 통신 사정이 안 좋아서 한동안 연락두절이 되는 바람에 무척 걱정을 했는데, 한 NGO 활동가가 사진을 보내줬어요. 온몸에 붕대를 감고 'V'자를 그리며 허연 이를 드러내고 씩 웃는 모습이었어요. 얼마나 기쁘던지 눈물이 다 났어요.

■ 석규 군이 그렇게 되고 인생이 많이 바뀐 것 같아요.

제 인생을 180도 바꿔놓았습니다. 너무 갑작스럽게 가버려서…… 하루 만에…… 정말 석규 때문에 행복했거든요. 제게 가장 소중한…… 정말 세상에 남기고 간 게 많은 아이예요.

사람이 참 그래요. 그 일 있고 나니까 삶의 목표가 바뀌었어요. 열심히 일하면서, 힘들어하는 아이들에게 그래도 살다 보면 행복한 날이 온다는 걸 알려주고 싶어요. 저도 살면서 분명히 힘든 날이 또 올 거예요. 하나님께서 그날을 대비해 담금질시켜주시는 거라고 생각하며 살아요.

제가 NGO 홍보대사를 하게 될 줄 누가 알았겠어요? 예전에는 친구들 만나 놀 시간도 없었죠. 아이들을 위한 자선미술전시회 같은 건 상상도 못했던 일이에요. 그 수많은 사람들 앞에서 우리 아이 얘기를 하며 간증하게 될 줄 누가 알았겠어요. 사람들 만나면 제가 그래요. 예전의 이광기는 죽었다, 그리고 지금 새롭게 태어났다고.

새 인생 멋지게 살다가 그날이 오면 우리 애 곁으로 가서 "아빠, 인생 헛되이 살지 않았다"라고 꼭 얘기하고 싶어요.

■**인터뷰** 2010. 10. 23 ■**사진** 유성호

에필로그

인터뷰가 끝난 뒤, 그는 나에게 제일 자주 '문자질'하는 연예인이 됐다. 작은 행

사라도 아이들을 후원하는 일이라면 연락을 했다. 기사로 재능 기부 좀 하라고 요청했다. 그것도 어려우면 행사에 참석해 '밥이나 먹고 가라'고도 했다.

해마다 크리스마스나 설날, 추석 같은 명절에 동료 연예인들에게 떼문자를 보내면서 꼭 나를 끼워주었다. 그렇게 서로 연락을 하며 지냈다. 생각해보면, 참 고마운 사람이다.

인터뷰가 끝나면 관계도 끝나기 마련인 게 기자와 취재원 사이인데 그는 그 사이에 '사람의 다리'를 놓았다. 이광기의 매력은 바로 사람을 귀히 여기는 데 있었다. 참으로 아름다운 사람이다. 어쩌면 지금 이 순간에도 그는 세계 여러 나라 어려운 아이들을 위해 무엇을 할 것인가 골똘히 생각에 잠겼다가 툴툴 털고 일어나 행동에 옮기고 있을지 모른다.

'걸그룹' 바람에
애정 어린 독설을 던지다

'대통령 내외분을 초대합니다. 문화관광부 장관님을 초대합니다. 좋은 자리는 없습니다. 그러나 대통령 내외분과 문화관광부 장관님의 자리는 항상 비워두도록 하겠습니다. 오셔서 현 대중문화의 위치를 확인하십시오.' 그 포스터 맞아요. 빨간 깃발 들고 찍은 사진.

소셜테이너 인터뷰 · 16

가수 이은미

'맨발의 디바'를 처음 본 건 새천년을 시작하는 해 가을이었다. 2000년 9월 30일, 그는 예술의 전당 야외무대에서 노래에 흠뻑 젖었다. 맨발로 무대를 휩쓸며 관객과 하나가 됐던 그는 공연을 끝낸 뒤 무대에서 내려와 작은 병에 담긴 생수를 입속에 털어 넣었다. 당시 그의 〈어떤 그리움〉과 〈기억 속으로〉는 최고의 히트곡이었다.

그날 그가 선 무대에는 특별한 사연이 있었다. 그해 참여연대의 '맑은 사회 만들기 운동본부'는 '부패 추방 캠페인' 기금 마련을 위한 대중공연을 기획했다. 그리고 8월 2일부터 콘서트가 열리기 직전까지 '내가 볼 사람은 내가 정한다'는 공모를 벌여 출연가수를 선정했는데, 이때 누리꾼이 선택한 가수가 바로 그였다. 총 400명의 누리꾼이 '공동 연출'한 무대에 선 셈이다.

그러고는 한동안 그를 보지 못했다. 다만 문화 소외 지역을 돌며 자신이 가진 재능으로 사회적 역할을 하고 있다는 언론 보도만 접할 수 있었다. '소셜테이너'라는 화두를 쥐고 그를 다시 만나기로 한 건 그해 가을의 기억이 내 머릿속에서 지워지지 않고 또렷이 남아 있었기 때문이다.

만나보니, 역시 입담이 셌다. 여러 인터뷰에서 분명하게 드러났듯이 하고 싶은 말, 해야 할 말, 피하지 않고 뱉어냈다. 연예인의 사회 참여, 노래 표절, '블랙리스트' 파문까지 얘기하자고 운을 떼니 바로 직격탄이 떨어졌다. 가요계의 '독설가'라는 별칭을 달 만했다.

키 170센티미터에 발 245밀리미터, 몸무게는 묻지 않았다. 운동으로 다져진 몸매, 고무신이 잘 어울릴 것 같은 볼 좁은 발. 참 고왔다.

10년 이상 사용해왔다는 그의 연습실에는 건반, 드럼, 기타 등의 악기들이 마치 오랜 세월 집 안에 배치돼 있던 가구들처럼 각자 자기 자리를 차지하고 있었다. 벽면에는 긴 세월을 지나온 앨범들과 그 시절 함께 촬영한 포스터들도 걸려 있었다. 데뷔한 후 20년이 넘는 세월의 기록이 파노라마처럼 장식돼 있었다.

서로 만나지 못한 지난 시간 동안, 그는 한국 대중음악사에 길이 남을 기록 경신을 하고 있었다. 2년에 걸쳐 70개 도시를 순회하며 콘서트를 여는 대장정을 하고 있었던 것이다. 그것부터 묻지 않고는 못 배길 터였다.

■ 한국 대중음악사에 길이 남을 기록인 것 같습니다. 2009년 4월에 시작한 '소리 위를 걷다' 투어 콘서트는 무려 2년에 걸쳐 70개 도시를 순회하는 대장정인데요. 얼마나 다니셨나요?

서울 공연까지 끝냈으니 이제 49개 도시를 돌았네요. (2010년) 7월 17일 부산 공연을 하고 나면 50개 도시를 채우게 되죠. 3분의 2 정도 해낸 셈이네요.

■ 쉽지 않은 일 같아요.

솔직히 힘들어요. (웃음) 콘서트를 하면 우선 체력적으로 힘들고……
사실 더 힘든 건 다른 데 있어요. 관객들은 몇 개월씩 기다려 이은미를
만나는 것이지만 저는 매주 같은 포맷의 공연을 해야 하잖아요. 그러니
까 무언가 꽉 채운 다음에 비우고 또 꽉 채운 뒤에 비워줘야 하는데 그
러기에는 일주일이라는 시간이 너무나 부족하다는 거죠.
다 비워낸 자리를 일주일 만에 다시 꽉 채운다는 게 쉽지 않아요. 버겁
죠. 그런데도 역시 고비가 올 때마다 스태프들이 기가 막힌 연주를 해주
면 공중부양 하는 것 같은 짜릿함을 느끼게 돼요. '그래, 맞아. 이거였
지. 천생 이거(가수) 하게 태어났나 보다' 그런 생각을 하게 되죠.

■ 일종의 팔자론인가요?

그런 셈이죠. (웃음) 사실 음반 '소리 위를 걷다'를 내기 전에도 얼마간
노래를 못할 뻔했어요. 〈애인 있어요〉가 나오기 전에도 3년간 공백기가
있었거든요. 주위의 도움으로 다시 돌아왔을 때 기꺼이 받아주는 팬들
이 있어서 지금까지 노래를 부를 수 있었던 것 같아요. 이게 다 제 능력
만으로는 안 되는 일이라는 생각을 해요. 벗어나려고 했을 때도 있었고
하고 싶지 않았을 때도 있었지만 다시 이 자리로 돌아오게 되더라고요.
그 과정이 정말 한 편의 드라마 같아요. 이 직업이 결국 나의 운명이라면
노래를 좋은 동반자 삼아 잘 다독이며 걸어가야 하지 않을까 생각해요.

■ 대중에게 항상 사랑받는 가수가 왜 '벗어나고 싶다' 고 느낄까요?

새로운 것을 만들어내야 하는 직업이 다 그럴 것 같은데, 목소리로 뭔가 해내는 일도 늘 새로운 것을 창작해야 하는 작업이기 때문에 수월하지가 않아요. 저는 평소 제 몸이 악기라고 생각해요. 그러다 보니 좋은 악기를 잘 관리하려면 어떻게 해야 하나, 오래 묵어서 나는 낡은 소리가 아닌 명기의 소리를 내려면 어떻게 해야 하나 늘 고민을 해요. 가끔 제 재능이 이것밖에 안 되는구나 하고 절망하기도 하지만 말입니다.

지역 관객들의 문화적 갈증을 달래고 싶어요

■ 전국의 문화예술회관을 구석구석 찾아다니며 공연하고 있는데요. 어떤 일이 계기가 됐나요.

충남 태안군 문화예술회관에서 일하는 공무원에게서 편지를 받았어요. 아주 긴 편지였는데 핵심은 태안군 문화예술회관에서 콘서트를 할 수 있겠냐는 거였어요. 순간 이런 생각이 들더라고요. '어? 태안에도 극장이 있어? 공연을 하려면 어떻게 해야 하는 거지? 그러고는 정말 공연을 했어요. 잘 끝났죠. 태안군 홈페이지가 칭찬 글로 도배될 정도로. 그 뒤로 대한민국 지자체별로 체육관이나 컨벤션 홀이 아닌 문화예술회관이 얼마나 되는지 알아봤고 140개가 있다는 걸 확인한 뒤 구석구석 돌아다니는 중이에요.

■ 공연문화가 대도시 중심이다 보니 지방의 문화예술회관 사정이 썩 좋지는 않을 듯합니다.

문화예술회관이라는 게 과시용으로 지은 것이라서 건물 자체는 좋아요. 문제는 지역 예산이라는 게 워낙 빤한데다가 문화예술 예산은 더 형편 없다는 데 있어요. 사정이 그렇다 보니 역설적이게도 문화예술회관 예산을 모두 시설 관리에만 쓴다는 거죠. 그러니까 콘텐츠를 만들기보다는 건물의 유지·보수와 관리에 돈을 다 쓰는 거예요. 지역민이 쓰기에는 지나치게 큰 건물이지만 그래도 잘 활용하면 쓸모가 있고 또 대중음악인들에게는 좋은 공연을 할 수 있는 기회가 아닌가 생각했어요. 대중음악가가 설 수 있는 무대가 많아지는 것만으로도 의미 있는 일이라고 생각해요.

■ 힘들지만 계속하는 까닭은 사명감 때문인가요?

무대에 서는 사람이 단지 사명감만으로 공연을 한다고는 말 못 하지만 작지 않은 뜻을 갖고 하는 거죠. 전국의 140개 문화예술회관에서 모두 공연을 해낼 수 있을지는 알 수 없지만 최대한 소화하고 싶어요. 문화적 갈증에 시달리던 관객들은 이은미가 그 마음을 알아주니 고마울 테고, 이은미는 그들과 함께하니 즐거운 거죠. 문화예술회관이 알고 보면 다 우리가 낸 세금으로 만들어진 거잖아요. 그곳에서 다양한 문화작업이 이뤄진다면 정말 멋진 일 아닌가요.

■ 그래서 '문화혁명'이라는 타이틀로 시작했군요.

'대통령 내외분을 초대합니다. 문화관광부 장관님을 초대합니다. 좋은 자리는 없습니다. 그러나 대통령 내외분과 문화관광부 장관님의 자리는 항상 비워두도록 하겠습니다. 오셔서 현 대중문화의 위치를 확인하십시오.' 그 포스터 맞아요. 빨간 깃발 들고 찍은 사진.

개인적으로 무수한 공연을 했지만 단일 공연으로는 최장이죠. 가장 많은 사람들이 함께한 공연이기 때문에 제게도 퍽 의미가 깊습니다. 이 공연을 할 때 가급적 체육시설과 컨벤션홀 같은 장소는 배제해요. 전국의 문화예술회관이 문화예술회관답게 쓰이도록 해보겠다, 이런 의도가 있거든요.

■ 요즘 공연장의 트렌드는 어떤가요. 이은미 씨 공연엔 10대가 별로 없지 않나요?

부모님이 10대 중반쯤 되는 자녀들을 데려오기도 하고 반대로 자녀들이 60~70대 부모님을 모셔오는 경우도 있습니다. 재미있는 사실 하나는 〈애인 있어요〉 이후 또래들끼리 공연장에 찾아오는 10대가 늘었다는 점이죠.

또 이 노래가 어떤 교본처럼 돼버렸는지 오디션 준비를 위해 직접 들으러 오는 친구들도 있어요. 10대의 특징은 공연장에서도 그대로 나타나는데요. 관심 있는 노래가 나올 땐 눈이 반짝반짝 빛나지만 관심 없는 노래가 나오면 하품해요. 가끔은 난처하죠. 어떻게든 모든 세대를 다 아우르는 음악들로 공연을 짜야 하나…….

■ 40대가 주 관객인가요?

30~40대예요. '인생, 내 뜻대로 안 되는구나, 이런 게 삶이구나' 이런
걸 느끼시는 분들, 살면서 받은 상처를 이은미의 목소리가 조금이나마
어루만져준다고 생각하는 분들인 것 같아요.

차라리 가수 현영이 솔직하죠

**■ MBC 〈무릎팍 도사〉에 출연해 립싱크 하는 가수는 '립싱커'라 불러야 한다
고 말해 파문을 일으켰는데요. 요즘 가요계, 어떻게 보세요?**

더 거론할 가치가 있나요? 상업적인 성공만을 위해 달려가는 사람들이
하는 일인데. 진지하게 생각하는 사람들까지 그런 문제에 대해 이러쿵
저러쿵할 필요는 없는 것 같아요. 현영 같은 친구는 스스로 돈 벌려고
하는 거라고 말하는데, 차라리 솔직한 표현 같아요.

■ 가요계 표절 문제가 끊이지 않고 있어요.

어떤 작곡가가 표절하는지 아는 사람들은 다 알죠. 그러면 그들이 다시
는 그런 작업을 하지 못하도록 해야 하는데 여전히 그들의 작품은 시장

에서 아주 비싼 값에 팔린답니다. 가장 중요한 건 양심의 문제예요. 곡을 만들 당시부터 제작자나 가수 모두가 표절이라는 걸 알고 있는 경우가 많아요. 제작자가 원하기 때문에 이미 표절이라는 걸 알면서도 노래를 발표하는 가수가 있다는 겁니다. 물론 대중음악을 하는 사람이 돈에서 자유로울 수는 없죠.

■ 어떻게 하면 다시는 표절할 수 없도록, 그들의 작품이 시장에서 비싼 값에 팔리지 않도록 할 수 있을까요?

표절에 대한 정확한 규정이 없어요. 저작권협회에서 갖고 있는 규정을 봐도 몇 소절 이상이면 표절이라는 식으로 나와 있는데, 사실 창작 작업과 관련해 표절을 구분하는 잣대가 애매하거든요. 그러니 규제보다는 스스로 하지 않으려는 노력이 더 중요한 것 같아요.

또 하나, 표절한 사람을 쉽게 용서하는 문화도 문제라고 생각해요. 그 배경에는 인기 있는 사람이니 쉽게 비난할 수 없다는 정서가 전반적으로 깔려 있는 게 아닌가 싶어요. 이런 일이 반복되다 보면 인기 있고 돈만 잘 벌면 그만이라는 그릇된 생각이 용인될 수 있지 않겠어요?

남의 걸 베끼는 행위는 절대적으로 나쁘다는 여론이 팽배하다면 함부로 표절하지 못할 거예요. 그러니 표절에 대한 비난으로부터 너무 쉽게 자유로워져서는 안 된다고 봅니다. 별다른 자기반성이 없으니 계속 반복되는 것 아닐까요? 표절했어도 한동안 활동 중단하고 얼굴 안 내밀면 그걸로 할 도리 다한 것처럼 되니 이걸 어떻게 해석해야 할지 모르겠습니다.

표절 시비가 일어났을 때 어떤 사람에게는 너무나 유연한 잣대를 대고 또 어떤 사람에게는 너무나 가혹한 잣대를 들이대는 것도 문제예요. 참 복잡한 프리즘을 갖고 있는 나라임에는 틀림없는 것 같습니다.

■ 요즘 연예계를 보면 가수, 연기자, 코미디언의 경계가 무너지고 돈이 되는 '엔터테인먼트' 산업만 번성하는 것 아닌가 하는 생각이 듭니다.

제일 답답한 부분이에요. 우리나라는 뭐든지 굉장히 빨라요. 대중이 음악을 흡수하고 소화하는 능력도 빠르지만 그만큼 빨리 지루해하죠. 정신없이 대중의 취향에 맞추고 따라가는 엔터테인먼트 산업을 보면 정말 숨이 턱턱 막혀요. 아마 기본도 갖추지 않고 활동해도 용납이 되는 나라는 전 세계에서 대한민국뿐일 겁니다. 10대 어린아이들이 팀을 이뤄 음악계에서 파워를 드러내는 나라도 여기뿐일 거예요. 쇼 오락이 우리보다 훨씬 앞선다는 일본도 10대 걸그룹이 이렇게 많지는 않을 거예요.

■ 말씀하신 것처럼 10대 아이돌만을 앞세운 지나친 상업적 접근이 심각한 수준인 것 같아요.

걱정이 앞섭니다. 청소년이면 아직 인격이 제대로 형성되기 전의 나이고 사회인이 되기 위한 연습을 해야 하는 나이죠. 학교를 다니면서 그런 걸 배워야 하는 아이들이 모든 걸 반납하고 스타의 길을 걷는 건데요. 그들의 20~30대를 걱정하지 않을 수 없어요.
만일 그 아이가 우리 조카라면 성행위를 연상시키는 춤을 추도록 내버

려두겠나 싶죠. 미성년자에게 노출이 심한 의상을 입히고 무방비 상태로 우상화하는 것이 옳은가, 또 개념 없는 어른들이 이른바 '삼촌 팬' 운운하며 그들의 춤을 보고 '섹시하다'고 말하는 게 옳은가 싶어요. 어떻게 그런 말이 나오나요?

아동 성추행범과 뭐가 다르죠? 걸그룹 아이들은 공인된 작업을 거쳐 나오는 선수들이니까 괜찮다? 이건 우리 사회에 만연한 관음증을 그대로 보여주는 겁니다. 그래서 소름 끼쳐요. 초등학교 졸업한 지 겨우 3년 된 아이에게 '꿀벅지'라니요. 무섭습니다. 이게 다 어른들이 붙인 별명이잖아요. 도대체 양심불량의 끝이 어딘지 모르겠네요. 슬픈 한국의 자화상이죠.

■ 장자연 씨가 성 접대에 괴로워하다 스스로 목숨을 끊었는데요. 그의 죽음도 이런 사회문화와 관계있다고 보시나요?

전 세계 쇼 엔터테인먼트 산업은 다 그런 것 같아요. 누구나 스타가 되고 싶어 하고, 쇼 엔터테인먼트 산업의 권력은 그런 현실을 이용하죠. 그러다 보니 당연히 그 안에서 가해자와 피해자가 생기기 마련이라고 봐요. 슬프지만 이게 현실이에요.

사실 여기서 더 큰 문제는, 한 여자 배우를 바라보는 이른바 기득권 세력의 천박한 시선 아닐까요? 이 문제에 초점을 더 맞춰야 할 것 같아요. 그녀가 죽음으로 말하고자 했던 절규의 언어들이 묻히는 것 같아 안타깝습니다.

'블랙리스트', 아니 땐 굴뚝에 연기 나나요?

■ 김미화 씨가 KBS와 '블랙리스트' 파문에 휩싸였습니다. 김제동 씨로부터 촉발된 KBS '출연 금지' 파문인데요. 혹시 이은미 씨도 앨범 발표 뒤 출연 자제 요청 같은 걸 받은 적이 있나요?

(웃음) 그거 질문할 줄 알았어요. 그런데 뭐…… 이 정권 자체가 예측 가능한 정권 아닌가요? 물론 정치에서 어느 정도 예측 가능한 부분도 있어야겠지만 그들의 천박한 반응까지 예상 안에 있다는 것은 문제라 생각해요. 그래서 이번 일을 보면서도 '아니 땐 굴뚝에 연기 나겠나' 싶어요. 김미화 씨가 아무 일 없었는데 그런 말을 했을까요? 참 재밌어요. 이명박 정부는 예상을 벗어나지 않는 정권이잖아요. 누군가 어떤 파문에 휩싸이면 친구들끼리 '이 사람 곧 그만두겠는데?' 하거든요. 그러면 정말 그만두더라고요. 만약 제가 늘 대중매체에 나가 오락 프로그램 같은 데 출연했던 사람이라면 불이익을 당했을 거라고 생각해요. 그런데 저는 그러지 않았기 때문에 그런 부분에서 오히려 자유로운 것 아닌가 싶기도 하죠.

■ '소셜테이너'라는 말이 있는데요. 이은미 씨에게 붙는 별칭으로 어떨까요?

칭찬일 수도 있고 족쇄일 수도 있죠. 본인이 원치 않는 이미지일 수도 있잖아요. 근본적으로 저는 대중음악가입니다. 대중이 찾아주지 않으면 존재 이유가 없는 사람이에요. 따라서 제가 일하는 분야에서 받는 평가를 가장 중요하게 생각해요. 저는 대중음악인이므로 음악으로만 소통하면 된다는 거죠.

■ 2008년 10월, YTN 해직기자들을 위한 촛불문화제에 참석해 "이런 공연 무대에 올랐다고 피해를 좀 보면 어떤가, 지금 같은 시대에는 오히려 아무 일도 당하지 않는 것이 이상하다"고 말했는데요. 대중문화예술인의 시각에서 본 이명박 정부, 어떤가요?

국민을 계도 대상으로 보는 것 같아서 안타까워요. 국민은 무언가를 가르쳐야 할 대상이 아닌데 자꾸 거기서 출발하려 든단 말이죠. 놀라운 점도 있어요. 한국 사회는 종잡을 수 없는 사회라는 점입니다. 2010년 6월 지방선거에서 드러난 결과를 보면 상당히 놀랍죠. 아니, 이들은 그동안 왜 아무것도 안 하고 있었던 거지? 이런 생각을 하게 되죠. 역시 침묵하는 다수가 있구나, 그들의 힘은 대단하다, 뭐 이런 걸 느끼게 됩니다. 우리 사회의 건전성이 남아 있네, 재밌다, 이런 생각을 했어요.

음악인이 될지 연예인이 될지 먼저 정해야 합니다

■ 연예인을 꿈꾸는 청소년이 참 많습니다. 그들에게 조언을 한다면.

〈슈퍼스타 K〉 예선에 200만 명이 몰렸다고 들었어요. 한마디 조언한다면, 가수는 생각만큼 화려한 미래가 보장되는 직업이 아닙니다. 뭔가 새로운 것을 만들어내는 게 얼마나 고통스러운지 잘 모르면서 적당한 환상에 사로잡혀 시작하면 안 된다고 생각해요. 실제로 많은 가수들이 거의 수입 없는 상태로 지내고 있습니다. 수입을 얻을 수 있는 다른 일을 한두 가지 더 하지 않으면 악기를 살 수도, 생활을 유지할 수도 없는 상황이죠. 환상만 가지고 덤벼들 일이 아니라고 말하고 싶습니다. 그것도 너무 어린 나이에, 그 나이에 해야 할 많은 일들을 포기하면서 선택한다면 현실은 매우 불행해질 수도 있다는 점을 말하고 싶어요.

그리고 음악인이 될 것인지, 연예인이 될 것인지 먼저 정해야 합니다. 음악인이 된다면 쉽지 않을 거예요. 그런데 이런 이야기하는 게 참 힘들어요. 저도 똑바로 살고 있다고는 말할 수 없기 때문에…….

그나저나 전 인구의 반이 연예인이 되겠다고 하니 참 큰일입니다. 저는 굉장히 운이 좋았고 우연히 가수가 됐어요. 흥얼거리는 내 노랫소리를 들은 선배가 권유했고 2년 반 뒤에 이 길을 걷게 됐죠.

■ 원래는 뭘 하려고 했나요? 어릴 때 꿈이 뭐였어요?

특수학교 교사가 되는 게 꿈이었어요. 단국대 특수교육학과에 진학하는 게 꿈이었는데 이렇게 돼버렸네! (웃음) 우연히 시작한 셈인데 재능이 있었던지 금방 사람들 눈에 띄었고 제 파란만장한 인생이 시작된 것 같아요. 후회는 안 하는데 다음 생에 다시 사람으로 태어날 수 있다면 그때는 이 일을 하고 싶지 않아요.

■ '맨발의 디바'라 불리며 최고의 자리에 올랐는데도 그런 생각이 들어요?

버거워요. 원래 성격이 사람들의 시선을 받는 걸 썩 즐기지 않는 편인데 노출돼 있는 직업을 갖다 보니 버거운 게 참 많아요. 근본적으로 재능의 한계를 느끼는 거죠. 더 잘하고 싶은데 바닥은 보이고 공부를 한다고 하지만 늘 부족함을 느끼니까요. 새로운 것을 만들어내야 한다는 부담에서 벗어날 수 없으니 힘들어요. 이런 팽팽한 긴장감에서 벗어나고 싶습니다.

그리고 이 말을 꼭 하고 싶은데, 가수가 연예인이 되기 위한 도구로 평가절하 되는 것 같아 싫어요. 연예인이 되기 위해서 가장 많이 쓰는 방법이 일단 가수로 출발했다가 조금 뜨면 드라마를 통해 배우가 되고 CF 스타, 빅 스타의 순으로 가는 것 같아요. 그러다 보니 음악 작업 자체를 진지하게 받아들이지 않는 것 같아 속상합니다. 그러니 가수가 평가절하 되는 것 같은 느낌이 들죠. 그런 것들이 이 직업을 갖고 참으로 진지하게 고민하면서 사는 사람들을 불편하게 합니다.

■**인터뷰** 2010. 7. 17 ■**사진** 유성호

에필로그

인터뷰가 끝났다. 뭔가 더 말해야 할 것 같은 분위기가 이어졌다. 그러나 그는 이명박 정부에 대해서는 별말 하려 하지 않았다. 그래도 대충 눈빛으로 말하고 있었다. 더 말해 무엇하겠느냐는 듯한……. 쉽게 공감이 됐다.

인터뷰가 있고 나서 얼마 후, 그는 MBC의 가수 오디션 프로그램 〈위대한 탄생〉

의 멘토로 나섰다. 가수가 되려는 이들을 지원하고 독려하면서도 가차 없는 독설을 던지며 그들 스스로 어떤 가수가 될 것인지 고민하도록 만들었다. 그는 대중음악계의 훌륭한 선생님으로 자리매김하고 있었다. 늘 그랬던 것처럼 자신이 선 위치에서 누구보다 당당하게 삶을 노래하고 있는 그를 볼 때면 종종 그의 노랫말이 귓가에 울린다.

그래

눈치 보지 않고

누가 뭐래도 내 할 말은 해야겠어

모두 이리 나와 숨지 말고

나처럼

자유롭게

-〈난 원래 이렇게 태어났다〉 중에서

우리나라에서 동물복지와 동물권은 아직 낯선 주제예요. 사람도 먹고살기 힘든데 어떻게 동물까지
신경 쓰겠냐며 고개를 갸웃하시는 분들이 많죠. 그래서 우선 '개 식용 반대' 캠페인을 위한 홍보가
필요하다고 생각했어요.

소셜테이너 인터뷰 · 17

영화감독 임순례

'소셜테이너'라는 주제로 인터뷰 섭외를 하는 일은 쉽지 않았다. 자신을 어떤 범주에 가둔다는 것을 불편해하는 경우가 많았다. 이는 김대중·노무현 민주정부 10년간 왕성하게 사회활동을 펼쳤던 이들도 마찬가지였다. 프로모션 기간이 아니면 나서지 않으려고 했다. 도대체 왜 그런 건지 생각이 복잡했다. 답을 준 건 영화감독 임순례였다.

대중들로부터 많은 사랑을 받고 사는 문화예술인들이 간혹 자신의 의견을 강하게 표출했다가 도리어 역풍을 맞는 경우가 많아서 선뜻 나서기 힘들어하는 것이라고 귀띔해주었다. 연예인들도 한국 사회 현안에 대해 할 말은 많지만 꾹 참는 이유가 거기 있을지 모른다는 생각이 들었다. 도저히 참을 수 없는 한계에 이르렀을 때에야 고작 한두 마디 꺼낼 수밖에 없는 것이다. 그것도 엄청난 용기의 산물이라는 것을 알게 됐다. 그것이 무엇이든 문제적 발언을 하는 순간, 문제적 인간으로 취급받는 정치 현실을 생각하니 갑갑증이 몰려왔다.

임 감독도 사회적 발언에 적극적이다. 그는 유기견 두 마리와 함께 살며 동물보호 시민단체 KARA(Korea Animal Rights Advocates)의 대표로서 동물복지운동과 개 식용 반대운동을 적극 펼치고 있다. 그의 관심사는 영화 주제에까지 영향을 미쳤다. 2008년 상업영화 〈우리 생애 최고의 순간〉으로 400만 명의 관객을 동원하기도 했지만, 2010년에는 〈소와 함께 여행하는 법〉에서 '먹보'라는 소를 '동물 배우'로 출연시켜 눈길을 끌었고, 2011년에는 동물권과 동물복지를 옹호하는 옴니버스 영화 〈미안해, 고마워〉를 연출하기도 했다. 10년 가까이 육식을 하지 않는 채식인이며 티베트 불교의 생명존중 사상에 심취해 있다.

영화감독이기 때문에 특별할 것이라는 내 상상은 그를 보는 순간 무너졌다. 너무 수수했다. 아주 오래전부터 옆집에서 함께 자란 언니처럼 편안했다. 애견 카페에서 만난 터라 개 짖는 소리가 우렁찼음에도 그의 말이 명료하게 들린 것은 아무래도 생명과 세상을 대하는 '임순례 식 삶의 태도' 때문이었으리라.

달라이 라마 법회에 참석해 "모든 깨달음이나 지혜는 실천으로 완성된다"는 법문을 듣고 즉각 KARA의 대표직을 수락했다는 그는 초복에는 개 식용 반대시위, 말복에는 처참하게 죽은 개를 위한 위령제를 올린다고 했다. 개든 거위든 돌고래든 반달곰이든 그 어떤 동물이라도 잔인하게 살해되는 일이 없어져야 한다고 했다. 그것이 인간의 미각이나 시각적인 호사를 위한 것이든 건강을 위한 것이든 그 어떤 이유에서라도 말이다.

■ 어릴 때부터 개를 좋아하셨나요?

고향이 인천 변두리인데 산업화되기 전이라 그때만 해도 시골이었어요.

주로 마당이 있는 시골집에서 한두 마리씩 기르는 정도였는데 그때부터 개를 좋아했어요. 지금 이 애견 카페에서 개들과 놀고 있는 젊은 친구들은 아마 어릴 때부터 집에서 강아지를 기르던 사람들일 거예요. 동물에 대한 감수성 지수가 높은 거죠.

> ■ 농림수산식품부는 2010년 8월 11일, 동물을 학대한 사람에게 1년 이하의 징역 또는 1000만 원 이하의 벌금을 부과하고 상습적으로 동물을 학대하면 형량의 2분의 1까지 가중 처벌하는 내용의 '동물보호법' 개정안을 마련했습니다. 이 정도면 우리도 동물권 보호의 단초를 열었다고 평가할 수 있을까요?

그동안 우리나라에는 동물학대에 대해 징역형이 없었어요. 개인적으로는 벌금 상한선도 좀 더 높였으면 좋겠어요. 어쨌든 앞으로 점점 더 동물보호 수준이 선진국에 근접해갈 것이라고 봐요. 동물학대에 대해 징역형이 신설됐다는 것은 상당히 바람직한 일입니다.

외국의 동물보호법을 보면, 동물을 학대할 경우 해당 동물을 즉각 압수할 수 있고 동물학대를 저지른 사람은 향후 몇 년간 동물을 키울 수 없도록 하는 세부 조항까지 마련돼 있어요. 반면 우리는 벌금 상한선이 500만 원으로 규정되어 있긴 했지만 불과 몇 달 전까지만 해도 아무리 처참하게 죽이거나 학대해도 대부분 20만 원 벌금형 정도가 고작이었어요. 판결을 내리는 사람들이 동물학대를 '취중에 저지른 우발적인 실수'라는 식으로 가볍게 생각하는 거죠. 그러다 2010년 '고양이 은비 사건(한 여성이 술에 취해 이웃집 고양이 은비를 학대하고 죽인 사건)'이 생겼을 때 국민적 분노가 일자 처음으로 징역형(4개월 징역에 집행유예 2년)이 선

고된 거예요. 하지만 동물학대죄가 아닌 재물손괴죄가 적용됐어요. 은비 사건 이후 농림부가 여론과 동물단체를 의식해 동물보호법을 개정하려는 것이라고 봅니다.

먹을거리가 아닌 생명을 지닌 존재

■ 2010년 〈소와 함께 여행하는 법〉에서 소랑 영화를 찍으셨잖아요. 본격적인 동물 배우의 등장이란 해석이 있어요.

두 달간 소랑 생활을 해보니 너무 사랑스럽더라고요. (웃음) 그 녀석 이름이 '먹보'인데, 먹보가 스태프들 곁을 지나가면 처음에는 800킬로그램이나 되는 소가 쓱 지나가니까 무서워서 소리를 지르고 난리가 났죠. 그런데 한두 달 같이 영화를 찍으니까 변화가 생기더라고요. 아침에 촬영장에 오면 제일 먼저 '먹보'부터 찾고 쓰다듬어주고 맛있는 풀 있으면 뽑아다 주고 그랬어요. 영화 촬영 다 끝나고 스태프끼리 얘기할 기회가 있었는데 그때 먹보 얘기가 제일 많이 나왔습니다.

솔직히 영화에 참여한 스태프 가운데 대부분이 이전까지는 '소' 하면 '소고기'만 떠올린 것 같아요. 생명을 지닌 존재로 생각하지 못한 거죠. 하지만 먹보와 함께 영화를 찍으면서 그 녀석에게도 생각과 감성 그리고 의지가 있다는 걸 알게 된 거예요. 그 뒤부터 먹보는 단순히 먹을거리로서의 '소'가 아니라는 걸 깨닫게 된 거죠. 그걸 보면서 한 번 더 느낀게 오늘날 사람들이 동물과 함께 생활할 기회가 별로 없다는 거였어요.

그러다 보니 단순히 먹을거리로 생각하거나 지나치게 무서워하거나 곁에 두면 힘들어하는 거죠. 만일 누구나 일정 기간 동안 동물과 함께 살아야 하는 상황이라면 그들과 더 친밀해질 수 있을 거란 생각이 듭니다.

■ 〈소와 함께 여행하는 법〉에서 주연배우를 맡은 공효진 씨도 동물애호가인가요?

공효진 씨가 푸들 한 마리를 키운다고 하더라고요. 그런데 보통 개를 좋아하더라도 자기가 키우는 개만 좋아하지 다른 개들은 무서워하는 경우가 많거든요. 이 작품에서 주인공이 시골 누렁이와 연기하는 장면이 있는데 공효진 씨가 누렁이에게 다가가 스스럼없이 만지는 걸 보고 깜짝 놀랐어요.

시골 마당에 묶어 키우는 개들이 대개 그렇듯이 그 누렁이도 통 목욕을 안 한 개였거든요. 그래서 냄새가 엄청 나는데도 전혀 꺼리지 않더라고요. 촬영이 주로 시골에서 이뤄져서 누렁이와 함께 있는 시간이 많았는데, 공효진 씨가 보통 도시에서 키우는 애견 대하듯 녀석에게 말도 붙이고 쓰다듬고 전혀 편견 없이 대하더라고요. 그래서 '아! 이 친구, 동물을 엄청 좋아하는구나' 싶었죠. 먹보와도 굉장히 빨리 친해졌어요.

■ 먹보는 소인데, 출연료는 어느 정도였어요?

먹보는 이 영화에서 제3의 주인공이에요. 그에 합당한 돈을 받았습니다. 두 달간 돌봐야 하기 때문에 매니저가 따로 붙었고 그 매니저 월급까지 합쳐서 저희 영화 예산 안에서는 랭킹 3위에 걸맞은 돈이 나갔어요. 먹보 주인이 그 녀석 먹이는 데 워낙 신경을 많이 써요. 주로 친환경 농산물을 먹는데 간식으로는 친환경 사과를 즐겨 먹어요. 그래서 먹보가 사과 먹을 때 스태프들이 지나가면서 '우리는 소만도 못한 놈'이라고 그랬어요. (웃음)

더 이상 '돌고래 쇼' 못 보겠어요

■ 〈우리 생애 최고의 순간〉이 상업적으로 성공한 후부터는 동물영화에 주력하는 듯합니다. 동물보호라는 사회적 메시지를 전달하려는 목적의식 때문인가요, 아니면 동물을 사랑하다 보니 자연스럽게 찍게 되는 건가요?

우리나라에서 동물복지와 동물권은 아직 낯선 주제예요. 사람도 먹고살기 힘든데 어떻게 동물까지 신경 쓰겠냐며 고개를 갸웃하시는 분들이 많죠. 그래서 우선 '개 식용 반대' 같은 캠페인을 위한 홍보가 필요하다고 생각했어요. 그러던 차에 〈날아라 펭귄〉(2009)이란 인권영화를 만들고 나서 영화를 통한 사회적 메시지 전달이 굉장히 효과적이라는 생각이 들더라고요.

〈미안해, 고마워〉는 그 고민의 연장선상에서 태어난 작품입니다. 축산장려가 주 업무이긴 하지만 역설적으로 동물복지에 대한 주무부처이기도 한 농림부에서 마침 대시민 홍보를 기획하던 차에 이 영화의 제작을 지원해줬죠. 송일곤, 오점균, 박홍식 감독과 저, 이렇게 넷이서 옴니버스 동물영화를 찍게 된 거예요. 그런데 조금만 생각해보면 단순히 먹을거리라는 측면에서 접근한다 해도 동물을 너무나 잔인하고 처참하게 다루는 것은 소비자로서 반길 소식이 아닌 것 같아요.

제가 루이 시호요스 감독의 〈더 코브: 슬픈 돌고래의 진실〉(2009)을 봤어요. 일본 돌고래 산업의 비인도적 측면을 다룬 다큐멘터리인데 매년 수만 마리의 돌고래가 학살되는 현실을 고발하죠. 그런데 일본 우파들은 외국에서 돌고래 산업에 대해 문제를 제기하면 자국 전통 산업에 간섭하지 말라고 주장해요. 우리나라의 개고기 문제와 닮아 있죠.

이 영화는 일본 우익들의 상영 금지 압박을 받았지만 전 세계적으로 큰 반향을 불러일으켰어요. 어쨌든 저는 그 영화를 보고 더 이상 '돌고래 쇼'는 보지 못하겠다는 생각이 들더라고요. 〈더 코브〉의 경우처럼 영화를 통해 동물과 관련한 첨예한 문제를 다루는 것이 좋겠다는 생각이 들었어요. 길에서 핸드 마이크로 '개고기 먹지 말자'고 악을 쓰는 것보다 훨씬 효과적이라는 거죠.

■ 동물과 함께 만드는 영화에서 강압적 수단을 쓰지 않고 촬영을 진행하려면 굉장히 힘들 것 같은데 작업에 어려움은 없었나요?

일반적으로 영화 찍기 가장 힘든 대상은 어린아이와 동물이에요. 어린아이들은 집중하는 시간이 짧기 때문에 촬영하기 어렵고, 동물은 커뮤니케이션이 안 되기 때문에 찍기 어렵죠. 동물과 어린아이가 같이 나오는 〈마음이…〉(2006) 같은 영화는 촬영하기가 굉장히 힘들었을 거예요. 그런데 동물도 자기를 존중해준다는 걸 느끼면 마음을 열어요. 진심을 다해 대하면 동물과 촬영하는 게 생각보다 어렵지 않다는 것도 알게 됐어요. 도구를 써서 동물이 싫어하는 강압적인 방식으로 움직이게 하면 당장의 임시변통은 될 수 있을지 모르지만 그다음에는 컨트롤하기 힘들어요. 동물과 지속적으로 신뢰감을 쌓으면서 촬영하다 보면 그들도 최소한의 '직업윤리'가 있다는 것을 느끼게 되죠.

■ 동물보호단체 KARA의 대표를 맡은 건 동물보호운동에 적극 나서겠다는 뜻이죠?

제가 〈우생순〉을 찍으려던 즈음에 KARA 분들께서 대표를 맡아달라고 요청하셨어요. 그런데 그때는 영화를 찍어야 했고 회장직을 맡아서 할 자신도 없어서 고사를 했어요. 영화 촬영 끝나면 생각해보자는 핑계로 피했는데 정확히 2년 뒤 영화가 끝난 다음에 다시 찾아오셨어요. 그때 약간 생각의 변화가 있어서 맡게 됐어요.

티베트 사람들이 '파리 끈끈이'에 놀라더라고요

■ 어떤 변화가 생겼나요?

우리나라 불교 신자들을 보면 불자라서 고기를 일반 사람들보다 덜 먹는다거나 다른 종교를 가진 분들과 달리 동물을 특별히 더 존중한다거나 그런 게 없잖아요. 그런데 인도의 다람살라에서 만난 불교 신자들이 동물을 대하는 자세는 우리와 굉장히 달랐어요.

다람살라는 티베트 망명정부가 들어선 곳인데 크기가 홍대 앞 정도밖에 안 되는 아주 작은 도시예요. 번잡한 상가와 음식점, 기념품 가게 앞에 개들이 있는데 대부분 집 없이 길에서 사는 녀석들이에요. 한국에서는 그런 개들이 학대를 당해도 구조하기조차 어려운데 다람살라의 개들은 그야말로 대자로 딱 뻗어서 편안하게 있더라고요.

아마 우리나라에서는 상점 앞에 개가 누워 있는 걸 보면 가만두지 않을 겁니다. 그런데 그들은 누구 하나 개에게 뭐라고 하는 사람이 없더라고요. 심지어 달라이 라마 법회에도 개들이 왔다 갔다 해요. 가게 앞 같은 생활공간에서든 사원에서든 늘 사람과 동물이 공존하고 있었어요.

모든 불교가 전생과 윤회를 강조하지만 그 가운데 티베트 불교가 제일 강한 것 같아요. 하찮은 미물, 이를테면 파리나 모기라 할지라도 전생에 자신의 어머니였을지도 모른다는 식으로 생각하는 거죠. 그러니까 생명체를 함부로 대할 수 없는 거예요. 티베트 사람들은 심지어 봄에 쟁기질을 할 때도 혹시 쟁기 날에 미물들이 잘려 죽을지 모르니까 3일간 불경을 읽으면서 미리 알려준다고 해요.

티베트 사람들이 한국에 와서 제일 놀란 게 '파리 *끈끈이*', '모기 잡는 전깃불' 같은 거래요. 자신의 어머니와 똑같은 무게감을 갖는 존재들인데 어떻게 끈끈이와 전깃불로 잡느냐는 거죠. 저 역시 티베트에 가서 참 많이 배웠어요.

사실 동물보호단체 대표를 맡는다는 건 굉장히 힘든 결정이었어요. 그럼에도 결정을 하게 된 데는 달라이 라마 법회에서 들은 말씀이 큰 힘이 됐죠. "모든 깨달음이나 지혜는 실천으로 완성된다!" 우리가 아무리 좋

은 걸 생각해도 실천하지 않으면 지혜의 완성이 아니라는 취지의 말씀이셨는데 상당히 마음에 와 닿았어요. 그래서 한국에 돌아온 후 중국의 티베트 무력진압 사건이 일어나자 바로 캠페인 조직하고 '프리 티베트' 운동에 앞장섰던 거죠.

■ 한국의 연간 개고기 소비량은 최대 250만 마리로 추정되고 2008년 CBS 설문조사 때는 응답자 700명 가운데 53퍼센트가 개고기 합법화에 찬성했습니다. 세계적으로 유명한 동물보호운동가 브리지트 바르도(Brigitte Bardot)는 개고기 문화를 비판했다가 한국에서 처참하게 욕을 먹었습니다. 개고기 먹는 것도 문화라는 거죠.

브리지트 바르도가 유명한 운동가이긴 한데 개 식용 문제와 관련한 국내 여론에는 굉장히 안 좋은 영향을 주었죠. (웃음) 그때 김홍신 의원이 주동이 돼서 달팽이나 푸아그라를 먹는 프랑스 음식문화를 꼬집으며 논쟁이 이상한 방향으로 흘러갔어요. 물론 저처럼 개 식용에 반대하는 사람이라면 오히려 푸아그라를 비판할 수 있겠죠. 거위의 간을 키우기 위해 굉장히 잔인한 방법을 동원하잖아요.

그런데 사실 개 식용이 우리 전통문화가 아니라는 말이 있어요. 기마민족, 유목민족은 개를 안 먹는다는 거죠. 기마민족에게 개는 항상 같이 이동하는 동반자였기 때문이에요.

이런 역사적 사실은 논외로 두고 상식 수준에서 생각해보더라도 '식용 개'가 자라는 환경은 너무나 처참해요. 이를테면, 짜게 먹여야 살이 더 오르기 때문에 물도 잘 안 준다는 겁니다.

개 식용을 찬성하는 분들 중에는 흔히 '먹는 개'와 '기르는 개'가 다르다고 생각하는 사람들이 많은데 전혀 그렇지 않습니다. 기르는 개 가운데서도 분양될 몇 마리를 제외하고는 모두 개장수에게 팔려가 개소주나 개고기로 변하게 됩니다.

사실 우리가 예전처럼 먹을 게 없어서 집에서 기르던 개를 잡아먹어야 하는 정도는 아니지 않나요? 오히려 지금은 영양 과잉의 시대죠. 개든 거위든 돌고래든 반달곰이든 그 어떤 동물이라도 인간의 미각이나 시각적인 호사, 건강을 위해 잔인하게 살해되는 일은 없어져야 한다고 생각해요.

■ 달걀과 유제품은 먹는 '락토오보(Lacto-Ovo) 채식주의자'로 알려졌는데요.

2003년부터 채식을 했으니까 8년 정도 한 셈이네요. 가까운 친구 하나가 개를 잃어버렸는데 제보가 왔어요. 수소문해서 가보니까 서울 경동시장 개소주 골목이었던 거예요. 개시장에는 우리가 보통 식용견이라고 생각하는 누렁이만 있는 게 아니라 온갖 종류의 애견까지 다 있었어요. '먹는 개'가 따로 있는 게 아니라는 걸 증명하는 현장을 포착한 셈이죠. 이 친구가 그때 충격을 받아서 고기를 끊었다고 하더라고요. 그 시점에 저도 생각을 했어요. 만약 미국에서 개를 잃어버렸다면 어디엔가 입양되거나 보호소에서 안락사하게 될 텐데 한국에서는 개장수를 통해 누군가의 음식이 될 수 있는 거죠. 제가 마음을 다해 사랑하는 개도 그렇게 될 수 있다는 생각을 하니까 1차 결심이 서더라고요.

또 동물을 키우면 다른 동물에 대한 애정도 무한히 생기거든요. 생명의 소중함은 다 똑같은 거니까요. 소나 닭, 돼지도 마찬가지인 거죠. 그래서 채식을 하자고 최종 결심을 하게 된 거예요. 동물보호단체에서 일하는 분들을 보면 누가 먼저 주장하지 않아도 거의 자발적으로 채식하는 분들이 많아요.

한국 사회가 좀 더 유연해지고 성숙해지길

■ 이명박 정부 이후 연예인의 사회적 발언이 급격히 줄었어요.

음…… 한국 대중이 이중적 측면을 갖고 있다고 생각해요. 연예인의 사회적 책임감을 중시하면서도 실제 사회적 발언을 했을 때 자신이 기대한 것과 다른 방향으로 흐르면 무조건 비판부터 하고 보는 거죠. 사정이 이렇다 보니 연예인들은 지지층이 불안정하기 때문에 발언에 신경을 쓸수밖에 없어요.

한 여성 연예인이 자신은 '모피를 입지 않는다'거나 '동물실험을 한 화장품은 쓰지 않는다'거나 '개고기 먹는 남자와는 데이트하지 않겠다'는 발언을 했다고 가정하죠. 그러면 사람들은 그이를 두고 정말 '생명친화적인 연예인'이라고 평가하는 게 아니라 '소는 왜 먹나', '가죽 옷은 왜 입나', '어떤 영화에서 모피 입고 나오는 것 봤다'는 식의 비본질적 태클을 거는 거예요.

그렇다고 해서 해당 연예인에게 '당신 이렇게 치고 나가라!' 하기는 어려울 것 같아요. 엄청난 십자가를 지우는 거잖아요. 전 연예인이 아닌데도 '임순례'를 치면 연관검색어로 '보신탕'이 떠요.

그러다 보니 대중의 인기에 기반을 둔 직업 종사자들이 자기 의견을 강하게 표현하기가 굉장히 어려운 거죠. 사회적 성숙도와도 연계돼 있다고 봐요. 유럽에서는 배우나 엔터테인먼트 종사자들이 정치·사회적 발언을 자유롭게 해도 그걸 연예 활동과 별개로 판단해주거든요. 하지만 우리 사회에서는 무조건적인 공격을 당하게 되니까 아무래도 발언을 저어하는 측면이 있는 것 같아요. 부담스러운 거죠. 그래서 저는 한국 사회가 좀 더 유연해지고 성숙해져야 한다고 생각해요.

■ 사회적 활동에 적극 나서는 연예인을 '소셜테이너'라고 부르잖아요. 감독님을 소셜테이너로 분류하는 것에 대해 어떻게 생각하세요?

인위적인 것 같아요. 이를테면 기자가 다른 여러 사회적 활동을 한다 하더라도 어쨌든 직업은 기자인 거잖아요. 연예인들도 마찬가지라고 봐요. 본업은 연기자, 가수, 엔터테이너인 거고 사회적 발언을 하거나 저처럼 NGO 후원을 할 수도 있는 거죠.

사회적 환경을 바꾸기 위해 뭔가를 희생하는 게 아니고 그냥 개를 좋아하고 열악한 환경에서 살아가는 동물들을 보면 가슴 아프기 때문에 자연스럽게 하는 거예요. 저 말고도 수많은 사람들이 동물운동에 기여하고 있어요. 전 그냥 영화감독이라 노출될 뿐이죠. '소셜테이너'라고 하면 뭔가 우리 사회를 위해 대단한 일을 하는 것처럼 보여서……

얼마 전 아이티에 가서 구호 활동을 한 배우 숀 펜과 안젤리나 졸리에 대한 기사를 봤어요. 영향력이 큰 사람들이기 때문에 기부금도 훨씬 많

이 모이고 활동의 파급력도 크죠. 미국 사회가 존경심을 갖고 그들을 바라봅니다. 비난하거나 부정적인 견해를 드러내는 사람들은 극소수에 불과해요. 우리도 영향력 있는 사람들의 활동에 대해 색안경 끼지 말고 열린 마음으로 그들의 활동을 공유할 수 있었으면 좋겠어요.

■인터뷰 2010. 8. 21 ■사진 유성호

에필로그

동행한 유성호 사진기자가 리얼리티를 살리는 차원에서 인터뷰 장소를 '애견 카페'로 하자고 제안했을 때 흔쾌히 '오케이' 했다. 그러나 그게 곧 낭패로 이어질지 예측하지 못했다. 원래 '개 공포증'이 있었지만 카페에 개가 얼마나 있겠나 싶었다. 하지만 현장은 '개 반, 사람 반'이었다. 늘 인간 중심적으로 사고하는 내가 애견 카페를 '개' 중심적으로 사고할 턱이 없었던 게다.

온갖 핑계를 대서라도 다른 카페로 옮기고 싶다고 생각한 순간, 머리털 나고 처음 보는 개들이 내 주위를 둘러쌌다. 왈왈 짖어대는가 하면 탁자 위로 기어오르고 심지어는 아이스 카페라테를 혀로 핥기도 했다. 노트북컴퓨터에서 잠깐 손을 떼면 어느새 후다닥 뛰어들어 자판을 밟고 지나가기를 수차례, 급기야 임순례 감독이 걱정하고 나섰다.

"딜리트(Delete) 키를 콱 누르면 어쩌죠?"

등줄기에 식은땀이 흘렀지만 내색하지 못하고 그냥 웃을 수밖에 없었다. 그러나 진짜 커다란 개 두 마리가 앞뒤로 나를 포위해 들어올 때는 '악!' 소리를 지르며 감독님의 손을 잡고야 말았다. 처음 잡아보는 그 손은 아주 작고 따뜻했다.

개털과 개 냄새를 지금도 잊을 수 없는데, 입장을 바꿔 생각해보면 개들도 낯선 인간의 냄새로 얼마나 힘겨웠을까. 유기견을 키우는 임 감독에게는 개들이 달려들어 연신 얼굴을 핥았지만 내게는 그러지 않았다. 그들도 알았던 게다. 나는 그들에게 마음을 주고 있지 않다는 걸 말이다. 하물며 개도 호불호가 분명한데, 왜 나는 싫어도 싫다고 말 못하고 사는 걸까. 개만도 못한 건가.

차별 없는
'해피투게더'를 꿈꾸다

바닥에 짓밟혀 있다가 꿈틀꿈틀 기어코 살아났다고나 할까. 그래서인지 전 실수하면 안 되고 남에게 피해를 줘도 안 된다는 자기 검열 같은 게 있어요. 하지만 그 속에서도 앞으로의 게이들에게 희망을 주는 사람으로 살아야 한다는 책임감 같은 걸 느껴요.

소셜테이너 인터뷰 · 18

배우 홍석천

#1

"동성연애자 아니고 동성애자예요. 가감 없이 써주시고 제목 뽑는 것 잘 좀 부탁드려요."

입이 바싹바싹 타들어갔다. '호모 발언 파문', '20대 사업가와 열애설', '동성애 경험'. 커밍아웃 이후 2000년 10월 14일, 첫 기자회견에 나선 배우 홍석천(@Tonyhong1004)은 기자들과 일일이 악수하며 당부했다. 황당무계한 융단폭격에서 살아남을 방법이 있다면 그건 오로지 납작 엎드려 간청하는 수밖에 별다른 도리가 없어 보였다. 그는 이단아였고 대국민 '왕따'였다. 이성애가 지배하는 사회에서 동성애라니, 희대의 별종이었다.

#2

"드라마 보고 게이가 된다니. 동성애는 전염병이 아니란 얘기다. 이 무식한 인간들아!"

2011년 9월 29일 〈조선일보〉에 '참교육 어머니 전국 모임'과 '바른 성문화를 위한 전국 연합'이 "〈인생은 아름다워〉 보고 게이 된 내 아들

AIDS로 죽으면 SBS 책임져라" 광고를 싣자, 홍석천은 트위터에 글을 올리고 분개했다. 몰상식에 기염을 토한 것이다.

나는 그가 커밍아웃 기자회견을 하던 자리에 앉아 있었다. 벌써 10년이 넘은 일이다. 그가 뜨문뜨문 질문에 답할 때마다 나는 어쩌면 그가 스스로 목숨을 끊을지 모른다고 걱정했다. 대중의 사랑으로 먹고살던 연예인이 그 모진 욕설과 학대, 편견과 차별을 견뎌낼 수 있을까, 적이 우려됐다. 하지만 그건 기우였다.

"아우, 안녕! 오랜만. 잘 지내죠? 내가 너무 바빠서 그만."

기자회견 뒤 쏙 숨어버릴 줄로만 알았던 그는 '소수자 인권'을 논하는 자리마다 보란 듯이 나타났다. 시민단체 기자회견에도 빠지지 않았다. 2001년 어느 여름날, 구슬땀을 흘리며 서울 광화문 세종문화회관 지하 계단을 통해 미국대사관 쪽으로 올라와 NGO 회견에 참석하던 그를 잊지 못한다. 인권영화제, 성 소수자 특강, 동성애 인권 모임, 그 무엇이든 그가 필요한 자리라면 마다하지 않았다. 계속 짓밟히고 무시당했지만 그는 잡초처럼 살아났다. 그것도 활짝 웃으며 아주 씩씩하게.

정면승부. 내가 본 홍석천은 그랬다. 보수적인 한국 사회에서 동성애라는 화두를 던지고 온몸으로 싸우기로 작정한 듯 보였다. 그는 마치 버텨내야 할 어떤 마지노선에 선 것처럼 행동했다. 하지만 그 싸움은 지루하고 힘든 게 아니라 아주 유쾌하고 즐거워 보였다.

"나 일본 아줌마들한테 인기 무척 많다! 한류 스타는 너무 바빠서 볼 시간이 없지만 나 같은 '생활 연예인'은 가까이에서 볼 수 있잖아. 사진 찍고 같이 수다 떨고. 얼마나 생활 밀착형이야. 일본과자, 찹쌀떡 같은 선물도 많이 받아요."

그동안 너스레가 늘었다. 원래 입담이 있는 편이었지만 더 짜임새가 있어졌다. 자주 연락하는 사이는 아니었지만 어느덧 십년지기가 된 홍석천. 여전한 애연가였고 패셔니스타답게 멋스럽게 차려입고 나타났다. 낄낄거리며 수다 떨다가도 코끝이 찡해지도록 가슴을 흔드는 이 남자. 보고 있으면 연신 웃음보가 터지는 그를 우린 왜 지상파 TV에서 자주 만날 수 없는 걸까. 커밍아웃 이전과 이후, 왜 연기자로서 그에 대한 평가가 극단적으로 바뀐 걸까. '홍석천'이라는 이름 석 자 앞에 붙는 '동성애'라는 멍에를 떼어낼 수는 없는 걸까.

■ 연예인이 사업을 하면 성공하는 경우가 드물잖아요. 대박 사업가가 된 비결이 뭐예요?

아유, 대박까진 아니에요. 비결이랄 게 뭐 있나요? 공부하고 발로 뛰는 것, 잠 안 자고 연구하는 것, 가라오케에 가서 술 마시고 놀 시간에 시장 돌고 가게에서 손님맞이하는 것? 음…… 가게에서 전 연예인이 아니에요. 급하면 접시 나르고 설거지도 하고 멀티플레이어가 되죠. 제일 못하는 건 계산이에요. 아직도 손님들에게 돈 받는 게 쑥스러워요.

■ 노동의 대가인데 돈 받는 게 왜 쑥스러워요?

뭐랄까, 사람들에게 그냥 배우이고 싶은 마음인 거죠. 잘 보이고 싶은

맘? 여전히 전 사람들에게 "그 작품 참 재밌게 봤어요", "토크쇼 너무 좋았어요" 이런 말 들을 때 제일 행복해요. "돈 많이 버셨다면서요?" 이건 별로예요.

남에게 '식보시'할 사주래요

■ 짠돌이라는 소문이 있던데.

저 완전 짠돌이에요. 특히 저 자신한테는 정말 돈을 안 써요. 일단 면허증이 없으니 차 욕심이 없어요. 서울시내 운전하는 것도 싫고 운전하면서 싸우고 소리 지르는 것도 싫어요. 운전에 온 신경 다 써야 하니 그 시간에 딴 거 할 수도 없잖아요. 누가 대신 운전해주면 인터넷을 하건 책을 보건 할 텐데. 또 길 막힐 때 바로 내려 지하철로 갈아탈 수도 없잖아요.

그리고 저는 근본적으로 서울시내에서 차를 끌고 다니는 것 자체가 비효율적이며 비경제적이라고 생각해요. 급할 땐 택시 타면 되잖아요. 아마 택시 타는 게 차량 유지비보다 쌀걸요? 또 차는 일단 사면 그 순간부터 중고잖아요. 재테크 개념으로도 별로 좋은 수단이 아니에요.

■ 그럼 연예인이 대중교통을 이용한단 말이에요? 대부분 벤 타고 다니지 않나요?

일단 제 이름으로 된 차가 없어요. 버스는 번호가 너무 헷갈려서 잘 안 타고요. 대신 지하철과 택시를 많이 타죠. 물론 매니저가 여기저기 데려다 주긴 해요.

전 옷도 많이 안 사요. 비싼 거? 잘 안 사요. 주로 동대문 새벽시장 가요. 명품? 외국여행 중에 70퍼센트 이상 폭탄 세일할 때 아니면 안 사요. 세일 기다리죠. 빈티지 좋아하고.

■ 사업도 잘되는데 왜 자기한테는 인색하게 굴어요?

이승연 씨가 늘 하는 잔소리가 있어요. '이제 너한테도 투자해라. 좋은 옷 입고 좋은 차 타고 다녀도 되지 않느냐'고 그래요. 그런데 전 이런 스타일이에요. 남 사줄 땐 스테이크, 나 먹을 땐 김치찌개.

제가 골프를 정말 좋아해요. 그래도 골프장에 잘 안 가요. 왜냐하면, 골프장 가면 하루를 거의 다 소비해요. 돈도 만만치 않게 들어요. 하루 꼬박 다 쓰고 몇 십만 원 들여 운동? 이건 저한테 안 맞는 것 같아요. 좋은 사람 만나 좋은 시간 보내는 건 좋은데, 저처럼 바쁘고 할 일 많은 사람에겐 안 어울린다고 생각해요. 그냥 골프채널 밤새 보는 게 낫지.

■ 사주를 보면 물장사, 밥장사로 남에게 '식보시'하는 팔자라면서요.

맞아요. 사람들에게 베풀고 살아야 할 사주래요. 밥도 주고 물고 주고 그래야 업을 씻는 거죠. 벌써 밥 팔고 물 파는 가게가 일곱 개예요. 계속 누구에게 뭘 먹여야 할 팔자인가 봐. (웃음)

■ 홍석천 씨 레스토랑엔 다 'MY'가 붙잖아요. '내 거다' 이건가요?

아뇨. 책임감 때문이에요. 스스로에 대한 책임감을 갖자는 생각인 거죠. 혹시 그 자리에 제가 없어도 홍석천이 하는 가게에 가면 가격 대비 만족도가 괜찮다, 이런 걸 느꼈으면 해서요. '최고는 아니라 하더라도 가격 대비 분위기·맛·서비스가 좋은 가게', 이게 제 레스토랑의 콘셉트거든요.

제가 기막히게 훌륭한 레스토랑 사업가는 아니라고 생각해요. 1등? 절대 아니죠. 음식의 질이 상상을 초월할 정도로 훌륭해? 그것도 아니에요. 그저 두 사람이 3만~4만 원으로 뭔가 특별한 한 끼 식사를 즐긴다. 이게 제 콘셉트예요. 제가 시골 출신이거든요. 그래서인지 사실 밥 한 끼에 3만~4만 원도 '꿩장한 사치'라고 생각해요. 하지만 도시 사람들은 간혹 특별한 날이나 기념하고 싶은 날에 그 정도는 기꺼이 지불하기도 하잖아요. '그래, 이런 분위기에서 좋은 사람과 맛난 음식 먹고 이 정도 지불했다면 나 오늘 행복했어!' 이렇게 느끼게 할 수 있다면 대성공이죠. 그런 행복 바이러스를 퍼트리고 싶어요. 최고로 훌륭한 음식을 먹으려면 에드워드 권을 찾아가야죠. (웃음)

마흔 전에 '나'를 찾고 싶었어요

■ 성공한 CEO가 된 건 커밍아웃 사건과 무관하지 않을 텐데요. 그 일이 없었다면 계속 배우로 살지 않았을까요? 2000년 8월 〈夜! 한밤에〉 출연한 이후

스포츠신문에 그 기사가 난 거죠? 동성애자라고.

그 전에 〈여성중앙21〉과 독점 인터뷰를 했는데 그걸 〈일간스포츠〉에 다니던 친한 후배가 눈치채버렸어요. 그리고 제가 시드니올림픽에 간 사이에 미리 써버린 거죠. 그 기자는 너무 양심의 가책을 느껴서 1년 있다가 기자 그만뒀어요.

사실 커밍아웃은 오랫동안 준비해왔어요. 마음속으로는 늘 '서른 살'이 되면 꼭 하겠다고 생각하고 있었죠. 제게 서른 살은 큰 의미가 있었어요. 2000년 뉴밀레니엄과 함께 제 나이도 서른을 맞게 되니 이제 제대로 된 '나만의 삶'을 살아야겠다는 생각이 들더라고요.

사실 20대 때는 오로지 배우로서 성공하는 데만 전념하며 10년을 달려왔어요. 하지만 서른이 되면 과분한 행운에 욕심 부리기보다는 마흔이 되기 전까지 '나'를 찾는 시간을 갖고 싶었어요. 제 것을 포기하고 오로지 성공을 위해 뛰었는데 30대엔 그러지 말아야 했던 거예요.

20대 후반에 MBC 시트콤 〈남자 셋, 여자 셋〉(1996~1999)이 너무 잘돼서 배우로서는 최고의 시간을 보내고 있었지만, 저 개인적으로는 네덜란드인 남자친구와의 사랑 때문에 고민이 많았어요. 서른 넘어서까지 제 정체성을 못 찾으면 나중에 아무것도 포기 못 할 것 같은 거예요. 인기나 돈을 너무 많이 얻으면 나중에 아무것도 놓을 수 없을 것만 같았던 거죠. 인간이 그렇잖아요, 너무 많이 갖고 있으면 선뜻 놓지 못하거든요. 주변에 걸리는 것도 얼마나 많겠어요.

그래서 조금이라도 덜 가졌을 때 버리자고 마음먹었죠. 마침 〈夜!한밤에〉 녹화 중 출연자 한 분이 묻더라고요. 그 코너가 진실 토크였는데, 여자보다 남자를 더 좋아한다는 소문이 있는데 사실이냐는 거예요. 그래서 솔직히 남자가 좋다고 말했죠. 그런데 그게 편집이 됐어요. 그래서 '아, 역시 대한민국에선 어렵겠구나' 하는 생각이 들었어요. 그런데 나중에 소문을 듣고 〈여성중앙21〉 기자가 찾아온 거죠. 그래서 얘길 한 거예요.

■ 커밍아웃 이후 너무 많이 시달렸잖아요.

한 달 정도 집에서 안 나왔어요. 그때 담배 제대로 배웠죠. 하루에 세 갑? (웃음)

■ 2010년에 '홍석천 커밍아웃 10년'을 비교하는 기사가 쏟아졌어요. 뭐가 달라졌나요?

우선 홍석천을 바라보는 시선이 바뀐 것 같아요. 커밍아웃 당시만 해도 홍석천 앞에는 동성애자라는 말뿐이었어요. 지금은 제 이름 앞에 다른 많은 수식어가 붙어 있어요. 배우, 방송인, 사업에 성공한 CEO 등등. 어쩌면 저를 보면서, 인정하고 싶지는 않지만 인정해야 할 것만 같은 느낌이 드는 분들도 있을 거예요. 동성애자라면 모두 싸잡아 욕하고 싶은 사람도 제가 꿈틀꿈틀 잡초처럼 살아온 지난 세월을 보면 어쩔 수 없는 거죠. 도저히 우리 사회에 받아들이고 싶지 않은 존재지만 아무리 밟고 밟아도 살아서 혀를 날름거리는 거예요.
그러다 보니 조금씩 인식의 전환이 생기는 건지도 몰라요. '아! 동성애자라고 해서 무조건 욕할 필요는 없겠구나', '나름대로 열심히 살고 있고 보통 사람들처럼 단란한 가족도 있구나', '나한테 큰 피해를 주는 존재가 아니라면 더불어 살아도 나쁘지 않겠구나' 하는 생각을 하는 거죠. 여기서 조금 더 나아간다면 '동성애자가 어떤 사람인지 한번 알아볼까'라는 데까지 확장될 수 있겠죠.

가시적으로 분명한 변화가 있어요. 제가 커밍아웃한 후 〈뽀뽀뽀〉에서 잘렸잖아요. 아이들 근처에서 절 몰아낸 거죠. 그런데 요즘 길거리나 가게에서 아이들을 데리고 온 부모들을 만나면 "이 아저씨 훌륭한 사람이야"라면서 아이들한테 절 소개시켜줘요. 제가 그 아이를 안아줘도 좋아하고 사인도 받아 가요. 그 순간순간이 제게 얼마나 의미 있고 행복한지 모르실 거예요.

> ■ 해외 언론의 반응도 뜨거웠죠. 2003년 〈LA타임스〉는 '한국 스타, 커밍아웃 뒤 인기 추락'이라는 기사를 썼고 〈타임〉은 2004년에 '아시아의 젊은 영웅' 20인 가운데 하나로 홍석천 씨를 선정했어요.

커밍아웃을 한 건 2000년이지만 해외 언론이 절 주목한 건 2003년부터예요. 2003년 미국의 〈뉴욕타임스〉와 〈LA타임스〉, 프랑스의 〈르몽드〉, 영국의 〈더 타임스〉, 독일의 언론 등이 절 다루기 시작했어요. 커밍아웃의 의미를 조명하고 당시 제가 어떻게 살고 있는지를 소개한 거죠.

그때 저는 커밍아웃을 한 뒤 가만히 있지 않고 계속 인권 보호 활동을 했어요. 전국의 대학을 다니면서 '동성애와 소수자 인권'을 이야기한 거죠. 벌써 10년이 넘었네요. 한국 사회에 '동성애'라는 화두를 던졌을 뿐 아니라 도망가지 않고 끊임없이 한국에서 활동한 점에 대해 외국 언론이 주목하기 시작한 것 같아요. 무시무시한 편견에 맞서 버티고 있다는 것에 굉장히 큰 의미를 부여해줬고 긍정적으로 평가했어요. 그리고 그 결과로 2004년에 상을 준 거죠.

"네가 아시아 영웅이야?"

■ '아시아의 젊은 영웅'으로 선정된 뒤 편견과 차별에서 조금은 자유로워졌나요? 예컨대 국내에선 절대 인정을 안 해주다가도 해외에서 상 받아오면 태도가 확 돌변하기도 하잖아요.

무슨 말씀을! 그 정반대였어요. 무엇보다 제가 2004년 〈타임〉이 꼽은 '아시아의 젊은 영웅'에 선정됐다는 걸 아는 사람들이 별로 없었어요. 국내 언론이 집중적으로 보도해주지 않았거든요. 그냥 단신으로만 나왔죠.

재미있는 건 당시 선정된 젊은 영웅이 각국에 한 명씩인데 유독 우리만 셋이었다는 거예요. 저와 박세리, 김미현. 한국의 여자 프로골퍼들과 어깨를 나란히 하게 된 거예요. 그런데 많은 사람들이 이 기사를 접하곤 제게 욕을 하더군요. 어디 감히 너 같은 게 박세리, 김미현과 동급이냐는 거죠. "네까짓 게 영웅이야?", "너 같은 호모 XX가 영웅이라는 게 밥맛없다"는 식의 원색적인 비난이 쏟아졌어요. 사실 그 상을 제가 달라고 한 것도 아닌데 괜히 욕만 더 먹었죠. 참 억울했습니다. 상처를 많

이 받았고 더 조용하게 지낼 수밖에 없었죠.

■ 2010년 6월에는 주한미국대사관과 GLIFAA(Gays and Lesbians in Foreign Affairs Agencies, 미 외교기관 내 동성애자 모임)가 함께 주는 '2010 가장 용기 있는 사람' 상도 받았잖아요.

미국대사관이 제게 이 상을 주기 전, 미국 오바마 대통령이 2010년 6월을 '레즈비언, 게이, 바이섹슈얼, 트랜스젠더의 달'로 정하고 이들에게 세상에 존재하는 모든 편견과 차별에 맞서 싸우라고 당부했어요. 사실 미국도 동성애자 자체는 인정을 해도 그들이 '짝'을 이루었을 때의 인권 보호나 사회적 혜택은 거의 없었거든요. 그런데 오바마 대통령이 그런 돌파구를 마련해준 거죠. 그 일 때문에 주한미국대사관 내의 동성애자 모임이 제게 그런 상을 준 거예요. 저라도 없었다면 대한민국에서 동성애자 인권은 완전 바닥이었을 거라는 인식에서 준 상이었죠.

■ 한국에서는 동성애를 다룬 드라마가 많지 않았죠. 2003년 〈완전한 사랑〉이 대중적으로는 첫 작품 아닌가 싶어요. 이 드라마에서 동성애자로 출연했잖아요.

〈완전한 사랑〉 이전에도 단막극이 한 편 있었어요. 김갑수, 주진모 주연의 〈슬픈 유혹〉(1999)이었죠. 하지만 주말 드라마로는 〈완전한 사랑〉이 처음이었어요. 김수현 선생님께서 '홍승조'라는 캐릭터를 만들어주셔서 들어갈 수 있었어요. 커밍아웃하는 게이 캐릭터였는데 연기는 평범하게 해달라고 당부하셨어요. 아직 한국에는 동성애에 대한 선입견이 있으니 지나치게 튀지 말자는 거였죠. 김수현 선생님께서는 동성애자도 그저 우리와 같이 살아가는 사회의 한 구성원으로 그리고 싶으셨던 것 같아요. 동등한 사회 구성원인데 성정체성만 다른 것으로 하자고 말씀하셨어요.

6~7회 분량에서 승조가 지나(이승연 분)에게 커밍아웃을 하고 이불 뒤집어쓰고 우는 장면이 나오는데, 원래는 부모님에게 해야 할 커밍아웃을 가장 가까운 친구인 지나에게 하고 우는 거였어요. 2010년에 김수현 선생님이 대본을 쓰신 〈인생은 아름다워〉에서는 상황이 좀 달라지죠. 태섭(송창의 분)이 부모님에게 커밍아웃하는 장면이 들어간 거예요. 〈완전한 사랑〉에서 다룬 것보다 훨씬 깊게 들어간 거죠. 동성애자의 사랑과 삶에 대한 고민까지 영역이 확장된 거라고 봐요.

■ 하지만 여전히 동성애에는 넘지 못할 벽 같은 게 있는 것 같아요. 2009년 게이 청년들 간의 로맨스를 그린 한국 영화 〈친구 사이〉는 영상물등급위원회 심의에서 '유해성 있음'으로 판정받기도 했죠.

저는 15세 관람가 정도만 해도 된다고 생각하지만 한국 현실에서는 18세 등급 받아도 할 말 없죠. 다만 말하고 싶은 건 우리 사회가 청소년들을 너무 얕잡아본다는 거예요. 어떤 정보를 던져줘도 스스로 판단할 정도는 되는데 아무 생각 없는 애들로 평가하며 무시하는 것 같아요.

'성'이란 게 그렇잖아요. 자꾸 감추면서 하지 말라고 하면 더 큰 문제가 되죠. 차라리 '이런 건 조심해야 한다'고 알려주는 게 훨씬 더 중요한데 우리나라에서는 늘 숨기고 차단하고 못 하게 하는 데만 급급해요. 성에 대해 스스로 판단하지 못하도록 하는 게 제일 큰 병폐 같아요. 옛날 잣대 그대로 들이대는 보수적 마인드죠. 못마땅해요, 전.

대중은 모두 스마트폰 쓰고 있는데 높은 관직에 계신 분들만 구식 막대폰 갖고 다니는 격이죠. 정책을 주도하는 관료들이 세상의 속도를 따라오지 못한다고 봐요. 선도해야 할 분들이 오히려 뒤쳐져 있다고 해야 할까? 뒷북치는 선수들이 너무 많아요.

동성애자는 무조건 에이즈 걸리나요?

■ 드라마 〈인생은 아름다워〉가 방영될 당시, 〈조선일보〉에 "〈인생은 아름다워〉 보고 게이 된 내 아들, AIDS로 죽으면 SBS 책임져라!"라는 의견광고가 게재됐죠. 이걸 보고 격분해서 트위터에 글을 올리기도 했는데.

솔직히 '미친 거 아니야? 〈조선일보〉에 광고할 돈 있으면 좋은 데 쓰시지, 참교육 하신다면서 가난한 애들한테 학용품이라도 좀 사주시든가' 하는 생각이 들었어요. 무엇보다 광고문구 자체가 틀린 말이에요. '〈인생은 아름다워〉 보고 게이 된 아들'이라뇨? 그 드라마를 보고 게이가 된 게 아니라 그 아이는 이미 게이였는데 드라마 속에서 부모님이 아들을 이해해주는 장면이 나오니 용기를 내서 커밍아웃한 거라고 생각해요. 그분 말씀대로라면, 그때 누리꾼들이 말한 것처럼 조폭 영화 보면 조폭 되고 구미호 영화 보면 구미호 되나요?

에이즈 걸려 죽으면 책임지라는 말도 우스워요. 동성애자는 무조건 에이즈 걸리나요? 아니거든요. 게다가 에이즈는 섹스를 통해 전염되기도 하지만, 이미 당뇨처럼 지속적으로 관리하는 질병이에요. 관리만 잘 하면 수명을 연장시킬 수 있는 질환이라는 사실이 벌써 몇 년 전부터 알려져 왔죠.

그리고 그런 식으로 말하면 에이즈 환자들의 인권은 또 어떻게 되는 건가요? 너무한 거죠. 비싼 돈 들여 광고할 여유 있으면 차라리 만 원 투자해서 동성애 관련 책이라도 읽고 제대로 공격하라고 말하고 싶어요.

■ 트위터 글 때문에 광고 게재한 단체에서 항의전화는 없었나요?

조용하던데요? 본인들이 생각해도 웃긴 멘트라고 판단하지 않았을까요? 제가 매일 트위터를 들여다보거든요. 혹시 공격하는 이들이 있지 않을까 싶어서. 그런데 아무 말 없더라고요.

■ 외국에서는 에이즈 환자 돕기 행사도 많이 하는데 우린 그런 게 별로 없어요. 경계하고 죄인 취급하고 배타시하죠. 왜 그럴까요?

의식의 차이라고 생각해요. 외국에서는 개인의 삶을 존중하잖아요. 개인주의가 우리보다 더 발달한 거죠. 그런데 우린 집단주의예요. 집단에서 벗어나면 이단아로 치부하죠. 쉽게 말해 집단에 끼려면 개인이 변해야지 집단이 변할 수는 없다는 거예요. 군대 문화, 직장 문화, 공무원 복지부동. 모두 마찬가지라고 생각해요.

누군가 새로운 아이디어를 내면 그걸 경청해주기는커녕 '조용히 있어라', '편하게 묻어가는 게 상책이다'라는 식의 생각이 만연돼 있는 게 아닌가 싶어요. 튀는 행동을 하면 즉각 억제하고 말살하려 하는 거예요. 그걸 못 견디는 거죠.

그런데 튀는 걸 인정 못 한다면서도 사회적 소수자나 장애인들이 능력을 발휘하면 야단법석을 떨며 갖가지 포장을 해서 일약 영웅으로 만들어요. 웃기는 한탕주의죠. 한동안 세간의 관심을 온통 집중시켜놓고 그로 인해 발생하는 결과에 대해서는 아무런 책임도 지지 않는 거예요. 산골소녀 영자가 그런 사례 아닌가요? (2000년, 인적 없는 깊은 산골에서 아버지와 단둘이 살아가던 영자의 모습이 TV를 통해 알려졌다. 영자는 CF를 찍는 등 유명세를 탔지만, 이후 집에 강도가 들어 아버지를 잃었다. 그 충격으로 영자는 속세와 인연을 끊고 비구니가 되었다.)

풀뿌리정치에 관심 많아요

■ 민주노동당 성소수자위원회 활동도 했는데 소수자 인권을 위해 정치할 생각은 없으세요?

민노당에서는 탈퇴했어요. 민노당 안에도 반대하는 분들이 계시다고 들었어요. 한때 시류에 편승해 성소수자위원회를 조직했던 것 같아요. 그쪽과 지속적으로 네트워크를 갖고 활동해온 것도 아니어서 매월 내던 당비를 더 이상 내지 않기로 했죠.

나이 마흔이 되니까 고민이 좀 생겼어요. 스물 넘어 서른 됐고 서른 넘어 마흔 됐으니, 마흔 넘어 쉰까지 가겠구나 하는 생각이 들었어요. 그런데 2010년에 치른 지방선거를 가만히 보고 있자니 답답해지더라고요. 정작 뽑힌 뒤 그들은 시민을 위해 무엇을 할까 의구심이 드는 거예요. 그러다가 '내가 만일 정치나 행정을 한다면 좀 독특한 시각으로 다르게 할 수 있지 않을까' 하는 생각이 문득 들더군요. 그래서 다음 선거에 용산구청장에 도전해보면 어떨까 고민 중입니다. 국회의원은 너무 정치적이라 싫고 구청장은 행정이니 한번 해볼 만하지 않을까 생각 중이죠.

제가 골목정치, 풀뿌리정치에 관심이 많아요. 골목문화 자체를 끔찍이 사랑하는데다 죽어 있던 뒷골목이 살아나는 걸 보면 너무 뿌듯해요. 누군가 나서서 골목문화를 깔끔하게 바꿔줘야 하는데 제가 이태원에서만 15년을 지냈으니 이 지역에서는 딱 적임자잖아요. 그래서 한번 도전해보는 것도 괜찮겠다 싶은 거죠. 주변에 물어보니 '재밌겠다'고 반응하시더라고요. (웃음) 공무원들 중에도 아이디어 많고 변화에 목마른 사람들이 있을 것 같아요. 그들과 내가 합심한다면 썩 괜찮은 동네를 만들 수 있지 않을까 싶어요.

■ 용산구청장이 된다면 먼저 무엇부터 하고 싶어요?

지하철 6호선 효창공원역부터 용산구청 사이에 아주 오래된 동네가 하나 있어요. 거의 매일 플래카드가 붙어 있는데, 내용인즉슨 '서울시와 용산구는 주민들을 몰살하려는 것이냐'는 거예요. 행정 쪽에서는 개발을 위해 빨리 나가라는 것이고, 지역주민들은 절대 못 나가겠다고 버티는 거죠.

그런데 이 동네, 정말 옛날 냄새가 너무 잘 살아 있는 곳입니다. 딱 한 블록인데 도대체 그걸 다 뜯어 뭘 개발하려는 건지 궁금해요. 만일 제가 용산구청장이라면 그 동네를 문화의 거리로 만들겠어요.

일본 동경에 '다이칸야마'라는 문화의 거리가 있어요. 기찻길 옆으로 죽 늘어선 거리가 너무 예쁘거든요. 우리도 공덕역부터 용산역까지 철도 따라 공원도 만들고 먹을거리와 즐길 거리가 넘치는 공간으로 만들면 어떨까요? 무조건 다 뜯어 없앨 게 아니라 특화된 상권을 만드는 거예요. 아이디어를 현지 주민과 공유해서 바꿀 건 바꾸고 고칠 건 고치면 되지 않을까요? 낡았으니 무조건 다 부수고 새로 지어야 한다는 건 너무 진부한 발상 아닌가요?

'디자인 서울' 운운했는데 디자인의 출발은 기존의 것을 보존하면서 발전시키는 게 기본이에요. 동대문운동장을 왜 없애요? 그 역사성은 다 어떡할 거죠? 일본이 지어서 치욕이라고요? 아니 그럼 터키에 있는 성 소피아 성당은? 거긴 그리스도교며 이슬람교며 틈나는 대로 쳐들어와서 변형했는데? 결국 그 성당은 세계문화유산에 등록됐어요.

치욕의 역사라면 후대가 그대로 보고 반성하고 느끼도록 해줘야지, 무조건 없애는 게 능사일까요? 그건 아니죠. 예전에 '이태원 관광특구 위원회'에서 이태원을 개발하겠다면서 절 불렀어요. 교수님들이 이태원을 거의 새로 만드실 모양이더라고요. 네덜란드 거리, 스페인 거리 등등 조

감도를 다 그려놓으신 거예요.

그래서 전 왜 우리가 네덜란드, 스페인 흉내를 내야 하느냐고 물었죠. 답을 못 하시더군요. 이태원은 이태원에서 장사하는 토박이들이 자생적으로 만들어놓은 거리예요. 정부가 관광객을 끌어들인 게 아니라 자생적으로 만들어진 거리가 관광특구가 된 거예요. 자생적 문화의 소중함을 너무 모르는 것 아닌가 싶어요.

이태원 관광특구에 정말 필요한 게 뭔지도 몰라요. 말도 안 되는 거리로 개발할 거면 차라리 주차장이나 제대로 만들라는 거예요. 관광차들 몰려들면 다들 불법 주차해서 발 디딜 틈이 없어요. 사람들에게 정말 필요한 게 뭔지를 고민해야 한다고 생각해요.

배우로서 상 한 번 받는 게 꿈이라면 꿈이죠

■ 연기만 할 수 있다면 행복하다고 했는데 앞으로 어떤 연기를 하고 싶어요?

그동안 일부러 동성애자 연기를 안 했어요. 제작자도 피했고 저도 조심했고. 오히려 아주 평범한 연기를 했죠. 그런데 이젠 〈남자 셋, 여자 셋〉에서 했던 '쁘아종' 같은 역할을 하고 싶어요. 유쾌한 동성애자의 모습을 담고 싶은 거죠.

솔직히 그동안 그렇게 재밌는 캐릭터를 단 한 번도 안 했다는 게 더 웃기지 않아요? 이제는 더 원숙하고 재미있는 동성애 캐릭터를 좀 마음 편하게 연기해보고 싶어요. 남의 옷 빌려 입은 것 같은 느낌 버리고 제

옷 제대로 입고 연기하고 싶어요.

■ 트위터에 '가끔은 연예인이 아니었으면 하는 생각을 한다, 여러 선입견이
부담스럽다'는 말을 올린 적이 있죠.

첫째도 마지막도 이유는 외로움이에요. 외로움이라는 게 사람을 너무
힘들게 해요. 영원히 풀리지 않는 숙제인 거죠. 마음대로 되는 게 아니니
까. 상대가 채워줘야 하는 건데 요즘엔 구하기가 더 힘들어요. (웃음)
커밍아웃 전에는 몰래 만나기가 쉬웠는데 이젠 알려지니까 상대방이 너
무 부담스러워 해요. 충분히 그럴 수 있잖아요. 저만 용감한 게 아니라
저를 만나는 상대도 투사의 마음이어야 하는 거죠. 제 옆에 누군가 있는
걸 보면 "홍석천 옆에 있는 쟨 누구야?" 하지 않겠어요? 그런 걸 감당할
게이들이 없는 거지. 게다가 한국 동성애자들이 절 별로 안 좋아해요. 외
모로 보나 위상으로 보나 그들이 바라는 톱스타도 아니고요. 이런 욕도
많이 먹었어요. "너 같은 문어대가리가 우리의 아이콘이 되다니!"

■ 동성애자 결혼제도에 반대한다고 들었는데요.

남들이 하는 것까지 상관할 순 없고 제가 결혼할 생각이 없다는 거예요.
동성애자 결혼 합법화를 주장하는 분들도 계신데 저는 거기까지는 아니
라는 거죠. 그냥 '사랑주의자'예요. 사랑의 유통기간이 끝나면 '쿨' 하
게 친구처럼 잘 지내는, 그런 주의라는 얘기예요.

■ 이제 마흔이지만 쉰 되고 예순 되면 등이라도 긁어줄 누군가 필요하지 않을까요?

그 또래에 맞는 게이들이 있겠죠? 등이야 친구들이 긁어줘도 괜찮지 않을까요? 제 삶을 어디에 구속하는 게 싫어요. 서로 사랑해서 같이 몇 년 동거하는 건 오케이. 그러나 결혼으로 얽매이는 건 별로…….

■ 예전에 홍콩 영화 〈해피투게더〉(1998) 같은 작품을 한번 찍고 싶다고 했는데 요즘도 그래요? 꿈이 뭐예요?

전 꿈이 없어요. 그런데 기자들이 하도 질문을 해서 제 꿈이 뭘까 곰곰이 생각해봤어요. 이뤄지면 좋겠지만 이뤄지지 않아도 괜찮은 꿈, 그런 게 하나 있긴 하더군요. 부모님을 위해 연말 시상식이나 영화제에서 상 한 번 받는 거예요. 학교 다닐 땐 늘 상을 많이 받는 아이였는데 커밍아웃 이후에는 상복이 전혀 없어요. 요즘에는 분야별로 시트콤 연기자에게 주는 상도 있던데, 운이 없는 건지 제가 〈남자 셋, 여자 셋〉으로 인기를 끌던 예전에는 그런 게 없었어요.
물론 인권과 관련한 상은 받은 적이 있지만 본래 직업인 배우로서는 상을 못 받았죠. 직장인들도 한 곳에서 오래 근무하면 근속상 같은 거 받잖아요. 저도 오랫동안 배우로 활동하다가 상 한 번 타보고 죽는 게 꿈이라면 꿈인데, 이뤄질 날이 올까요? (웃음)

■ 커밍아웃 당시만 해도 이 사회에서 '왕따'였죠. 하지만 지금은 일종의 사회

적 복권을 하듯 많이 회복된 것 같아요.

평범한 삶을 살다가 커밍아웃을 해도 쉽지 않은데, 연예인이라는 직업 때문에 전 사회적 낙인이 찍힌 채 완전히 나락으로 떨어져 온몸이 상처 투성이인 채로 살았어요. 바닥에 짓밟혀 있다가 꿈틀꿈틀 기어코 살아났다고나 할까.

그래서인지 전 실수하면 안 되고 남에게 피해를 줘도 안 된다는 자기 검열 같은 게 있어요. 하지만 그 속에서도 앞으로의 게이들에게 희망을 주는 사람으로 살아야 한다는 책임감 같은 걸 느껴요. 내가 잘 살아야 적어도 동성애 문제에 있어서는 한국에 정의가 살아 있는 것 아닐까요?

어쨌든 전 언젠가 한적한 바닷가에서 옛 추억에 젖어 '여태껏 내가 살아온 삶이 그리 나쁘지는 않았구나' 느끼며 눈을 감을 수 있다면 그걸로 만족할 수 있을 것 같아요. 행복하게 죽을 수 있을 거예요.

■인터뷰 2010. 10. 6 ■사진 유성호

진보에게
발칙한 상상력을 선물하다

진보에게 필요한 건 과감한 생략과 발칙한 상상력 같아요. 다 같이 모였으니 구호를 외쳐야 하고 깃발도 들어야 하며 유명인사의 발언까지 들어야 한다? 이런 건 너무 재미없지 않나요?

그저 '앰프를 나르는 동지'에 불과했다. 군소리는 참 많았지만 그래도 이름만 부르면 어느 틈엔가 달려와 형광등이며 컴퓨터며 닥치는 대로 고쳐놓는 민원해결사였다. 보통의 남자보다 수다스러웠고 보통의 여자보다 꼼꼼하고 섬세했던 그는 내게 아주 편안하고 가까운 후배였다.

1998년 여름 긴 장마 끝에 떠난 참여연대 MT에서 그는 시인이 되고 싶다고 했다. 대학을 졸업하면 기자로 일하게 해주겠노라는 선배의 제안을 일거에 거부했다. 처마 끝에 '또로록' 떨어지는 빗소리를 들으며 이걸 어떻게 '팩트'로만 전달할 수 있겠느냐며 진저리쳤다. 약간은 장난기 어린 그 표정에 모두 웃음으로 화답했다. '그래, 넌 시인이 돼라.'

그러던 어느 날 문득 처음 시작한 공연을 무기로 공익문화 분야에 일가견이 있는 공연연출가로 성장했다. 또 이런저런 책들을 수시로 내더니 여러 대학의 겸임교수로 활동했다.

'P당'이라는 회사를 차려 뮤직비디오를 만들고 신인배우도 발굴하더니 노무현 대통령 서거 직후 추모 콘서트를 하며 정치적으로도 많이 각성된 태도를 보였다. 많이 울었던 모양이다. 그 이후부터 그는 트위터를 통해 온갖 사회적 의제에 자기 입장을 표출했다. 세다 싶을 만큼 많이.

그새 만 10년이 흘렀고 그는 어느덧 사회적으로 큰사람이 돼 있었다.

참여연대에서 인턴십을 할 때부터 "너무 무거워", "칙칙해", "재밌게 하면 안 돼?" 하더니, 자신이 만드는 문화콘텐츠에 삐딱한 시선과 촌철살인 코미디를 담는다. 그래서 대박을 터트린 게 배우 명계남과 함께한 후불제 연극 〈아큐, 어느 독재자의 고백〉이다. 돈은 안 됐지만 사회적 의미를 남긴 것은 '4대강 반대 공연'과 '문정현 신부 헌정공연' 등이다. 반값등록금 '립덥(Lip-dub. '립싱크'와 '더빙'의 합성어. 여러 사람이 음악에 맞춰 노래를 부르듯 연기하는 식의 뮤직비디오)'으로 화제를 몰고 오기도 했다. 공연연출가이자 다양한 문화콘텐츠 제작으로 사회적 주목을 받는 탁현민(@tak0518). 그와의 만남부터 현재까지를 소개한다.

■ 탁현민 씨는 본인의 직업이 뭐라고 생각해요?

아티스트요. 제가 성공회대 신문방송학과에서 문화콘텐츠를 전공했는데 사람들은 간혹 제 일을 공연으로 한정할 때가 있어요. 저는 사회에 요구되는 문화콘텐츠를 만들고 있다고 생각해요. 공연, 영상, 이벤트, 책, 강의 등등 저를 모티브로 해서 표현할 수 있는 건 다 하고 있죠.

문화평론가 진중권 씨가 학문 간 교류, 즉 통섭(通涉)을 강조했는데 문화콘텐츠 영역이야말로 통섭이 필요한 것 같아요. 장르와 경계를 허물려고 노력하는 것. 실은 제 직업을 다 설명해서 명함에 넣어보려고 했거든요. 그런데 명함 크기가 너무 작아서 모두 안 들어가더라고요. A4용지 한 장은 있어야 할 것 같아서 아예 명함을 없앴죠.

■ 첫 직장이 참여연대인데 왜 시민단체 활동가가 되려고 했나요?

때는 1997년이었고 대학 3학년 2학기였어요. 당시 학점이 많이 모자랐는데 조희연 성공회대 사회학과 교수님이 참여연대에서 인턴십을 하면 6학점을 주겠다고 하셨어요. 그래서 시민단체에 첫 발을 딛게 된 거예요. 처음에 한 일은 〈개혁통신〉이라고 A4용지 몇 쪽 분량의 글을 써서 언론 등 각계에 보내는 일이었어요. 원래는 〈개혁통신〉을 만드는 게 제일이었지만 실제로는 전화기 고치고 형광등 갈고 컴퓨터 고치고 그런 일했죠. (웃음)

■ 참여연대 일은 재밌었나요?

재미있다기보다는 일단 학점이 급했어요. 제일 서글펐던 건 어떤 자원활동가의 책상 위에 걸린 형광등이 고장 났다고 해서 고치려고 책상 위에 올라섰는데 그 자원활동가가 째려보며 "아저씨! 이따가 하면 안 돼요?" 했을 때예요. (웃음) 그땐 또 참여연대에 온갖 사연을 갖고 있는 분들이 많이 오셨어요. 이를테면 '내 귀에 도청장치'부터 시작해서 각계 유명 인사들까지 들락거리니 말 그대로 한국 사회의 온갖 일들이 집대성되는 현장 같았죠.

제 자리가 박원순 변호사(당시 사무처장) 맞은편이었는데 그분은 누가 찾아오면 그냥 돌려보내는 일이 없었어요. 꼭 활동가 한 명과 연결해서 찾아오신 분의 이야기를 들어드리라고 했죠. 제가 자주 걸렸어요. 박 변호사님이 연결해준 분이니까 최선을 다해야겠다 싶어 노트와 펜을 챙겨서 몇 시간씩 메모하며 듣다 보면 결론은 '내 귀에 도청장치' 식인 거죠. (웃음) 그런 해프닝이 참 많았어요.

■ **참여연대 문화사업국에서는 주로 어떤 일을 했어요?**

주로 앰프 설치나 철수가 많았고 미술계 선생님들 작품 받아오는 일도 했어요. 당시는 정부나 기업의 돈을 받지 않고 오로지 시민의 힘으로 운영하는 단체가 많지 않던 시절인데 참여연대는 그렇게 운영을 했거든요. 그러니까 늘 돈이 없었어요. 날마다 사람들에게 손 벌리긴 어려운 노릇이라서 고안해낸 게 문화사업이었어요. 늘 그림 팔고 도자기 팔고 액자 팔고 그랬죠. 그러다 제가 처음 해본 게 공연사업이었어요. 오로지 공연 수익만으로 성공한 사업을 해본 거죠. 그때 제 월급이 60만 원이었어요.

대중과의 접점을 찾으려 시작한 공연이죠

■ **첫 무대에 누가 섰나요?**

자우림과 이은미 씨였어요. 예술의 전당 야외극장에서 했는데 제목이 '말 많은 세상에 던진다'였어요. 지금은 촌스럽게 느껴질지 모르지만 그땐 그런 게 유행이었어요. 그 공연 시작할 때 활동가들 사이에서 온갖 볼멘소리가 다 나왔죠. '말 많은 세상에 뭘 던지느냐, 공연히 일 벌여 사

고 치지 말아라' 등등. 그런데 공연이 딱 끝났는데 오직 공연 수입만으로 5000만 원을 번 거예요. 모두 놀랐죠. 제가 느끼기에는 그때부터 사람들이 절 달리 보기 시작한 것 같아요. (웃음)

■ **공익문화센터는 어떻게 해서 시작하게 된 거예요?**

1990년대 말부터 2000년대 초반의 시민사회 최대 화두는 '어떻게 하면 대중과 접점을 찾으면서 활동할 수 있을까' 였어요. 그런데 언론이 정말 많이 도와줬어요. MBC 이상호 기자가 문화도 수익이 된다는 콘셉트로 많이 보도해줬거든요. 공연이 시민단체의 수익이 된다고 판단하니까 그 뒤로는 여성재단, 아름다운재단 등에서 많이 했죠. 여성단체연합에서는 문화기획집단을 만들기도 했고요.

■ **공익문화의 새 장을 열었다, 이렇게 평가하세요?**

사실 한계를 많이 느꼈어요. 당시에는 대중음악에 대한 지식도 일천했고 가수들이 어떤 존재인지 알아가는 과정도 필요했어요. 게다가 김대중·노무현 민주정부 10년 시기라서 사회적 의미를 담은 공연이 별로 없기도 했고 필요성도 그다지 느끼지 못했어요. 요즘 제기되는 것 같은 사회적 의제도 별로 없었죠.

■ **김제동, 윤도현 씨와는 어떻게 인연을 맺었나요?**

제가 2002년부터 다음기획에서 일했어요. 그때 윤도현 씨가 팍 떴죠. 제동 씨는 윤도현 씨의 대구 공연장에서 처음 만났어요. 그런데 너무 웃긴 거예요. 처음 만나자마자 함께 술 마시며 친해졌고 다음기획 공연을 함께하게 됐죠. 2003년 윤도현 씨가 KBS 〈러브레터〉를 진행하면서 제동 씨도 서울로 오게 된 거예요.

■ 김제동 씨는 사적으로 만나도 굉장히 웃긴 모양이죠?

방송에서는 가볍지만 일상에서는 묵직한 편입니다. 말도 가려서 하고 굉장히 예의를 따져요. 경상도 사나이라 그런가? (웃음) 저랑 달수로 6~7개월밖에 차이가 안 나는데도 꼭 형님이라고 불러서 그게 좀 불편해요.

사실 망할 줄 알았어요

■ P당은 왜 만들었어요?

연출자가 되면서 제 스태프가 필요했어요. 하고 싶은 걸 빨리 하려면 스태프가 있어야겠더라고요. 어느덧 직원이 25명이 됐는데 제 회사가 아닌 우리의 회사로 만들어야겠다고 생각해서 과감하게 지분을 나눠줬어요. 저는 지금 P당의 월급사장이에요.
1년차 이상 직원이 되면 회사 지분을 4.75퍼센트씩 나눠 갖게 돼요. 혹자 나면 배당을 하는 방식인데 우리 회사 모토가 '그해 번 돈은 그해 다 쓰자!'거든요. 재벌도 아니고 누구에게 물려줄 것도 아니어서 그냥 직원들과 함께 번 돈을 나눠 갖는 식이죠. 그런데 전 지분이 0퍼센트예요.

■ 왜 정작 본인은 지분을 갖지 않았나요?

이렇게 잘될 줄 몰랐어요. 실은 망할 줄 알았거든요. 그런데 너무 잘돼요. 올해도 배당금이 적지 않을 것 같은데 살살 배가 아프네요? (웃음) 우린 돈을 남기지 않아요. 그래서 연말이면 멀쩡한 컴퓨터를 새 걸로 바꾼다거나 계획에 없던 사내 워크숍을 푸껫으로 간다거나 캡슐커피를 100만 원어치 산다거나 하는 식이죠.

■ 그 회사 생긴 지 얼마 안 됐는데 창립 멤버 연봉이 얼마예요?

6000만~7000만 원 정도는 될 거예요. 지분이 없다고 해서 제가 월급을 쥐꼬리만큼 받는 건 아니에요. 이사들에게 제 처우에 대해 세 가지 조건을 걸었어요. 좋은 차를 타고 싶다, 애플에서 나오는 신제품은 모두 사달라, 그리고 월급은 얼마 달라. 제 월급까지 공개하길 바라시는 건 아니죠? (웃음) 3년 계약했고 그거 지나면 놀 거예요.

■ 최근 트위터 등을 통해 사회적 발언을 많이 하게 된 건 이명박 대통령 탓인가요?

아무래도 그렇죠. 결정적으로는 노무현 대통령 추모공연을 한 뒤로 적극적인 사회 발언에 나선 것 같아요. 그러나 제가 문화콘텐츠들을 만들 수 있었던 건 여러 소셜테이너와 지속적으로 관계를 맺었기 때문인 것 같아요.

■ 노무현 대통령 추모공연은 어떻게 하게 됐어요?

공연을 연출하는 사람으로서 해보고 싶었어요. 당시 연세대 학생 네 명이 절 찾아와 자기네 학교에서 추모공연을 하고 싶다고 했어요. 그런데 정말 '공연을 하고 싶다'는 의지만 있을 뿐 아무것도 준비된 게 없더라고요. 옥신각신한 끝에 연세대에서는 공연을 못 했고 장소를 옮겨 성공회대에서 하게 됐는데……. 지금도 그때 생각을 하면 감정을 잘 추스를 수가 없어요. 너무 감동적이었어요. 아마 성공회대 개교 이래 그렇게 많은 사람들이 모인 건 처음일 거예요. 공연이 보이는 곳이라면 사람들이 어디든 올라가 무대를 응시했으니까요.

■ 최근에는 반값등록금 '립덥'으로 화제가 됐어요.

김치찌개가 먹고 싶어서 광화문에 나갔다가 성공회대 학생들을 만났어요. 그냥 "너희들 수고한다" 인사를 건넸더니 진행하던 친구가 "우리를 위해 탁 교수님이 오셨다" 이러는 거예요. 느닷없이 끌려 나가서 말을 하게 됐는데, 요놈의 입이 방정인 거죠. "여러분들이 외롭게 싸우지 않도록 하겠다!" 한 거예요. 마이크를 놓은 뒤에는 속으로 혼잣말을 했어

요. '내가 뭔 소리를 한 거야?'

그 뒤 선대인, 고재열, 김남훈, 박혜경 등 트위터리안들로부터 전화가 많이 왔어요. 저는 '립덥'이라는 형식이 재미있으니 그걸 '플래시 몹' 형태로 하고 싶다, 고재열 씨는 치킨을 좋아하니 치킨을 사서 보내겠다 등등 여러 의견이 개진됐죠. 그걸 바탕으로 트위터에 이야기를 풀어놓으니까 사람들이 모인 거죠.

■ 소위 '날라리 선배부대'인 김제동, 박혜경, 김여진 씨 같은 소셜테이너들이 반값등록금 집회 선두에 서게 됐는데요.

아마 대중문화예술인들이 집회에 이런 식으로 결합한 것은 처음 아닐까 싶어요. 미국산 쇠고기 수입 파문 때도 여러 연예인들이 동참했지만 그때는 대개 글을 쓰거나 공연에 참여하거나 잠깐 얼굴을 비추는 식이었지 이번처럼 직접 현장에 나와 책을 나눠주거나 먹을거리를 제공하는 식은 아니었거든요.

■ 2011년 6월 10일 대규모로 치러진 반값등록금 집회는 성공적이었다고 평가하나요?

자기 자신이 즐겁지 않으면 그건 혁명이 아니라는 말도 있듯이 저는 좀더 가벼웠어야 한다고 생각해요. 수만 명이 모이니까 무대가 반드시 있어야 하고 인사말을 꼭 해야 하고 사회자도 반드시 정해져야 한다? 그건 고정관념이죠. 만약 수만 명이 모이는 상황을 거대한 '플래시 몹'으로 만들었다면 아마 지금도 인터넷 어딘가에서 회자되고 있을 겁니다. 그런데 우린 그런 발상의 전환을 잘 못하는 것 같아요.

너무 옛날 세대의 투쟁방식을 고집하는 건 아닐까요? 예컨대 클럽에 가서도 꼭 앉을 자리 먼저 살피는 것과 같다고 생각해요. 몇 시간 서 있어도 안 죽는데 말이죠. 진보에게 필요한 건 과감한 생략과 발칙한 상상력 같아요. 다 같이 모였으니 구호를 외쳐야 하고 깃발도 들어야 하며 유명인사의 발언까지 들어야 한다? 이런 건 너무 재미없지 않나요?

■ 사회적 발언을 적극적으로 하는 연예인이 방송에서 출연정지 같은 형태로 탄압받는 것에 대해서는 어떻게 생각하세요?

김흥국 씨부터 김여진 씨까지……. 총론적으로 보면 다양성이라는 측면에서 다 품어줘야 한다고 생각해요. 사회적 발언을 했다고 해서 불공정한 처우를 받는 건 문제죠. 오히려 전 연예인들의 사회적 발언이 더 과감해지고 더 과격해져야 한다고 생각합니다. 물론 불의는 잘 참으면서 불이익은 절대 못 참는 식이 돼서는 곤란하겠지만 말이죠. 여하튼 모두 존중받아야 한다고 생각해요. 저항은 대중문화예술의 본질이라고 생각해요. 우리 역사에서 대중문화예술은 중요한 고비마다 저항을 해왔거든요.

■ 노무현재단 문재인 이사장의 책 《문재인의 운명》을 화두로 '운명'에 대한 토크콘서트를 기획했죠.

저는 공연도 기사와 마찬가지로 '스트레이트 공연'이 있고 '기획 공연'이 있다고 생각해요. 어떤 상황이 발생했을 때 시의 적절하게 해줘야 하는 공연이 스트레이트 공연이죠. '노무현 대통령 추모공연'과 '4대강 반대공연'은 스트레이트 공연입니다. 완성도보다 '이슈 파이팅'이 우선이고 의지를 모으는 게 먼저인 공연이죠. 일종의 집회 성격이 있는 거예요.

그에 비해 한 명의 아티스트로서 하고 싶은 사회적 발언을 하는 걸 기획 공연이라고 생각해요. 2011년 봄부터 해온 시사 콘서트가 그런 경우죠. 몇 회 진행하면서 느낀 건 대통령 욕하는 것 말고 할 게 없다는 거였어요. 그럼 뭘 할 수 있을까 고민하다가 《문재인의 운명》을 읽었고 도대체 '우리의 운명은 무엇인가', '정치사회적 운명은 무엇인가'를 찾아가는 공연을 생각해낸 거죠.

노무현 추모 콘서트, 지금도 눈물 납니다

■ 공연에서 다루는 내용은 주로 어떤 거죠?

비주류 문화예술을 모아 공연 형태로 조직하는 겁니다. 대여섯 번 정도 묶어 전국을 한 바퀴 돌 예정인데 그다음에는 우리에게 또 어떤 희망적 인물이 있는지, 희망적인 얘기는 뭔지 찾아갈 거예요. '우리의 운명'이라고 하면 너무 무겁고 진지할 것 같아서 영상 등 전체적인 분위기는 엄청 웃기게 만들 거예요. 첫날에는 토크 손님으로 문재인, 양정철, 오연호, 둘째 날에는 문재인, 양정철, 김어준이 등장합니다. 노래 손님은 '좋아서 하는 밴드', '일단은 준석이들', '카피머신' 등 인디밴드 쪽에서 발굴할 겁니다.

■ 지금까지 연출한 공연 중 잊지 못할 공연은 뭐예요?

노무현 대통령 추모공연이죠. 지금도 그때 얘기하면 눈물이 나요. 돈도 없었고 공간조차 확보하지 못한 채 공연 준비를 했어요. 저는 4대강 반대공연을 포함해서 그 어떤 공연에서도 개런티를 안 준 적이 없습니다. 물론 액수는 조금씩 달랐지만 개런티는 다 줬어요. 그런데 그 공연에서는 개런티를 주지 않았어요. 우선 돈 받고 나오는 공연이 아니라고 생각했기 때문입니다.

사실 가수 한 명을 무료로 섭외하는 건 어렵지 않아요. 그러나 무수한 세션맨들은 생면부지거든요. 그들에게까지 이 공연의 의미를 전달하고 무료로 해달라고 당부하는 게 쉽지는 않았어요.

여하튼 노무현 대통령 추모공연은 완벽한 무료공연으로 진행했습니다. 그때 저도 생각이 굉장히 복잡했어요. 사람들이 모여서 서로 슬픔만 확인하고 간다면 그게 뭘까, 그렇다고 사람이 죽은 지 100일도 안 됐는데 축제처럼 희희낙락하는 것도 아닐 것 같은데…… 정말 마음이 복잡했죠. 게다가 비가 많이 와서 운동장은 질펀거렸고 사람은 많았고 좌석은 만석이었고 정말 난리였죠.

■ '소셜테이너'를 둘러싼 논쟁에 대해 어떻게 생각하세요?

가장 어이없는 것은 MBC의 태도예요. 연예인이 정치사회적 발언을 하면 출연을 정지시키겠다고 했죠. 그럼 MBC는 정치사회적 생각이 없는 '무뇌' 방송을 하겠다는 건가요? 예컨대 MBC의 유명한 예능 MC가 '요즘 물가가 너무 많이 올라서 문제다'라고 하면, 그것도 사회적 발언이니 출연 정지시킬 건가요? 그런 식이라면 김제동, 윤도현, 김여진 모두 줄줄이 출연 정지예요. 도대체 무슨 생각으로 그런 발상을 했는지 답답합니다.

MBC에서는 앞으로 안젤리나 졸리나 브래드 피트가 나오는 영화는 방영되지 못하고 라디오에서는 밥 딜런 노래가 흘러나오지 못하게 되는 건가요? 도대체 무슨 기준으로 그런 원칙을 세우겠다는 건지 알 수가 없어요. 여태까지 방송사가 부리던 그 어떤 패악보다 극악무도한 것 같아요. 생각해보세요. 사회적 발언을 하는 사람이 정상인지, 안 하는 사람이 정상인지. 사회가 미쳐 돌아가고 있어요.

■ 인터뷰 2011. 7. 11 ■ 사진 유성호

에필로그

떴다. '알아주는' 공연기획자가 되었다. 〈나는 꼼수다〉 공연으로 전국을 돌고 있다. 한국 사회의 주요 고비마다 그는 문화의 힘을 보여주었다. 2011년 11월 30일, 텅 빈 서울 여의도 공원에는 한미 FTA 반대 〈나는 꼼수다〉 특별공연으로 무려 5만 명의 인파가 모였다. 후불제로 진행된 이 공연에 사람들은 무더기로 돈을 냈다. 그는 이 사실을 일일이 트위터에 소개했다.

"여의도 공원 수익 삼억사십일만 원은 제작비를 제외한 순수익으로 계산할 때 최소한 6개월간의 서버 비용을 마련한 것으로 판단됩니다. 대단합니다. 후불제라는, 평일이라는, 얼마든지 돈을 안 내도 되었다는 것을 고려하면 놀라운 일입니다."

또 이런 글도 썼다.

"11월 30일 나꼼수 자발적 후불제 수익인 삼억사십일만 원은 후불제 공연으로서는 단연 국내 최고의 금액입니다. 삼십억, 삼백억과 맞먹는 기쁨을 함께 누리시기 바랍니다."

비 오는 겨울 저녁, 황량한 여의도 공원이 과연 가득 채워질까……. 만일 칼바람 부는 여의도 공원을 가득 메운다면 그건 기적이라고 생각했다. 그런데 그 기적은 결국, 현실이 됐다.

닥치고 광대? 그 손가락을 거두시오

정찬형 · MBC 라디오 프로듀서

경솔했다. 머릿속이 복잡하다. 무슨 면목으로 이 책을 추천한다며 나섰단 말인가. 장윤선 기자와 인터뷰를 한 소셜테이너 중 여러 명이, 내가 일하는 '공영방송'에서 납득하기 힘든 사유로 쫓겨나신 분들 아니던가. 난감하다.

글을 시작하자면 참회의 뜻부터 담아야겠다. 이만큼 생각 깊고 마음 착한 예술인조차 품어 안지 못하는 우리 사회의 편협함을 비판하고 개선하려 애쓰기는커녕, 스스로 협량(狹量)함을 드러내 돌팔매를 자처한 속좁은 방송사의 종사자로서 책을 읽는 내내 부끄럽고 죄송했다.

'소셜테이너'라는 이름을 들으면서 20년 전쯤 구입한 공연 비디오에서 봤던 그 장면을 떠올렸다. 반전평화운동의 맨 앞줄에 섰던 존 레논과 오노 요코의 뉴욕 공연! 레게 리듬이 깔리는 무대에 오노 요코가 섰다. 그리고 우리가 잘 아는 정치인의 연설이라며 글 하나를 읽어 내려갔다.

"거리는 온통 혼란에 빠져 있습니다. 대학은 폭동과 소요를 일삼는 학생들로 가득합니다. 공산주의자들은 나라를 호시탐탐 파괴하려 합니다. (…) 국가가 위험에 처해 있습니다. 그렇습니다! (…) 지금 법과 질서를 지키는 게 시급합니다. 법과 질서 없이 우리나라는 살아남을 수 없습니다."

공연과 어울리지 않는 뜬금없는 안보연설에 관객들이 술렁일 때쯤 오노 요코가 외쳤다.

"이상, 아돌프 히틀러의 1932년 연설입니다!"

그리고 이어지는 존 레논과 플라스틱오노밴드의 마지막 노래 〈Give Peace A Chance〉.

미국 정치에 대한 신랄한 풍자가 담긴 이 장면은 1990년대 초반, 당시의 우리 현실하고도 무관치 않았다. 뒤통수를 한 대 맞은 느낌이 들어 방송에서 이 대목을 여러 번 인용할 수밖에 없었다.

최근에는 월가 시위대 소식을 싣는 신문 〈Suite101〉에서 미국 배우 수잔 서랜던, 감독 마이클 무어 같은 이들이 시위를 지지하는 연설이나 인터뷰를 하는 것을 봤다. 현실을 외면하지 않는 그들의 모습을 존경의 마음으로 지켜보았다.

첩보 액션 '본 시리즈'의 맷 데이먼(Matt Damon)! 그가 최근 다큐멘터리 〈인사이드 잡(Inside Job)〉(2010)의 내레이터로 나서서 '리먼 브라더스 파산 사태' 등을 통해 드러난 미국 금융 자본의 추악한 속성을 낱낱이 까발리는 장면을 보며 또 전율했다. 맞다, 그 배우다. 영화 〈굿 윌 헌팅(Good Will Hunting)〉(1997)에서 수학 천재 역을 맡아 진보적 지식인 하워드 진(Howard Zinn)의 《미국 민중사》야말로 진짜 역사책이라고 극찬했던 맷 데이먼. 그러고 보니 오노 요코가 읽은 그 히틀러 연설도 하워드 진의 저서 《오만한 제국》에서 인용한 거라던가?

우리 주변에도 이런 소셜테이너들이 많아져서 보기 좋다. 외롭고 고단한 이웃에게 따스한 눈길을 보내고 구조적인 부조리를 지적하고 이대로는 곤란하다며 직접 나서는 대중문화예술인들.

한진중공업 문제가 해결되기 전에는 살아서 내려오지 않겠다던 고공 크레인의 김진숙을 구출하려 애쓴 희망버스의 배우 김여진. 그가 만삭의 몸으로 달려가 김진숙을 부둥켜안던 모습은 나에게 미안함으로 남는다. 잘나가던 시사 프로그램에서 눈물로 견디다 결국 밀려났던 김미화. 그가 다른 방송사에 둥지를 틀던 날, 한미 FTA 강행 처리를 앞두고 대치 중인 상황이 걱정돼 국회 앞을 둘러보고 왔다고 방송에서 말하는 것을 들었다. 혹한인데도 시위대에게 물대포를 쏘는 경찰의 야만에 왜 침묵하냐며 인권위원장에게 분노의 편지를 보냈다는 기사도 읽었다. 언론이 게으르고 무책임해서 그이가 직접 나선 것이라 생각하니 또 빚을 졌다는 생각이다.

부끄럽고 미안해하면서도 이들에게서 눈을 떼지 못하는 이유가 있다. 눈물이 날 정도로 지독해진 우리 사회의 모순에 주목하고 본질을 짚어내며 묘방을 찾고, 때론 심각하게 때론 가볍고 유쾌하게 이를 개선하려 애쓰며 적지 않은 성과를 이루어내는 모습이 마음 든든해서다. 그들에게서 희망을 보기 때문이다.

말들은 어찌 그리 예쁘게 잘하는지, 이 책에는 밑줄 치고 새겨둬야 할 말들이 넘쳐난다. '소셜테이너' 호칭을 듣고 배우 권해효가 반문한다. '개념 있는 일을 하는 예술인 말하는 건가?' 레슬러이자 방송인인 김남훈은 이렇게 묻는다. '사회적 약자에게 관심 갖고 불합리한 거 지적하면 다 좌파? 그럼 불의에 눈감으면 우파? 그건 우파한테 욕 아닌가?' 가수 이상은은 말한다. '양심에 비춰 눈물이 날 만큼 문제가 있고 이건 정말 아니다 싶으면 몸을 일으키게 된다'고. 그리고 이들의 얘기를 가만히 듣다 보면, 영화감독 류승완처럼 '인간에 대한 최소한의 예의와 상식이 통하는' 그런 세상을 꿈꾸게 된다.

이 책을 꼭 추천해주고 싶은 분들이 있다. 닥치고 광대 노릇이나 하라며 개념 소셜테이너들의 말에 귀를 기울이지 않고 삿대질부터 하는 분들! 정치인, 언론인 대다수가 본연의 역할을 제대로 못하는 시대다. 그리고 그들 중 일부는 본업에 태만하면서 수준 낮은 '연기'로 국민들에게 분노와 허탈함을 안겨주며 비웃음과 매를 벌고 있다. 이러니 우리 대중문화예술인들이 그들의 태만함에 대해 한마디씩 하게 되는 것은 당연하다는 걸 이 책을 읽으면 이해할 수밖에 없을 것이다. 더구나 이들 소셜테이너의 말문을 막을 어떤 법적 근거도 타당성도 방도도 없다는 것 역시, 이 책의 마지막 페이지를 덮다 보면 자연히 수긍하게 될 거라 믿는다. 마지막 인터뷰이인 탁현민의 말이 아직도 귓전을 맴돈다.

"생각해보세요. 사회적 발언을 하는 사람이 정상인지, 안 하는 사람이 정상인지. 사회가 미쳐 돌아가고 있어요."

2012년 1월
고마움과 미안함을 담아
정찬형

소셜테이너

시대와 소통하는 대중문화예술인 19명을 만나다

1판 1쇄 펴낸날 | 2012년 1월 30일

지은이 | 장윤선
펴낸이 | 오연호
편집주간 | 이한기
기획편집 | 서정은
책임편집 | 차경희
홍보 | 김동환
사진 | 권우성 남소연 유성호
교정 | 이준호
디자인 | 여상우
용지 | 타라유통
인쇄 | 천일문화사
제본 | 민우사

펴낸곳 | 오마이북
등록 | 제313-2010-94호 2010년 3월 29일
주소 | 서울시 마포구 상암동 1605 누리꿈스퀘어 비즈니스타워 18층 (121-270)
전화 | 02-733-5505 팩스 | 02-733-5077
www.ohmynews.com book@ohmynews.com

ISBN 978-89-964305-5-1 03810

오마이북은 오마이뉴스에서 만드는 책입니다.